RACHEL CARSON

DODE LENTE

DERDE DRUK

H. J. W. BECHT'S UITGEVERSMAATSCHAPPIJ N.V.
AMSTERDAM

Oorspronkelijke titel
SILENT SPRING

Vertaling
ADELAIDE H. VAN LOON

Omslagontwerp
AD WERNER

DODE LENTE

Aan Albert Schweitzer,
die heeft gezegd:

'De mens heeft het vermogen verloren om vooruit te zien en te voorkomen. Hij zal uiteindelijk de aarde vernietigen.'

The sedge is wither'd from the lake,
And no birds sing.

Keats

Ik ben pessimistisch gestemd over het menselijk ras, want het is vernuftiger dan goed voor hem is. Ons contact met de natuur bestaat alleen uit onderdrukking. Wij zouden een betere kans op overleving maken als we ons aanpasten aan de bestaande orde op deze planeet en als we het leven op aarde naar waarde zouden schatten in plaats van het sceptisch en dictatoriaal tegemoet te treden.

E. B. White

Dankbetuiging

In een brief van januari 1958 schreef Olga Owens Huckins mij over haar eigen bittere ervaring, over levenloosheid die in haar wereldje was geslopen, en dit richtte wederom mijn aandacht op een probleem, waarmee ik mij reeds eerder had bezig gehouden. Toen realiseerde ik me, dat ik dit boek moest schrijven.

Gedurende de jaren die sindsdien zijn verstreken, heb ik hulp en aanmoediging van zo veel mensen ontvangen, dat het mij niet mogelijk is, ze allen hier te noemen. Degenen, die mij hebben laten meeprofiteren van hun jarenlange ervaringen en studies, komen uit een grote kring van regeringsinstellingen in Amerika en andere landen, van universiteiten en researchinstituten, en uit verschillende beroepen. Aan allen betuig ik hiermede mijn welgemeende dank voor de tijd aan mij besteed en het inzicht mij gegeven.

Bovendien gaat mijn speciale dank uit naar diegenen, die de tijd hebben genomen om gedeelten van mijn manuscript te lezen en aanwijzingen en kritiek te leveren, die gebaseerd waren op diepgaande kennis. Hoewel de uiteindelijke verantwoordelijkheid voor de juistheid van de tekst op mij blijft rusten, moet ik zeggen, dat ik dit boek niet zou hebben kunnen voltooien zonder de edelmoedige hulp van deze specialisten: Dr. L. G. Bartholomew van de Mayo Kliniek, John J. Biesele van de Universiteit van Texas, A. W. A. Brown van de Universiteit van W. Ontario, Dr. Morton S. Biskind uit Westport, Connecticut, Dr. C. J. Briejèr van de Plantenziektenkundige Dienst te Wageningen, Clarence Cottam van de Rob & Bessie Welder Wildlife Foundation, Dr. George Crile Jr. van de Cleveland Kliniek, Frank Egler uit Norfolk, Connecticut, Dr. Malcolm M. Hargraves van de Mayo Kliniek, Dr. W. C. Hueper van het Nationaal Kanker Instituut, C. J.

Kerswill van het Instituut voor Visserij Onderzoek in Canada, Olaus Murie van de Wilderness Society, A. D. Pickett van het Canadese Ministerie van Landbouw, Thomas G. Scott van de Natural History Survey van Illinois, Clarence Tarzwell van het Taft Sanitary Engineering Center en George J. Wallace van de Universiteit van Michigan.

Iedereen die een boek schrijft dat is gebaseerd op feitenmateriaal heeft veel te danken aan de kennis en hulpvaardigheid van bibliothecaressen en ik ben dank verschuldigd aan velen, doch speciaal aan Ida K. Johnston van de Department of the Interior Library en Thelma Robinson van de bibliotheek van de National Institutes of Health.

Mijn uitgever, Paul Brooks, heeft mij steeds aangemoedigd en met opgewektheid zijn plannen aangepast aan vertragingen en uitstel. Hiervoor en voor zijn ervaren redactioneel oordeel ben ik hem uitermate dankbaar.

Ik heb kundige en toegewijde hulp gevonden bij de enorme taak van het speurwerk in bibliotheken van Dorothy Algire, Jeanne Davis en Bette Haney Duff. En ik zou onder geen voorwaarde mijn boek hebben kunnen voltooien zonder de bijzonder trouwe hulp van mijn huishoudster, Ida Sprow.

Tenslotte moet ik mijn grote dank betuigen aan een groep mensen, van wie ik verschillenden niet ken, doch die het voor mij de moeite waard hebben gemaakt dit boek te schrijven. Dit zijn de mensen die zich oorspronkelijk hebben gekant tegen de roekeloze en onverantwoordelijke vergiftiging van de wereld, die de mens deelt met alle andere levende wezens, en die thans duizend-en-één kleine gevechten leveren, waardoor uiteindelijk de overwinning zal worden behaald in de strijd voor gezondheid en gezond verstand bij onze aanpassing aan de wereld, die ons omringt.

Rachel Carson

Voorwoord

bij de Nederlandse vertaling

door Prof. Dr. J. Kuenen

Hoogleraar aan de Rijksuniversiteit te Leiden

Naarmate de technische prestaties in onze cultuur toenemen gaat de mens steeds meer het contact met de natuur verliezen.

In de welvarende landen wonen wij in goede huizen, een telefoontje naar de brandstofleverancier is voldoende om een goede temperatuur in ons huis te verzekeren, ons voedsel is in overvloed en grote variatie in de winkel op de hoek te krijgen, onze krant komt elke dag in de bus en wij vragen ons niet af waar dat alles vandaan komt.

De krant wordt op papier gedrukt dat uit hout wordt gemaakt. Dat hout groeit in bossen en in die bossen leven ontelbare soorten dieren. Sommigen daarvan kunnen de bomen beschadigen en om dat te verhinderen zijn honderden onderzoekers bezig de methoden van insectenbestrijding te verbeteren.

Ons voedsel is ergens gegroeid, gekweekt of gevangen en om zo groot mogelijke oogsten van land- en tuinbouwgewassen te verkrijgen wordt de landbouw verbeterd, meststoffen worden aan de grond toegevoegd en insecten worden bestreden, insecten die van de gewassen leven en er dus hun deel van nemen.

Toen de mens lang geleden begon met landbouw, ging hij voor het eerst grote veranderingen in zijn omgeving aanbrengen. Hij zaaide of plantte grote aantallen van één soort bijeen, verwijderde onkruiden en begon spoedig met de selectie van gewassen, zodat die een grotere opbrengst van het gewenste produkt gaven.

Maar er waren ook dieren die van dit landbouwbedrijf gingen profiteren en daaronder waren vele soorten insecten. Zij troffen op één plaats grote hoeveelheden planten bij elkaar aan die zij nodig hadden als voedsel of waarin zij hun eieren konden leggen. De door de mens geselecteerde gewassen waren vaak ook beter voor de insecten, door grotere zaden, groter aantal vruchten of andere kwaliteiten, die voor mens en insect gelijkelijk voordelig zijn.

Door zijn landbouwmethoden schiep de mens bij uitstek geschikte ontwikkelingsmogelijkheden voor vele insectensoorten. Die soorten noemen we schadelijke insecten en als de schade van economisch belang is, spreken we van een insectenplaag.

Bijna alle insectenplagen zijn niet een toevallige ongelukkige omstandigheid, maar het optreden is een noodzakelijk gevolg van de ontwikkeling en verbetering van de landbouw.

Natuurlijk is men tot bestrijding van de schadelijke insecten overgegaan en er zijn daarvoor vele methoden gevonden. Eén daarvan is de chemische bestrijding waarbij men een stof, die vergiftig is voor het insect, op of in de plant brengt, waardoor het insect sterft en de plant gespaard blijft. Het is soms een voortreffelijke methode en vooral sinds de tweede wereldoorlog is het gebruik van insecticiden met grote sprongen toegenomen.

Maar tegelijkertijd is een aantal ernstige bezwaren tegen overvloedig gebruik van insecticiden ook duidelijker op de voorgrond getreden.

Als we een plant met een vergiftige stof bespuiten, worden ook andere dieren gedood dan degenen tegen welke de bestrijding was gericht en het insecticide kan op vele plaatsen terecht komen waar het geen goed doet en alleen maar kwaad. De vijanden van de schadelijke insecten die overal te vinden zijn, worden door het insecticide eveneens opgeruimd, zodat bij de chemische bestrijding vriend én vijand worden gedood. Door vernietiging van roofvijanden kan zich na een chemische bestrijding uit de overgebleven dieren heel snel een nieuwe plaag ontwikkelen.

Verder blijkt dat geleidelijk steeds meer soorten insecten resistent worden tegen insecticiden, zodat ze van de gebruikelijke dosis niet meer doodgaan. Er moet dus steeds meer en met steeds hogere concentraties worden gespoten.

Door het eclatante succes op korte termijn van de chemische insectenbestrijding is de biologische bestrijding in het gedrang geraakt. Men heeft onvoldoende acht geslagen op de mogelijkheden van andere cultuurmethoden, invoer en bevordering van parasieten en roofvijanden en van selecteren van resistente rassen van landbouwgewassen.

De consequenties van deze zeer intense chemische bestrijding worden door te weinig mensen in hun volle omvang gezien en in dit boek van Rachel Carson worden de ontstellende gevolgen van het overvloedig gebruik van insecticiden op een heldere en aangrijpende wijze uiteengezet.

Er zijn heel wat reacties gekomen van verschillende aard. De felste reacties op dit boek in ongunstige zin zijn gekomen van de kant van diegenen, die bij de insecticiden-industrie betrokken zijn.

Ook critici die op generlei wijze tot oordelen bevoegd waren, hebben er laatdunkend over gesproken of het met een schouderophalen terzijde gelegd. Er zijn ook gematigde reacties gekomen van hen, die menen dat het te eenzijdig is.

Maar het is door grote groepen ontvangen met een groot gevoel van dankbaarheid dat nu eens voor ieder die lezen kan en begrijpen wil, duidelijk wordt gemaakt tot wat voor catastrofale gevolgen het zal leiden, indien de mens doorgaat met de eenzijdige benadering van het probleem van de schadelijke insecten.

Het boek is willens en wetens eenzijdig. De ongunstige kanten van deze methode van bestrijding worden uitvoerig en zorgvuldig gedocumenteerd uiteengezet. De gunstige kanten ervan behoeven ook niet te worden uiteengezet: die zijn genoegzaam bekend.

De meeste voorbeelden in het boek hebben betrekking op toestanden in de Verenigde Staten van Noord-Amerika. Dat is niet alleen omdat de schrijfster daar woont. Het is ook omdat deze methode van bestrijding daar in zijn meest extreme vorm wordt toegepast. Maar ook in Nederland kennen wij vissterfte en vogelsterfte door insecticiden, al is het nu nog in beperkte mate. Elders in West-Europa zijn de gevolgen evenmin weggebleven.

Het is van groot belang dat iedereen, waar ook ter wereld, begrijpt dat we op de verkeerde weg zijn en dat alleen een grondige herziening van onze bestrijdingsmethodes ons kan brengen op de goede weg. Die goede weg kan alleen maar gevonden worden als een volledige kennis van het insect en zijn milieu de basis vormt voor een bestrijdingssysteem.

Insectenbestrijding is noodzakelijk als wij willen blijven streven naar een voedselproduktie die beter is aangepast aan de steeds sneller toenemende wereldbevolking. Insecticiden zijn daarbij onmisbaar. Maar zij moeten alleen gebruikt worden waar het nodig is, áls het nodig is en dan in de geringst mogelijke hoeveelheden.

Het boek van Rachel Carson heeft velen de ogen geopend. Het kan een keerpunt aangegeven in de benadering van een probleem dat opgelost moet worden. Iedereen heeft er belang bij dat de juiste oplossing wordt gevonden. De toekomst van de mens staat op het spel.

Opmerking van de auteur

Ik heb de tekst niet willen belasten met voetnoten, maar ik begrijp dat veel lezers van sommige door mij behandelde onderwerpen een nadere studie zullen willen maken. Daarom heb ik een lijst aan dit boek toegevoegd, waarin mijn voornaamste bronnen van informatie zijn vermeld. Deze zijn gerangschikt volgens hoofdstuk en pagina.

R.C.

Opmerking van de vertaalster

Dit boek, dat vooral in Amerika doch ook elders groot opzien heeft gebaard, is in de eerste plaats bedoeld voor een publiek van ontwikkelde, intelligente lezers, *niet* in de eerste plaats voor een van wetenschapsmensen.

Bij de vertaling is daarom in eerste instantie aandacht besteed aan de leesbaarheid; in mindere mate is gepoogd alle in Amerika voorkomende en genoemde dieren en planten – waar deze in Nederland geen evenbeeld kennen – door omschrijving toch te vertalen. Voor de wetenschappelijke lezer is aan het slot van het boek een index opgenomen, waarin zoveel mogelijk de Latijnse namen van alle genoemde organismen zijn vermeld.

Ik betuig hierbij gaarne mijn hartelijke dank aan de biologen, chemici en medici die mij bij de vertaling van dit boek behulpzaam zijn geweest.

A.H.v.L.

Inhoud

1 Een fabel van morgen

Er was eens een stad in het hart van Amerika waar alles wat leefde, harmonieerde met zijn omgeving. De stad lag temidden van een rijke schakering van welvarende boerderijen, met akkers vol koren en glooiingen met boomgaarden, waar in de lente witte wolken van bloesem zich aftekenden tegen de groene velden. In de herfst gaven eik en ahorn en berk een gloed die glanzend en vurig afstak tegen de donkere achtergrond van de pijnbomen. Dan blaften de vossen in de heuvelen en doorkruisten de herten, half verborgen door de nevelen van de vroege herfstmorgen, de velden.

Langs de wegen kon de reiziger bijna het hele jaar door genieten van vogelkers, sneeuwbal en elzestruiken, van de grote varens en de wilde bloemen. Zelfs in de winter waren de bermen der wegen ware plekken van schoonheid, waar ontelbare vogels zich kwamen voeden met bessen en zaadknoppen van gedroogde grassen, die boven de sneeuw uitstaken. De omgeving was beroemd om de veelvuldigheid en de verscheidenheid van haar vogelleven en gedurende de grote trek in voorjaar en herfst kwamen de mensen van grote afstanden om hen te bespieden. Anderen kwamen om te vissen in de beken, die fris en koel van de heuvelen stroomden en die schaduwrijke bochten bevatten, waar de forel zich ophield. En zo was dat al geweest vanaf de tijd, vele jaren geleden, dat de eerste mensen zich hier nederzetten, hun huis bouwden, hun waterputten sloegen en stallen oprichtten. Toen kwam er een vreemd bederf over het gebied en alles veranderde . . . Eén of andere boze geest had zich van de gemeenschap meester gemaakt: Geheimzinnige ziekten troffen de tomen kippen; het vee en de schapen werden ziek en stierven. Overal sloop de schaduw des doods. De boeren vertelden van de vele ziekten in hun families. In de steden waren de doktoren tot wanhoop gebracht door de nieuwe ziekten onder hun patiënten. Er waren verschillende plotselinge en niet te verklaren sterfgevallen, niet alleen onder volwassenen, maar zelfs onder kinderen, die plotseling onder hun spel ziek werden en binnen enkele uren stierven.

Er heerste een merkwaardige doodse stilte. De vogels bijvoorbeeld – waar waren zij gebleven? Velen spraken erover, onbegrijpend en verontrust. De voedertafels in de achtertuinen bleven onbezocht. De weinige vogels die nog gezien werden, zieltoogden; zij trilden over hun lijven en konden niet vliegen. Het was een lente zonder lentestemmen. De morgens, die eens vervuld waren van het gezang en geroep van roodborstlijsters, spotlijsters, duiven, vlaamse gaaien, winterkoninkjes en tal van andere vogels, waren nu dood; geen geluid klonk over de velden en bossen en heiden.

Op de boerderijen broedden de kippen wel, maar geen kuikens werden geboren. De boeren klaagden dat ze geen varkens meer konden fokken; de worpen waren klein en de jongen leefden slechts enkele dagen. De appelbomen bloeiden wel, maar geen bijen gonsden om de bloesem, zodat er geen bevruchting plaats vond en er dus geen vruchten zouden komen.

De bermen van de weg, die eens pronkten van schoonheid, waren thans begroeid met bruine en half-vergane planten, alsof er een vuur had gewoed. Ook de wegen lagen stil en verlaten, alsof geen levende wezens ze meer wilden betreden. Zelfs de beken waren levenloos. Hengelaars kwamen er niet meer, want de vis was uitgestorven.

In de goten onder de dakranden en tussen de dakpannen van de daken lagen nog enkele restjes witte, poederachtige substantie; enkele weken te voren was het poeder als sneeuw op de daken en grasvelden, op de velden en in de beken gevallen. Geen tovenarij, geen vijandelijke actie had de geboorte van nieuw leven in de getroffen gemeente in de weg gestaan. De mens had dit over zichzelf gebracht.

Deze stad bestaat niet in werkelijkheid, maar hij kon een voorbeeld zijn van duizenden plaatsen in Amerika en elders in de wereld. Ik weet ook geen gemeenschap die getroffen is door alle ongeluk, dat ik zojuist heb beschreven. Maar elk van de rampen heeft wel eens ergens plaats gevonden en vele bestaande steden en dorpen zijn door een aantal ervan getroffen geweest. Een akelig visioen is plotseling, bijna ongemerkt, bij ons opgedaagd, en deze denkbeeldige tragedie zou gemakkelijk een grimmige werkelijkheid kunnen worden waarmee we allen te maken zouden krijgen.

Wat heeft de stemmen van de lente in ontelbare Amerikaanse steden reeds tot zwijgen gebracht? Dit boek wil trachten het uit te leggen.

2 De noodzaak tot verdragen

De geschiedenis van het leven op aarde vertoont een steeds wederkerende wisselwerking tussen levende wezens en hun milieu. Voor een groot deel zijn het fysieke uiterlijk en de gewoonten van vegetatie en dierenleven op aarde gevormd door dit milieu. Wanneer men, voor zover men dit kan, het gehele bestaan der aarde bekijkt, dan komt het tegenovergestelde geval, waarin het leven zelf zijn milieu verandert, praktisch niet voor. Gedurende deze eeuw heeft slechts één vorm van leven – de mens – kans gezien om zoveel macht te vergaren, dat hij de aard van zijn omgeving kon veranderen.

Gedurende de laatste kwart eeuw is deze macht niet alleen toegenomen, en wel tot een onrustbarende grootte, maar ook van karakter veranderd. De meest alarmerende aanval van de mens op zijn milieu is de verontreiniging van de lucht, de aarde, de rivieren en de zee met gevaarlijke en zelfs dodelijke stoffen. Deze vervuiling is voor een groot deel onherroepelijk; de keten van kwaad die zij veroorzaakt, niet alleen in de materie die eigenlijk het leven in stand moest houden, maar ook in levende weefsels, is praktisch onbreekbaar. In deze thans algemene verontreiniging van onze omgeving vormen de chemicaliën de weinig als zodanig erkende partners van radioactieve straling bij de verandering van de natuur, ja, zelfs bij de verandering van het leven. Strontium 90, dat door kernexplosies in de lucht vrijkomt, valt terug op de aarde als neerslag, nestelt zich in de grond, wordt opgenomen door het gras of koren dat daar groeit en het is een kwestie van tijd alvorens het zeker wordt opgenomen in het beenderstelsel van de mens, waar het blijft tot aan zijn dood. Op dezelfde manier worden chemicaliën die over tuinen, bossen en akkers worden gespoten, opgenomen door levende organismen, die een keten van vergif en dood veroorzaken. Of zij worden op geheimzinnige wijze opgenomen door ondergrondse wateren tot zij elders weer aan de oppervlakte komen en door de werking van lucht en zonlicht andere chemische reacties teweegbrengen die de vegetatie doden, het vee ziek maken en onbekend letsel toebrengen aan hen die drinken uit de eens zo zuivere bronnen en waterputten. Zoals

Albert Schweitzer eens zei: 'De mens beseft de duivelachtigheid van zijn eigen schepping niet.'

Honderden miljoenen jaren zijn nodig geweest om het leven dat thans op aarde is, te maken, eeuwigheden waarin de ontwikkeling, evolutie en verscheidenheid van leven eindelijk in een staat van evenwicht en aanpassing met het milieu waren geraakt. Deze omgeving, die op onbuigzame en harde wijze het leven, dat zij in stand hield, vormde en leidde, bevatte zowel vijandige als krachtgevende elementen. Sommige rotsen gaven een gevaarlijke straling af; zelfs in het licht van de zon waaraan alle leven zijn kracht ontleent, bestonden gevaarlijke kortegolfstralingen, die letsel konden toebrengen. In de loop der tijden – tijd, niet gemeten in jaren, doch in eeuwen – zal het leven zich aanpassen en een nieuw evenwicht zal ontstaan. Want tijd is het essentiële bestanddeel en in de moderne tijd heerst tijdgebrek.

De opeenvolgende veranderingen en de snelheid waarmede nieuwe situaties worden geschapen, moeten worden aangepast aan het onstuimige en niets ontziende tempo van de mens in plaats van aan de weloverwogen pas der natuur. Uitstraling betekent niet alleen meer de straling van rotsen, het bombardement van kosmische stralen, het ultraviolet van de zon, die hebben bestaan vanaf de tijd dat er nog geen leven op aarde was; straling betekent thans de onnatuurlijke schepping ontstaan door het gesol van de mens met het atoom. De chemicaliën, waarvan wordt verwacht, dat het leven zich aan hen aanpast, zijn niet langer beperkt tot calcium, silicium, koper en andere mineralen, uitgewassen uit de rotsen en door de rivieren naar zee gebracht; zij zijn nu ook de synthetische scheppingen van de inventieve geest van de mens, uitgevonden in zijn laboratoria, en er bestaan geen tegenhangers in de natuur.

Aanpassing aan deze chemicaliën zou tijd vergen op een even grote schaal als de natuur heeft nodig gehad; een mensenleven is niet lang genoeg, generaties zouden nodig zijn. En zelfs dat – als het al mogelijk was – zou in het niet verzinken, want de nieuwe chemicaliën komen in eindeloze stromen uit onze laboratoria. Alleen al in de Verenigde Staten worden elk jaar zo'n vijfhonderd nieuwe op de markt geïntroduceerd. Dit cijfer is verbazingwekkend en de betekenis ervan wordt niet gemakkelijk begrepen – vijfhonderd nieuwe chemicaliën waaraan de lichamen van mens en dier op de één of andere wijze binnen een jaar moeten wennen, chemicaliën die geheel buiten de grenzen van onze biologische ervaringen liggen.

Onder deze chemicaliën zijn er die gebruikt worden in de oorlog van de mens tegen de natuur. Sinds de veertiger jaren zijn er een tweehonderd chemicaliën bijgekomen, die worden gebruikt om insecten, onkruid, knaagdieren en andere organismen, die in de moderne taal als 'plaag' worden aangemerkt, te doden, en zij worden onder vele duizenden merknamen verkocht.

Deze verstuivers en aerosols worden thans bijna overal toegepast op boerderijen, in tuinen en bossen, zelfs in de huizen; het zijn onselectieve chemicaliën die ieder insect kunnen doden, de 'goede' zowel als het 'slechte', die het gezang van de vogels kunnen doen verstillen, de sprong van de vis in de beek kunnen verlammen, de bladeren van een dun laagje stof voorzien en die kunnen blijven liggen in de grond. Dit alles kunnen zij veroorzaken, hoewel de bedoeling alleen was wat onkruid of enkele insecten te doden. Denkt men nu werkelijk dat het mogelijk is een zodanige laag vergif op de oppervlakte van de aarde te strooien zonder haar ongeschikt te maken voor enig leven? Deze chemicaliën zouden geen insecticiden genoemd moeten worden, maar biociden.

Het hele proces van bespuiting schijnt in een eindeloze spiraal te eindigen. Sinds DDT voor gebruik was vrijgegeven, is een trapsgewijs proces in beweging gezet waarbij steeds giftiger middelen moesten worden gevonden. Want als triomfantelijke bevestiging van Darwins principe dat de sterkste overleeft, heeft de insectenwereld superrassen voortgebracht die speciaal voor de gebruikte insecticide immuun werden en daardoor moesten steeds dodelijker stoffen ontwikkeld worden en daarna nog dodelijker . . .

Deze steeds dodelijker insecticiden moesten gevonden worden omdat verderfelijke insecten, om redenen die later behandeld zullen worden, dikwijls een soort opstanding of herrijzenis ondergaan na de bespuiting, zodat ze in grotere aantallen terugkomen dan voorheen. Derhalve zal de chemische oorlog nimmer worden gewonnen en is het gehele leven overgeleverd aan zijn vreselijke kruisvuur.

Afgezien van de mogelijkheid dat het mensdom zal ondergaan in een kernoorlog, is het allergrootste probleem van onze eeuw dat de gehele wereld door stoffen, die potentieel zulk een gevaar met zich meebrengen, wordt verontreinigd. Stoffen, die zich ophopen in de weefsels van plant en dier en zelfs binnendringen in de kiemcellen om de erfelijkheid, waarop de toekomst is gebaseerd, hetzij te doden, hetzij te veranderen.

Sommige zogenaamde bouwers aan onze toekomst werken toe naar een tijd waarin het mogelijk zal zijn om de menselijke kiem naar wens te veranderen. Maar misschien doen we dit nu al onopzettelijk, want vele chemicaliën, evenals kernstraling, brengen reeds geslachtscel-mutaties teweeg. Het is dwaas te denken dat de mens zijn eigen toekomst kan bepalen door iets dat zo onbelangrijk lijkt als de keuze van een insectenverdelger.

Er is veel risico genomen – en waarvoor? De geschiedschrijvers van de toekomst zouden zich wel eens kunnen verwonderen over ons verwrongen gevoel voor proporties. Hoe konden intelligente wezens proberen slechts enkele niet gewenste specimina onder controle te houden door een methode, die de gehele omgeving verontreinigde en de dreiging van ziekte en dood zelfs tot hun eigen soort uitstrekte ?En toch is dit nu juist precies wat we doen. En bovendien doen we het om redenen, die ogenblikkelijk verdwijnen als we een grondig onderzoek instellen. Er wordt ons verteld, dat het enorme en steeds toenemende gebruik van ongedierteverdelgers nodig is om de landbouwproduktie in stand te houden. En is ons werkelijke probleem niet dat van *overproduktie?* Onze boerderijen brengen, ondanks de maatregelen om grote stukken land aan de produktie te onttrekken en de boeren te betalen om niet te produceren, zulke kwantiteiten op de markt, dat de Amerikaanse belastingbetaler in 1962 meer dan een miljard dollar moest bijdragen aan de opslag en verdeling van surplusvoorraden. En zijn wij geholpen wanneer één afdeling van het Amerikaanse Ministerie van Landbouw probeert de produktie te beperken, terwijl een andere afdeling verklaart, zoals in 1958: 'Wij menen dat een inkrimping van de beschikbare bouwgrond onder de voorschriften van de "Soil Bank", de interesse voor het gebruik van chemicaliën teneinde maximum profijt te trekken uit de gronden die wel voor de landbouw beschikbaar blijven, zal doen toenemen.'

Het bovenstaande wil niet zeggen, dat er geen insectenprobleem bestaat en dat er geen behoefte aan controle zou zijn. Ik zou liever willen zeggen, dat de controle aangepast moet worden aan de werkelijkheid en niet aan verdichtsels en dat de bestrijdingsmethoden zodanig moeten worden toegepast, dat ze niet mèt de insecten onszelf vernietigen.

•

Het probleem waarvan de zogenaamde oplossing zulk een onheil met zich heeft medegebracht is één van de uitvloeisels van onze moderne manier van leven. Lang voordat de mens bestond hebben insecten de aarde bevolkt; dat was een groep bijzonder gevarieerde en plooibare wezens. Sedert het verblijf van de mens op aarde is steeds een gering percentage van de meer dan een half miljoen soorten in conflict gekomen met het welzijn van die mens, en wel op twee manieren: als concurrenten bij het bemachtigen van voedsel en als de dragers van ziekten.

Ziekteverspreidende insecten worden belangrijk waar mensen in grote groepen samenwonen, speciaal wanneer sanitaire condities onvoldoende zijn, zoals in tijden van rampen, oorlog of in situaties van uiterste verarming en vervuiling. Dan wordt bestrijding een noodzaak. Het is echter een ontnuchterend feit, zoals we straks zullen zien, dat de methode van uitgebreide chemische bestrijding slechts een beperkt succes heeft en zelfs de situatie, die het tracht te verbeteren, verslechtert.

Onder primitieve landbouwcondities kende de boer weinig insectenproblemen. Deze kwamen naar boven toen de landbouw geïntensiveerd werd en enorme stukken land werden gebruikt voor één enkel soort gewas. Dit systeem was uitstekend geschikt voor sprongsgewijze toename van specifieke insecten. Het verbouwen van één enkel gewas kan geen voordeel trekken van de manier waarop de natuur werkt; het is een soort landbouw dat een ingenieur zou kunnen uitdenken. De natuur kent zelf een grote verscheidenheid in haar landschappen, maar de mens heeft zich beijverd om deze te vereenvoudigen. Zodoende vernietigt hij de ingebouwde bestrijdings- en evenwichtstoestanden, waardoor de natuur de soorten in bedwang houdt. Een belangrijke natuurlijke bestrijding is de grens die wordt gesteld aan een geschikte woonplaats voor elke soort. Vanzelfsprekend kan dus een insect dat van koren leeft, zijn soort tot een veel groter aantal opvoeren op een boerderij waar alleen koren wordt verbouwd dan op een waar het koren wordt afgewisseld met andere produkten, waaraan de soort zich niet heeft aangepast.

Hetzelfde gebeurt ook op ander gebied. Iets meer dan een generatie geleden waren er veel steden in de Verenigde Staten die hun straten en pleinen omzoomden met de mooie iepeboom. Nu wordt de schoonheid die deze generatie trachtte te creëren, bedreigd met algehele ondergang omdat een ziekte de iepen heeft aangetast, een ziekte die wordt verspreid door een kever, die slechts een zeer kleine kans zou hebben gehad zich zodanig te vermenigvuldigen en van boom tot boom te gaan, als de iepen waren afgewisseld met verschillende andere beplantingen.

Een andere factor van het moderne insectenprobleem is er een die gezien moet worden tegen een achtergrond van de geologische en menselijke geschiedenis: de verspreiding van duizenden soorten organismen van hun oorspronkelijke gebied over nieuwe streken. Deze migratie, die over de gehele wereld heeft plaats gevonden, is onderzocht en beschreven door de Britse ecoloog Charles Elton in zijn recente boek *The Ecology of Invasions*. In de Krijtperiode, ongeveer honderdmiljoen jaren geleden, veroorzaakten vloedgolven zeeën tussen de continenten en levende wezens zagen hun levensruimte plotseling beperkt tot wat Elton noemt 'enorme afgescheiden natuurreservaten'. Daar, geïsoleerd van hun soortgenoten, ontwikkelden zij vele nieuwe specimina. Toen sommige gebieden later, ongeveer 15 miljoen jaren geleden, weer bij elkaar kwamen, begonnen de nieuwe soorten naar nieuwe gebieden te trekken. Dit is een beweging, die niet alleen nog voortduurt, maar bovendien nog aanzienlijke hulp van de mens krijgt.

De invoer van planten is het belangrijkste hulpmiddel bij de verspreiding van de soort, want quarantaine is een betrekkelijk nieuw en niet afdoend middel. Het Amerikaanse 'Office of Plant Introduction' alleen al heeft bijna 200.000 soorten en variëteiten van planten, afkomstig uit de gehele wereld, ingevoerd. Bijna de helft van de ongeveer 180 soorten insectenvijanden van Amerikaanse planten komen uit het buitenland en de meeste ervan waren 'lifters' op de planten.

In een nieuw gebied, buiten bereik van de natuurlijke vijanden, die het aantal in de oorspronkelijke woonplaats laag hielden, kan een geïmmigreerde plant of een geïmmigreerd dier zich geweldig vermenigvuldigen. Derhalve is het geen toeval dat onze lastigste insecten tot de geïntroduceerde soorten behoren. Deze invasies, zowel die welke op natuurlijke wijze zijn ontstaan als die welke door de mens zijn geholpen, maken grote kans steeds maar door te gaan. Quarantaine en chemische campagnes op grote schaal zijn slechts enorm kostbare methoden om tijd te winnen. Wij worden geconfronteerd, aldus Dr. Elton, 'niet met een dwingende noodzaak om nieuwe technieken te vinden om deze plant of dat dier te onderdrukken', maar wat wij nodig hebben is een diepgaande kennis van alle dieren en hun betrekkingen tot hun milieu, die 'een evenwicht zal bevorderen en de explosieve macht van uitbreiding en nieuwe invasies intoomt'.

Veel van de benodigde kennis is aanwezig, maar we gebruiken haar niet. We leiden ecologen op aan onze universiteiten en stellen hen zelfs aan bij onze regeringsinstanties, maar we bedienen ons zelden van hun advies. Wij laten de chemische dodende regen maar vallen alsof er geen alternatief was, hoewel er al alternatieven zijn, en onze vindingrijkheid zou er nog meer produceren als zij er de kans toe kreeg.

Leven wij in een staat van hypnose, die maakt dat wij als onvermijdelijk aanvaarden wat inferieur of schadelijk is, in plaats van de wil en de visie op te brengen het goede te eisen? Zulk een denkwijze, in de woorden van de ecoloog Paul Shepard, 'idealiseert het leven wanneer dat betekent dat men juist het hoofd boven water kan houden, enkele centimeters boven de grens van tolerantie van het bederf van zijn eigen omgeving . . . Waarom zouden wij een dieet van licht vergif, een tehuis in een geesteloze omgeving, een kring kennissen, die net niet onze vijanden zijn, het lawaai van motoren dat nog juist zó is gedempt dat wij er niet krankzinnig van worden, accepteren? Wie wil leven in een wereld, die maar nèt niet fataal voor hem is?'

En toch worden wij gedwongen in zulk een wereld te leven. De kruistocht om een chemisch-steriele, insectenvrije wereld te maken schijnt een fanatieke ijver opgeroepen te hebben bij vele specialisten en de meeste zogenaamde bestrijdingsinstanties. Overal ontwaart men bij diegenen, die betrokken zijn bij diverse bespuitingsacties, een meedogenloze macht. 'De insectenkenners die de voorschriften opstellen . . . treden op als officier van justitie, rechter en jury, belastinginspecteur, belastingontvanger en politie tegelijk om hun eigen opdrachten met kracht door te zetten', zegt de entomoloog Neely Turner uit Connecticut. De verschrikkelijkste misbruiken worden noch in de federale regeringsbureaus noch in de instituten van de diverse Amerikaanse staten ontdekt.

Ik wil niet beweren dat chemische insecticiden nooit moeten worden gebruikt. Maar ik wil wel beweren dat wij giftige en biologisch machtige chemicaliën zonder onderscheid des persoons in handen hebben gegeven van mensen die grotendeels of geheel onbekend zijn met hun onheilspotentieel. Wij hebben grote aantallen mensen blootgesteld aan deze vergiften, zonder hun toestemming en dikwijls zonder hun voorkennis. Als de 'Bill of Rights' geen garantie bevat dat burgers gevrijwaard zullen blijven voor dodelijke vergiften die worden rondgestrooid door personen of instellingen, dan is dat beslist alleen omdat onze voorvaderen, ondanks hun grote wijsheid en visie, zich zulk een probleem niet konden indenken.

Ik beweer verder dat wij deze chemicaliën hebben gebruikt na weinig of geen onderzoek naar hun uitwerking op de grond, het water, de wildstand en op de mens zelf. De komende generaties zullen naar alle waarschijnlijkheid ons gebrek aan voorzichtigheid wat betreft het natuurlijke leven, dat ook ons in stand moet houden, niet gemakkelijk vergeven.

Men is zich nog steeds weinig bewust van de aard van de dreiging. Ons tijdperk is er een van specialisten; ieder van hen ziet slechts zijn eigen moeilijkheden en is onbekend met of staat onsympathiek tegenover het grotere geheel waarin het probleem thuis hoort. Het is ook een tijdperk van industrialisatie, waarin het recht om geld te maken ten koste van alles, zelden in twijfel wordt getrokken. Als het publiek protesteert, na geconfronteerd te zijn met een duidelijk voorbeeld van de schadelijke gevolgen van ongediertebestrijding, wordt het gevoed met kalmerende pilletjes van halve waarheden. Wat zij nodig hebben, is een einde te maken aan deze valse verzekeringen en aan het vergulden van de onsmakelijke pil. Het publiek wordt gevraagd de risico's te dragen van wat de insectenbestrijders bekokstoven. Het publiek moet thans beslissen of het wil voortgaan op de thans bewandelde weg en dat kan alleen, wanneer het alle feiten kan overzien. Met de woorden van Jean Rostand: 'De noodzaak tot verdragen geeft ons het recht te weten'.

3 Elixers van de dood

Voor het eerst in de wereldgeschiedenis wordt thans ieder mens blootgesteld aan de omgang met gevaarlijke chemicaliën, vanaf het moment van de bevruchting tot zijn dood. In de iets minder dan twintig jaar, dat zij worden toegepast, zijn de synthetische insecticiden zo grondig gedistribueerd over de levende en levenloze wereld, dat ze praktisch overal voorkomen. Ze zijn teruggevonden in bijna alle belangrijke rivieren en zelfs in ondergrondse stromen, die ongezien onder de oppervlakte van de aarde lopen.

Resten van deze chemicaliën rusten in de grond waarop ze misschien een tiental jaren geleden waren uitgestrooid. Ze zijn de lichamen van vissen, vogels, reptielen, huisdieren en wilde dieren binnengedrongen en ze zijn er gebleven, zodat wetenschappelijke onderzoekers het bijna onmogelijk vinden om specimina te krijgen, die vrij zijn van deze verontreiniging. Ze zijn teruggevonden bij vissen, die in afgelegen bergmeren huisden, bij wormen die in de grond wroetten, in vogeleieren – en bij de mens zelf. Want deze chemicaliën zijn thans opgeslagen in de lichamen van het overgrote deel der mensheid, ongeacht hun leeftijd. Ze komen voor in moedermelk en waarschijnlijk ook in de weefsels van het ongeboren kind.

Dit alles is veroorzaakt door de plotselinge opkomst en ongeevenaarde groei van een industrie die door mensenhanden gemaakte of synthetische chemicaliën met insectendodende eigenschappen voortbrengt. Deze industrie is een kind van de Tweede Wereldoorlog. Tijdens de ontwikkeling van stoffen, geschikt voor een biologische oorlog, werd ontdekt dat sommige chemicaliën in het laboratorium dodelijk waren voor insecten. Deze ontdekking was niet zo toevallig, want insecten werden veel gebruikt om chemicaliën te testen voor hun gebruik als dodend middel voor de mens.

Het resultaat is een bijna eindeloze stroom synthetische insecticiden. Doordat zij door mensen zijn gemaakt – via ingewikkelde manipulaties in het laboratorium met moleculen, die de atomen van plaats doen veranderen en hun volgorde wijzigen – wijken zij sterk af van de eenvoudiger anorganische insecticiden van voor de oorlog. Deze worden gemaakt uit in de natuur voorkomende mineralen en planten – het waren samenstellingen van arsenicum, koper, lood, mangaan, zink en andere mineralen, pyrethrum uit de gedroogde bloemen van chrysanten, nicotinesulfaten uit de tabaksfamilie, en rotenon uit peulvruchtachtige planten uit de Indische archipel.

Wat de nieuwe synthetische insecticiden onderscheidt van hun niet-synthetische evenbeelden is hun enorme biologische macht. Die macht is niet alleen groot als vergiftigingspotentieel, maar tevens doordat die chemicaliën binnendringen in de meest vitale lichaamsprocessen, die op de meest afschuwelijke en soms fatale wijze worden veranderd. Zoals we later zullen zien, vernietigen ze de enzymen, wier functie het is om het lichaam tegen kwaad te beschermen, ze houden het oxydatieproces tegen waarvan het lichaam zijn energie moet krijgen, ze hinderen de normale werking van verschillende organen en ze kunnen in sommige cellen de langzame en onontkoombare verandering inwijden, die leidt tot kwaadaardige ziekten.

En toch worden ieder jaar meer dodelijke chemicaliën toegevoegd aan de lijst en nieuwe toepassingen worden verzonnen, zodat het contact met deze stoffen nu praktisch over de gehele wereld is uitgebreid. De produktie van synthetische bestrijdingsmiddelen in de Verenigde Staten toont een meteoorachtige stijging, van 124.359.000 Engelse ponden in 1947 tot 637.666.000 pond in 1960 – meer dan een vervijfvoudiging. De groothandelswaarde van deze produkten bedraagt meer dan een kwart miljard dollar. Maar volgens de plannen en verwachtingen van deze industrie is deze enorme produktie nog slechts een begin.

Een soort biografisch jaarboek over bestrijdingsmiddelen is daarom in ons aller belang. Als we zo nauw verbonden met deze chemicaliën moeten samenleven, als we ze moeten eten en drinken en ze moeten opnemen in het merg van ons beenderstelsel, dan moeten we ook meer weten over hun aard en hun macht.

Hoewel de Tweede Wereldoorlog een ommekeer teweegbracht van de anorganische bestrijdingsmiddelen naar de wonderwereld van het koolstofmolecule, hebben enkele oude stoffen standgehouden. De belangrijkste daarvan is arsenicum dat nog steeds een van de grondstoffen is voor vele onkruid- en insectenverdelgers. Arsenicum is een sterk giftig mineraal, dat veelvuldig voorkomt in de ertsen van verschillende metalen en in veel mindere mate in vulkanen, in de zee en in bronwater. Zijn relatie tot de mens heeft lang bestaan. Daar veel arsenicumverbindingen smaakloos zijn, is het een lievelingsmiddel geworden voor vergiftigingsmoorden, lang voor de tijd der Borgia's tot op heden. Arsenicum was het eerste als zodanig erkende carcinogeen (of kankerverwekkende stof), gevonden in schoorsteenroet en in verband gebracht met kanker door een Engelse huisarts, nu bijna twee eeuwen geleden. Epidemieën van chronische arsenicumvergiftiging bij grote bevolkingsgroepen over een lange tijd zijn voorgekomen. Een omgeving verontreinigd door arsenicum heeft ook ziekte en dood gebracht bij paarden, koeien, geiten, varkens, herten, vissen en bijen; desondanks worden arsenicum-besproeiingen nog dikwijls toegepast. In de katoenindustrie, in het zuiden van de Verenigde Staten, waar bespuiting en verstuiving met arsenicum nog veel voorkomen, is het houden van bijen als beroep bijna verdwenen. Boeren die lange tijd achtereen arsenicum-besproeiingen toepasten, zijn het slachtoffer geworden van chronische arsenicumvergiftiging; het vee is vergiftigd door besproeiing met onkruidverdelgers die arsenicum bevatten. Door de wind verwaaide arsenicumstof, gespoten over bosbessencultures, is over aangrenzende boerderijen neergedaald, waar het het water verontreinigd heeft, bijen en koeien vergiftigd en mensen heeft ziek gemaakt. 'Het is nauwelijks mogelijk . . . om arsenicumhoudende stoffen met meer onachtzaamheid voor de algemene gezondheid te gebruiken dan de laatste jaren in ons land is gebeurd,' zegt Dr. W. C. Hueper van het Nationaal Kanker Instituut in Amerika. 'Een ieder die wel eens heeft gezien hoe de sproeiers van arsenicumhoudende insecticiden te werk gaan, moet wel onder de indruk zijn gekomen van de bijna volkomen zorgeloosheid waarmede ze de vergiften verspreiden.'

Moderne insecticiden zijn echter nog schadelijker. Het merendeel is terug te brengen tot één of twee grote groepen chemicaliën. De een, vertegenwoordigd door DDT, wordt genoemd de gechloreerde koolwaterstoffen. De andere groep bestaat uit organische fosforhoudende insecticiden en wordt vertegenwoordigd door de vrij bekende malathion en parathion. Alle middelen hebben één eigenschap gemeen. Zoals hierboven reeds gezegd, zijn ze opgebouwd uit koolstofatomen, die ook de onmisbare bouwstenen zijn voor alle levende wezens en dus 'organisch' genoemd worden. Om ze te begrijpen moeten wij nagaan waarvan ze zijn gemaakt en hoe ze, hoewel ze verbonden zijn met andere fundamentele chemische grondstoffen, nodig voor het leven, toch kunnen veranderen in dodelijke stoffen. Het fundamentele element koolstof kan bijna eindeloze reeksen of cyclische verbindingen met zich zelf vormen of zich verbinden tot nieuwe groeperingen met de atomen van andere elementen. In feite is de ongelooflijke verscheidenheid van levende wezens, van de bacteriën tot de grote walvis, te danken aan deze eigenschap van koolstof. De ingewikkelde proteïne molecule heeft het koolstofatoom als basis;

hetzelfde is het geval met de moleculen van vet, koolhydraten, enzymen en vitaminen. Bovendien hebben vele niet levende dingen koolstof als basis, want koolstof staat niet gelijk met leven.

Sommige organische stoffen zijn eenvoudigweg verbindingen tussen koolstof en waterstof. De eenvoudigste van allen is methaan of moerasgas, dat in de natuur wordt gevormd door bacteriologische ontbinding van organische stoffen onder water. Gemengd met lucht in de juiste verhouding, wordt methaan het gevaarlijke mijngas in kolenmijnen. De formule is verbazingwekkend eenvoudig en bestaat uit een koolstofatoom met vier waterstofatomen:

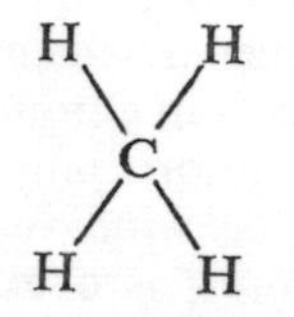

Chemici hebben ontdekt dat het mogelijk is om een of meer waterstofatomen los te maken en er andere elementen voor in de plaats te zetten. Bijvoorbeeld, door een atoom chloor in de plaats van een waterstofatoom te zetten, maken we methylchloride:

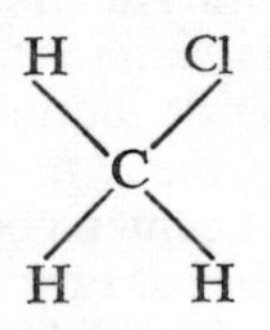

Vervang drie waterstofatomen door chlooratomen en we krijgen het narcoticum chloroform:

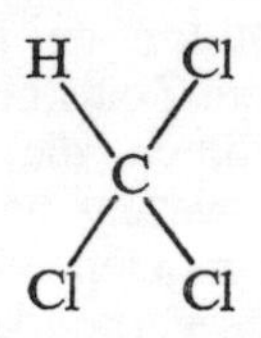

Zet voor alle waterstofatomen chlooratomen in de plaats en we hebben het bekende vlekkenwater tetra of tetrachloorkoolstof:

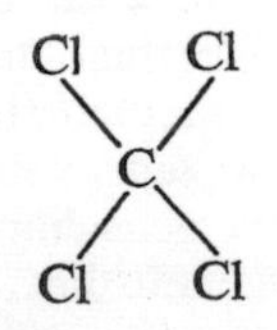

Dit is een eenvoudige manier om uit te leggen hoe de veranderingen van het fundamentele methaanmolecule een chloorkoolstofverbinding maken. Maar het voorbeeld toont niet de ware ingewikkeldheid van de chemische groep koolwaterstoffen en ook niet de manipulaties van de organische chemicus, die zijn oneindige reeks verbindingen maakt. Want in plaats van te werken met de eenvoudige methaanmolecule, die een koolstofatoom bevat, kan hij werken met koolwaterstofmoleculen die uit vele koolstofatomen zijn opgebouwd, in cyclische verbindingen of ketens, met vertakkingen en nevenringen, die niet alleen waterstof- of chlooratomen aan zich binden, maar ook een grote groep andere chemische elementen. Door ogenschijnlijk kleine veranderingen kan de hele aard van de stof worden beheerst; want niet alleen wát eraan gebonden wordt is belangrijk, maar ook op welke plaats het wordt gebonden. Deze ingenieuze manipulaties hebben een reeks vergiften voortgebracht, die uitermate krachtig zijn.

DDT (de afkorting van dichloor-difenyl-trichloor-ethaan) werd voor het eerst synthetisch gemaakt door een Duitse chemicus in 1874, maar zijn eigenschappen als insecticide werden niet vóór 1939 ontdekt. Bijna onmiddellijk werd DDT uitgeroepen tot het middel bij uitnemendheid om de door insecten verspreide ziekten uit te roeien en binnen korte tijd de oorlog der boeren tegen de oogstvernielers te winnen. De ontdekker, Paul Müller uit Zwitserland, kreeg de Nobelprijs. DDT wordt nu zo algemeen gebruikt dat het publiek meent, dat het ongevaarlijk is. Misschien is dat fabeltje wel in de wereld gekomen omdat een van de eerste toepassingen gedurende de oorlog was het bestuiven met DDT van duizenden soldaten, vluchtelingen en gevangenen om luis tegen te gaan. Het wordt algemeen aangenomen, dat dit chemische produkt ongevaarlijk is, omdat zoveel mensen reeds met de stof in aanraking zijn geweest en er geen nadelige gevolgen van ondervonden. Deze begrijpelijke misvatting komt voort uit het feit dat – in tegenstelling tot andere gechloreerde koolwaterstoffen – DDT *in poedervorm* niet gemakkelijk door de huid dringt. Opgelost in olie echter wordt DDT beslist giftig. Als het wordt ingeslikt, nestelt het zich langzaam in de spijsverteringskanalen en het kan ook door de longen worden opgenomen. Is het eenmaal in het lichaam aanwezig dan zal het zich voornamelijk ophopen in die organen, die rijk zijn aan vethoudende stoffen (want DDT zelf wordt in vet opgelost), zoals in de bijnieren, testikels of in de schildklier. Betrekkelijk grote hoeveelheden worden afgezet in de lever, de nieren en in het vet van de grote, beschermende darmschelen die om de ingewanden heen liggen.

Deze opname van DDT in het lichaam begint met de kleinst

denkbare hoeveelheden, die aanwezig zijn als overblijfsel van de bespuiting of bestuiving in het meeste voedsel en gaat door totdat een vrij hoog niveau is bereikt. De vetreservoirs in het lichaam dienen als vergrotingselement, zodat een opname van een tienmiljoenste deel in het voedsel resulteert in een afzetting van ongeveer 10 tot 15 delen per miljoen, een vermeerdering van meer dan honderd keer. Deze feiten, die wel bekend zijn aan de chemicus en de farmacoloog, gaan aan de meesten van ons voorbij. Een miljoenste deel lijkt zeer weinig, en dat is het ook. Maar de stoffen zijn zo krachtig, dat een minieme hoeveelheid grote verandering in het lichaam teweeg kan brengen. Bij dieren is aangetoond, dat drie miljoenste deel een essentieel enzym in de hartspier kan onderdrukken; slechts 5 delen op de miljoen hebben necrose of ontbinding van levercellen teweeggebracht; slechts 2,5 deel per miljoen van de elkaar zeer na staande chemicaliën dieldrin en chloordaan bereiken hetzelfde.

Dit behoeft geen verbazing te wekken. In de normale chemische reacties van het menselijke lichaam komt juist zo'n ongelijkheid van oorzaak en gevolg voor. Bijvoorbeeld, een kleine hoeveelheid van twee-tienduizendste gram jodium maakt het onderscheid uit tussen gezond en ziek zijn. Omdat deze kleine hoeveelheden bestrijdingsmiddelen cumulatief werken en slechts langzaam door het lichaam worden uitgestoten, is de dreiging van een chronische vergiftiging en degeneratieverschijnselen van de lever en andere organen zeer reëel.

De geleerden zijn het er niet over eens hoeveel DDT in het lichaam kan worden opgenomen. Dr. Arnold Lehman, die het hoofd is van de farmacologische afdeling van de 'Food & Drug Administration' in Amerika, zegt dat er geen limiet is waar beneden of waarboven DDT kan worden opgenomen. Dr. Wayland Hayes van de 'United States Public Health Service' echter neemt aan, dat er in ieder individu een zeker punt van evenwicht wordt bereikt en dat DDT, dat boven dit evenwicht aanwezig zou zijn, wordt afgescheiden. Om praktische redenen is het niet eens zo belangrijk te weten wie van de twee heren het bij het rechte eind heeft. De opname in het menselijke lichaam is terdege onderzocht en we weten dat de gemiddelde burger potentieel gevaarlijke hoeveelheden in zich heeft. Volgens verschillende studies hebben mensen, die, zover bekend, niet zijn blootgesteld geweest aan bestrijdingsmiddelen (behalve via het voedsel) een gemiddelde van 5,3 tot 7,4 deel van een miljoen bij zich; landbouwers hebben 17,1 deel per miljoen en arbeiders in insecticidefabrieken maar liefst 648 delen per miljoen! De spreiding van de bewezen aanwezigheid in het lichaam is dus zeer groot, doch wat er nog meer toe doet, is dat de laagste cijfers boven het niveau liggen, waarop schade aan de lever en andere organen of weefsels kan worden toegebracht.

Een van de griezeligste eigenschappen van DDT en aanverwante chemicaliën is de manier waarop ze van het ene organisme naar het andere in de weg die het voedsel aflegt, overspringen. Bijvoorbeeld, akkers met luzerne worden bestoven met DDT; later wordt er meel van de luzerne gemaakt en aan de kippen gevoerd en de kippen leggen eieren die DDT bevatten. Of de gedroogde luzerne, die resten van een zevende tot een achtste deel per miljoen bevat, wordt aan de koeien gegeven. De DDT wordt teruggevonden in de melk in een hoeveelheid van ongeveer drie delen per miljoen, maar in de van deze melk gemaakte boter is de concentratie plotseling 65 delen per miljoen. Door zulk een proces kan hetgeen begon als een minieme hoeveelheid DDT oplopen tot een grote concentratie. De boeren hebben tegenwoordig moeite onbesmet veevoer voor hun melkkoeien te krijgen, hoewel de 'Food & Drug Administration' niet toestaat dat insecticiden-residuen aanwezig zijn in de melk, die van de ene staat naar de andere wordt vervoerd.

Het vergif kan ook van moeder op kind worden overgebracht. Insecticide-residuen zijn gevonden in moedermelk, die door de geleerden van de 'Food & Drug Administration' werd onderzocht. Dit betekent dat de baby die met borstvoeding wordt grootgebracht kleine, maar regelmatige hoeveelheden giftige chemicaliën in zijn lichaampje opslaat. Het is beslist niet de eerste keer dat hij aan deze vergiftiging wordt blootgesteld, want er is gegronde reden om aan te nemen, dat deze al in de schoot van zijn moeder is begonnen. Bij proefdieren hebben de gechloreerde koolwaterstof-insecticiden gemakkelijk de placenta, de bescherming tussen embryo en eventuele gevaarlijke stoffen in het moederlichaam, kunnen doordringen. Hoewel de hoeveelheden die op deze wijze door baby's worden opgenomen zeer klein zijn, zijn ze niet te verwaarlozen, want kinderen zijn vatbaarder voor vergiftiging dan volwassenen. Het bovenstaande betekent ook dat heden ten dage de gemiddelde mens praktisch zeker zijn leven aanvangt met een steeds groeiende hoeveelheid chemicaliën, die zijn lichaam zal moeten meedragen gedurende zijn hele verdere leven.

Al deze feiten – opname van kleine hoeveelheden, daarop volgende accumulatie en het voorkomen van leverbeschadigingen, die gemakkelijk kunnen optreden bij de huidige levenswijze – hebben de 'Food & Drug Administration' er al in 1950 toe gebracht te verklaren, dat het 'zeer waarschijnlijk is dat het potentiële gevaar van DDT onderschat is'. Deze situatie wordt in de medische geschiedenis nergens geëvenaard. Niemand weet nog wat de uiteindelijke consequenties zullen zijn.

Chloordaan, een andere gechloreerde koolwaterstof, bezit alle onplezierige eigenschappen van DDT plus een paar, die specifiek bij haar behoren. De residuen blijven hardnekkig aanwezig in de grond, op voedsel of op de oppervlakten van de dingen waarop ze wordt gespoten; toch is zij zeer vluchtig en vergiftiging door inademing is een risico voor iedereen die met de stof omgaat of er anderszins aan blootgesteld wordt. Chloordaan maakt gebruik van elke bestaande opening om het lichaam binnen te komen. Het dringt gemakkelijk door de huid, wordt als damp ingeademd en wordt natuurlijk ook opgenomen via de spijsverteringsorganen als het wordt ingeslikt. Zoals bij alle andere gechloreerde koolwaterstoffen wordt de opgenomen hoeveelheid in het lichaam verveelvoudigd. Voedsel, dat slechts de kleine hoeveelheid chloordaan bevatte van 2,5 deel per miljoen, leidde tot een opname in het lichaamsvet van proefdieren van 75 delen per miljoen.

Een ervaren farmacoloog als Dr. Lehman heeft chloordaan beschreven als 'een van de meest giftige insecticiden – iedereen, die ermee in aanraking komt, kan vergiftigd worden.' Te oordelen naar de zorgeloosheid waarmede de bestuiving met chloordaan bevattende stoffen van grote grasvelden in de buitenwijken en voorsteden plaats vindt, is deze raad niet ter harte genomen. Het feit, dat de stedeling niet onmiddellijk ziek wordt, doet niets ter zake, want de vergiften kunnen lang in zijn lichaam blijven rusten om maanden of jaren later te voorschijn te komen op een manier die het onmogelijk maakt de oorzaak op te sporen. Maar de dood kan ook snel intreden. Een slachtoffer dat per ongeluk een 25 % oplossing op zijn huid morste, toonde binnen veertig minuten symptomen van vergiftiging en hij stierf voor medische hulp verkregen kon worden. Men kan er niet op vertrouwen vooruit een waarschuwing te krijgen, zodat medische behandeling op tijd kan worden ondergaan.

Heptachloor, een van de bestanddelen van chloordaan, wordt als een aparte formulering op de markt gebracht. Het heeft een bijzonder ontwikkelde eigenschap om in vet opgenomen te worden. Wanneer het voedsel slechts een tiende van één deel per miljoen van deze stof bevat, dan komen er meetbare hoeveelheden heptachloor in het lichaam.

Het heeft ook de eigenaardige eigenschap om te veranderen in een kenmerkende chemische stof, die als heptachloor-epoxide bekend staat. Het ondergaat deze veranderingen in de grond en in de weefsels van plant en dier. Proeven op vogels tonen aan, dat de epoxide ongeveer vier keer zo giftig is als de oorspronkelijke chemische stof, die op zijn beurt weer vier keer zo giftig is als chloordaan.

Al in de dertiger jaren heeft men ontdekt dat een speciale groep gechloreerde koolwaterstoffen, de chloor-naftalineverbindingen, leverontsteking opwekte, en tevens een zeldzame en bijna altijd fatale leverziekte bij personen die door hun beroep eraan werden blootgesteld. Dit heeft geleid tot de dood en tot ziekten bij arbeiders in elektriciteitsindustrieën; in de landbouw hebben zij, meer recent, waarschijnlijk een mysterieuze en gewoonlijk dodelijke ziekte veroorzaakt bij vee. Dit in aanmerking genomen, behoeft het niet te verbazen dat drie insecticiden, die tot deze groep behoren, de meest giftige zijn van alle koolwaterstoffen. Zij zijn dieldrin, aldrin en endrin.

Dieldrin, genoemd naar een Duitse chemicus, Diels, is ongeveer vijf keer zo giftig als DDT wanneer het wordt ingeslikt, maar 40 keer zo giftig als het in een oplossing door de huid wordt opgenomen. Het is berucht om de snelheid en de grondigheid waarmede het het zenuwstelsel aantast en de slachtoffers stuiptrekkingen geeft. Personen, die op deze wijze vergiftigd worden, herstellen zo langzaam dat chronische gevolgen moeten worden aangenomen. Bij de andere gechloreerde koolwaterstoffen houden deze langdurige gevolgen ernstige beschadiging van de lever in. De lange werking van de residuen en de doelmatigheid als insectenbestrijdingsmiddel maken dieldrin thans tot een van de meest gebruikte insecticiden, niettegenstaande de schrikbarende verwoesting van de wildstand die op het gebruik is gevolgd. Na proeven op kwartels en fazanten is komen vast te staan dat het ongeveer 40 tot 50 keer zo giftig is als DDT.

Er zijn grote hiaten in onze kennis hoe dieldrin wordt opgeslagen of verspreid in het lichaam, of hoe het wordt afgescheiden, want de knapheid van de chemici in het uitvinden van nieuwe insecticiden is al lang de biologische kennis over de manier waarop deze vergiften op levende organismen inwerken, voorbijgestreefd. Er zijn echter aanwijzingen, dat residuen gif lang in het lichaam kunnen worden bewaard en dat ze zich rustig houden als een slapende vulkaan om op te laaien in perioden van fysiologische spanning als het lichaam teert op zijn vetreserves. Veel van wat we nu weten is bekend geworden door de ervaringen, verkregen uit de anti-malaria campagne, georganiseerd door de 'World Health Organization'. Onmiddellijk nadat dieldrin in de plaats van DDT was gekomen bij de malariabestrijding (omdat malariamuggen immuun waren geworden voor DDT) begonnen er vergiftigingsverschijnselen bij de spuiters op te treden. De gevallen waren ernstig – van 50 tot 100 percent van de aangetaste mannen kreeg stuiptrekkingen en sommigen stierven. Er waren er die niet minder dan *vier maanden* nadat ze voor het laatst aan het gif waren blootgesteld, stuiptrekkingen kregen.

Aldrin is een nogal mysterieuze stof, want hoewel het als een op zichzelfstaand produkt bestaat, staat het in relatie tot dieldrin als alter ego. Als er wortelen uit een bed worden genomen, dat met aldrin behandeld is, dan vindt men er dieldrin-residuen in. Deze verandering vindt plaats in de levende weefsels, maar ook in de grond. Zulke alchemistische transformaties hebben tot vele foutieve rapporten geleid, want als een chemicus, die weet dat aldrin is toegepast, proeven gaat nemen, dan zal hij geneigd zijn te denken, dat alle residuen zijn vernietigd. De residuen zijn er echter wel, maar ze zijn dieldrin geworden en hebben een andere proef nodig.

Net zoals dieldrin is aldrin bijzonder giftig. Het veroorzaakt degeneratieverschijnselen in lever en nieren. Een hoeveelheid zo groot als een aspirientje is genoeg om meer dan 400 kwartels te doden. Veel gevallen van menselijke vergiftiging zijn bekend, waarvan de meeste zijn voorgekomen in de industrie.

Aldrin, zoals de meeste stoffen uit deze groep van insecticiden, werpt een dreigende schaduw vooruit, de schaduw van steriliteit. Fazanten, die gevoed werden met hoeveelheden die te klein waren om hen te doden, hebben weinig eieren gelegd en de jongen, die werden geboren, zijn spoedig daarna gestorven. De uitwerking is niet tot vogels beperkt gebleven. Ratten, die aan aldrin werden blootgesteld, toonden minder zwangerschappen en haar jongen waren ziekelijk en leefden kort. Jonge hondjes, geboren uit met aldrin behandelde moeders, stierven binnen drie dagen. Op de een of andere manier moeten de nieuwe generaties boeten voor de vergiftiging van hun ouders. Niemand weet of dezelfde uitwerking niet plaats heeft bij menselijke wezens en toch wordt deze chemische stof per vliegtuig over buitenwijken en bouwlanden uitgestrooid.

Endrin is de giftigste van alle gechloreerde koolwaterstoffen. Hoewel het chemisch dicht bij dieldrin staat, maakt een minuscule verandering in de opbouw van zijn moleculen het vijf keer giftiger. De stamvader van deze groep insecticiden, DDT, is, vergeleken met deze stof, bijna ongevaarlijk. Het is 15 keer zo giftig als DDT voor zoogdieren, 30 keer zo giftig voor vissen en ongeveer 300 keer zo giftig voor sommige vogelsoorten.

In de tien jaren van zijn toepassing, heeft endrin enorme aantallen vissen ter dood gebracht, heeft het vee dat in bespoten boomgaarden liep te grazen, dodelijk vergiftigd, heeft het bronnen verontreinigd, en heeft het van het departement van gezondheid van tenminste één Amerikaanse staat een scherpe waarschuwing uitgelokt, dat een zorgeloos gebruik mensenlevens zou kunnen kosten.

Bij een van de meest tragische gevallen van endrinvergiftiging was er geen klaarblijkelijke zorgeloosheid in het spel; er waren maatregelen getroffen die aanvankelijk voldoende leken. Een kind van een jaar werd door de Amerikaanse ouders mee naar Venezuela genomen. Er waren kakkerlakken in het huis waar ze introkken en er werd een bestrijdingsmiddel, waarin endrin was verwerkt, gespoten. De baby en het hondje van de familie werden om 9 uur 's morgens van de dag dat er zou worden gespoten, uit huis gebracht en na de bespuiting werden de vloeren gedweild. In de namiddag werden de baby en het hondje weer thuis gebracht en enkele uren later gaf de hond over, kreeg stuiptrekkingen en stierf. Om 10 uur 's avonds ging de baby ook overgeven, kreeg stuipen en verloor het bewustzijn. Na dit fatale contact met endrin werd dit eens normale, gezonde kind een soort kasplantje – het kon zien noch horen, het had dikwijls spiertrekkingen en was klaarblijkelijk helemaal afgesloten van de wereld om hem heen. Verscheidene maanden in een New Yorks ziekenhuis brachten geen verandering in zijn conditie en verschaften weinig hoop op beterschap. 'Het is zeer twijfelachtig,' zeiden de behandelende doktoren, 'of er enige verbetering in zijn toestand zal intreden.'

De tweede belangrijke groep insecticiden, namelijk de organische fosfaten, behoren tot de giftigste chemicaliën in de wereld. Het belangrijkste en grootste risico dat samengaat met hun gebruik is acute vergiftiging bij de mensen die de besproeiing uitvoeren of die per ongeluk in verdwaalde nevel ervan terecht komen of in contact komen met vegetatie die er mee is bedekt of met een afgedankt vat. In Florida hebben twee kinderen eens een lege zak gevonden en die gebruikt om hun schommel te repareren. Kort daarna stierven zij beiden en drie vriendjes werden ziek. De zak had eens een insecticide bevat dat parathion heet, een van de organische fosfaten; lijkschouwing toonde aan dat de dood door parathion-vergiftiging was ingetreden. Bij een andere gelegenheid stierven er twee jongens, neefjes uit Wisconsin, in éénzelfde nacht. De een had in de tuin gespeeld toen nevel van een aangrenzend stuk land, waar zijn vader aardappelen met parathion aan het bespuiten was, overwaaide, de ander was al spelend de schuur ingerend achter zijn vader aan en had zijn hand op het mondstuk van de sproei-installatie gelegd.

De oorsprong van deze insecticiden heeft een zekere ironische betekenis. Hoewel sommige chemicaliën zelf – organische esters van fosforzuur – al vele jaren bekend waren, zijn hun insectendodende eigenschappen in de late dertiger jaren pas ontdekt door een Duitse chemicus, Gerhard Schrader. Onmiddellijk zag de Duitse regering de waarde van deze chemicaliën als een nieuw en verwoestend wapen in de mogelijke oorlog van het mensdom tegen zijn eigen soort, en alle proeven en uitvindingen werden geheim verklaard. Sommige werden de dodelijke zenuwgassen. Anderen, van een gelijksoortige samenstelling, werden insecticiden.

De organische fosforhoudende insecticiden werken op het levende organisme in op een vreemde manier. Ze hebben de eigenschap enzymen te vernietigen – enzymen, die noodzakelijke functies in het lichaam vervullen. Hun doel is het zenuwselsel, of het slachtoffer nu een insect of een zoogdier is. Onder normale omstandigheden wordt een impuls van zenuw tot zenuw doorgegeven met behulp van een 'chemisch zendertje' dat acetylcholine heet, een stof die een essentiële functie verricht en daarna verdwijnt. Zijn bestaan is zelfs zo kortstondig dat medische onderzoekers het niet uit het menselijke lichaam kunnen isoleren voordat het reeds is vernietigd. Deze vergankelijke natuur van de overbrengende chemische stof is nodig voor het normaal functioneren van het lichaam. Als de acetylcholine niet wordt vernietigd zodra het zijn werk heeft gedaan, blijven de impulsen van zenuw tot zenuw overspringen daar de stof steeds intensiever gaat werken. De bewegingen van het gehele lichaam worden ongecoördineerd, trillingen, spiertrekkingen, stuiptrekkingen en de dood zullen spoedig volgen.

Het lichaam past zich aan bij de omstandigheden. Een beschermend enzym, genaamd cholinesterase, is aanwezig om de overbrengende chemische stof te vernietigen zodra hij niet meer nodig is. Hierdoor wordt een evenwicht bereikt en het lichaam zal geen gevaarlijke hoeveelheden acetylcholine bij zich houden. Maar wanneer men in aanraking komt met de organische fosforhoudende insecticiden, wordt dat beschermende enzym vernietigd en als de hoeveelheid van dat enzym kleiner wordt, wordt die van de overbrengende chemische stof groter. Wat uitwerking betreft lijken de organische fosforverbindingen op het alkaloïde-vergif muscarine, aangetroffen in een giftige paddestoel, de vliegenzwam.

Herhaalde blootstelling kan het niveau van de cholinesterase zo verlagen, dat acute vergiftiging het resultaat is en er is dan nog maar heel weinig nodig of de vergiftiging is fataal. Daarom verdient het aanbeveling om periodiek bloedonderzoek te laten verrichten bij mensen die zich met besproeiingen bezig houden of die op andere wijze aan het gif worden blootgesteld.

Parathion wordt het meest van alle organische fosfaten gebruikt. Het is ook een van de krachtigste en gevaarlijkste giften. Honingbijen worden 'wild en strijdlustig' wanneer ze ermee in contact worden gebracht, ze doen wanhopige pogingen om zich schoon te krijgen en zieltogen binnen een half uur. Een chemicus die trachtte op de meest directe wijze te weten te komen hoe groot de dosis zou zijn, die de mens kan verdragen, slikte een minieme hoeveelheid in, niet meer dan ongeveer vijftien milligram. Verlamming trad zo spoedig in dat hij niet meer bij de antigiften kon komen, die hij had klaargezet en dus stierf hij. Er wordt beweerd dat parathion nu een geliefd zelfmoordmiddel in Finland is. Onlangs is door de staat Californië erkend dat er gemiddeld meer dan 200 gevallen per jaar van parathionvergiftiging voorkomen. In andere delen van de wereld is het aantal gevallen van parathionvergiftiging met dodelijke afloop zeer hoog: 100 gevallen in India en 67 in Syrië in 1958 en een gemiddelde van 336 doden per jaar in Japan.

En toch worden 7 miljoen Engelse ponden parathion per jaar over de velden en boomgaarden van de Verenigde Staten verstoven – met de hand, met gemotoriseerde aanjagers en nevelspuiten en per vliegtuig. De hoeveelheid die alleen al in Californië wordt gebruikt, zou volgens een medicus, 'een fatale dosis kunnen betekenen voor vijf tot tien keer de wereldbevolking.'

Een van de omstandigheden die gemaakt hebben dat we nog niet zijn uitgestorven is het feit, dat parathion en de andere chemicaliën van deze groep vrij gauw ontleden. Hun residuen op de oogst waarop ze zijn aangebracht, werken derhalve betrekkelijk kort door, in tegenstelling tot de gechloreerde koolwaterstoffen. Toch duurt hun werking nog lang genoeg om gevaar op te leveren en gevolgen te hebben die van ernstig tot dodelijk variëren. In Riverside, Californië, werden eens elf van de dertig mannen, die aan het sinaasappelen plukken waren, ernstig ziek en op een na moesten ze allen in een ziekenhuis worden opgenomen. Hun symptomen wezen op parathionvergiftiging. De boomgaard was 2½ week tevoren met parathion besproeid. De residuen, die misselijkheid, bijna blindheid en bewusteloosheid veroorzaakten, waren zestien tot negentien dagen oud. En dit betekent beslist geen record van het uithoudingsvermogen van dit vergif. Gelijksoortige ongelukken zijn voorgekomen in boomgaarden die een maand tevoren waren bespoten en er zijn residuen gevonden in de schil van sinaasappelen, die zes maanden geleden met een standaard dosis waren behandeld.

Het gevaar voor alle arbeiders die met organische fosforhoudende insecticiden op akker, in boomgaard of wijngaard omgaan, is zo groot dat in sommige Amerikaanse Staten, waar deze insecticiden worden gebruikt, laboratoria zijn opgericht waar doktoren hulp kunen krijgen bij hun diagnose en behandeling. Ook de doktoren zelf werken niet zonder gevaar als ze geen rubber handschoenen dragen wanneer ze hun vergiftigde slachtoffers behandelen. Op dezelfde manier kan een wasvrouw die de kleren van zo'n slachtoffer wast, met genoeg parathion in aanraking komen om ook besmet te worden.

Malathion, een ander organisch fosfaat, is bijna zo bekend bij het publiek als DDT en wordt veel gebruikt door tuinlieden, in huishoudinsecticiden, bij de bestrijding van muggen en in zulke massale aanvallen op insecten als de bespuiting van bijna veertigduizend hectare land in Florida tegen de Middellandse Zee fruitvlieg. Het wordt als de minst giftige van deze groep chemicaliën beschouwd en veel mensen nemen aan dat ze het royaal en zonder vrees voor ziekte kunnen gebruiken. Commerciële advertenties moedigen deze zorgeloze houding aan.

De beweerde 'veiligheid' van malathion rust op nogal onzekere grondslagen, hoewel – zoals zo dikwijls gebeurt – dit niet eerder werd ontdekt dan nadat de stof reeds verscheidene jaren in gebruik was. Malathion is alleen 'veilig' omdat de lever van zoogdieren, een orgaan met bijzonder beschermende eigenschappen, het betrekkelijk onschadelijk maakt. De vergiftiging wordt te niet gedaan door een van de enzymen van de lever. Als iets echter dit enzym vernietigt of zijn werking hindert, dan zal de persoon die aan malathion is blootgesteld de volle laag van het gif krijgen.

Ongelukkigerwijs zijn de kansen dat zoiets gebeurt, legio. Een paar jaar geleden ontdekte een groep geleerden van de 'Food & Drug Administration' dat als malathion en zekere andere organische fosfaten tegelijk worden gebruikt, er een massale vergiftiging optreedt – tot 50 keer zo schadelijk als kon worden voorspeld door het optellen van de giftigheidsgehalten van de twee. Met andere woorden, een honderdste van de voor elk als dodelijk vastgestelde dosis kan fataal zijn als de twee soorten worden gecombineerd.

Deze ontdekking leidde tot het beproeven van andere combinaties. Het is nu bekend geworden dat vele paren organische fosfaathoudende insecticiden zeer gevaarlijk zijn doordat de giftigheid wordt verhoogd of 'potentiëler' gemaakt door de werking van de combinatie. Deze werking schijnt op te treden wanneer het ene deel van de combinatie het lever-enzym vernietigt, dat de giftigheid van het andere zou moeten opheffen. Het is niet nodig, dat de twee tegelijk worden toegediend. Het gevaar bestaat niet alleen voor de man, die de ene week met het ene insecticide werkt en de volgende week met een ander; het bestaat ook voor de gebruiker van de besproeide produkten. De gemeenschappelijke slabak kan zeer wel een combinatie van organische fosforhoudende insecticiden inhouden. Residuen, die ruim binnen de grenzen van het wettelijk toelaatbare blijven, kunnen samenwerken.

De volle omvang van de gevaarlijke samenwerking van chemicaliën is nog niet geheel bekend, maar er komen regelmatig onrustbarende gegevens uit onze laboratoria. Hieronder valt de ontdekking dat de giftigheid van een organisch fosfaat verhoogd kan worden door een tweede stof, die niet noodzakelijkerwijs een insecticide behoeft te zijn. Bijvoorbeeld, een van de weekmakers kan zelfs sterker werken dan een andere insecticide om malathion gevaarlijker te maken. Dit gebeurt wederom doordat het inwerkt op het lever-enzym dat onder normale omstandigheden het gevaarlijke van het giftige insecticide zou onderdrukken.

En wat gebeurt er met andere chemicaliën die in elke normale menselijke omgeving aanwezig zijn? Wat bijvoorbeeld, gebeurt er met bedwelmende middelen? Er is nog slechts een aarzelend begin gemaakt met deze onderzoekingen, maar reeds is bekend dat sommige organische fosfaten (parathion en malathion) de giftigheid van sommige bedwelmende middelen verhogen, vooral die welke voor ontspanning van de spieren worden gebruikt en dat sommige (eveneens met inbegrip van malathion) de werkingsduur van barbituraten verlengen.

In de Griekse mythologie gaf de tovenares Medea, die woedend was dat een rivale naar de gunst van haar echtgenoot Jason dong, de nieuwe bruid een japon die tover-eigenschappen bezat. De draagster van deze japon zou plotseling een vreselijke dood sterven. Deze dood op slinkse wijze wordt nu geïntroduceerd door wat wordt genoemd de ‘systemische insecticiden’. Dit zijn chemicaliën met bijzondere eigenschappen die worden gebruikt om planten of dieren te veranderen in een soort Medea-japon door ze giftig te maken. Dit wordt gedaan om insecten te doden die met die planten of dieren in aanraking komen, speciaal door het sap of het bloed op te zuigen.

De wereld van de systemische insecticiden is een vreemde wereld, die de verbeelding van de gebroeders Grimm ver te boven zou gaan en die misschien nog het dichtst staat bij de wereld van de spotprenten van Charles Addams. Het is een wereld, waar het betoverde bos uit de sprookjes het vergiftigde woud wordt, waarin een insect, dat van een blaadje eet of het sap uit een plant opzuigt, ten dode is opgeschreven. Het is een wereld waarin een vlo een hond bijt en moet sterven omdat het hondenbloed giftig is gemaakt, waarin een insect kan doodgaan door de geur van een plant die hij nog nooit heeft aangeraakt, en waarin een bij giftig sap meeneemt naar zijn korf om daar later giftige honing van te maken.

De droom van de entomologen een 'ingebouwde' insecticide te maken werd geboren toen de mannen van de toegepaste insectenkunde zich realiseerden, dat zij iets van de natuur konden leren: zij ontdekten, dat tarwe die op grond groeide die natriumselenaat bevatte, immuun was voor de aanvallen van bladluis en mijt. Selenium, een in de natuur voorkomend element, wordt met kleine beetjes gevonden in rotsen en gronden van vele delen van de wereld, en dus werd het het eerste systemische insecticide.

Wat een insecticide systemisch maakt is de eigenschap om in alle weefsels van plant of dier door te dringen en die giftig te maken. Deze eigenschap bezitten ook sommige chemicaliën van de groep gechloreerde koolwaterstoffen en andere van de organische fosforhoudende groep, die synthetisch worden vervaardigd, maar ook enkele in de natuur voorkomende stoffen. In de praktijk worden echter de meeste systemische insecticiden gemaakt uit de organische fosforhoudende groep, omdat het probleem van residuen wat minder acuut is.

Systemische insecticiden treden ook op een andere slinkse wijze naar voren. Wanneer ze worden toegepast op zaden, hetzij door ze er in te weken of een coating aan te brengen, die gemengd is met koolstof, zullen die zaden de gevolgen hiervan doorgeven aan de volgende generatie en zaailingen voortbrengen die giftig zijn voor bladluis en andere zuigende insecten. Groenten zoals erwten, bonen en suikerbieten worden soms zo beschermd. Katoenzaad op dergelijke wijze bewerkt, werd al geruime tijd in Californië gebruikt toen 25 landarbeiders, die bezig waren in de San Joaquin vallei katoen te planten, in 1959 plotseling ziek werden, alleen door het in contact zijn met de zakken met behandelde zaden.

In Engeland was er iemand die zich afvroeg wat er zou gebeuren als bijen sappen van bloemen opzogen, die met deze stoffen waren behandeld. Dit werd onderzocht in gebieden, die met een chemisch produkt, dat schradan wordt genoemd, behandeld waren. Hoewel de planten waren bespoten voor de bloemen zich gezet hadden, bevatte de nectar later gif. Het resultaat, zoals had kunnen worden voorspeld, was dat de honing die hiervan werd gemaakt ook schradan bevatte.

Het gebruik van systemische insecticiden voor dieren heeft zich voornamelijk geconcentreerd op de bestrijding van de runderhorzel, een kwaadaardige parasiet onder het vee. Bijzondere zorg moet worden besteed bij het aanbrengen van een insecticidewerking in bloed en weefsels van de gastheer zonder een fatale vergiftiging te introduceren. Het is moeilijk dat precies vast te stellen en veeartsen van de Amerikaanse regering hebben ontdekt dat kleine, steeds herhaalde doses langzamerhand het beschermend enzym cholinesterase, dat in het dier aanwezig is, kunnen doen uitputten, zodat zonder enige waarschuwing de allerkleinste nieuwe dosis een fatale vergiftiging teweeg kan brengen.

Er zijn aanwijzingen dat nieuwe terreinen, dichter bij ons dagelijks leven, zullen worden betreden. U geeft misschien uw hond een pil, waarvan wordt gezegd, dat deze hem zijn vlooien zal doen kwijtraken omdat zijn bloed giftig wordt gemaakt voor dit ongedierte. De gevaren die zijn ontdekt bij het behandelen van vee zullen waarschijnlijk ook gelden voor uw hond. Tot nu toe schijnt niemand nog te hebben voorgesteld om een menselijk systemisch insecticide te produceren die ons immuun zou maken voor de malariamug. Misschien is dit wel de volgende stap.

Tot zover in dit hoofdstuk hebben wij de dodelijke chemicaliën besproken die worden gebruikt in onze eeuwige oorlog tegen de insecten. En wat gebeurt er in onze oorlog tegen het onkruid?

De wil om op een snelle en gemakkelijke manier ongewenste planten te doden, heeft een grote en steeds groeiende variatie van chemicaliën doen ontstaan, die herbiciden worden genoemd, of in de volksmond onkruidverdelgers. Hoe deze chemicaliën worden gebruikt en misbruikt zal worden behandeld in hoofdstuk 6; de vraag die ons op deze plaats interesseert is of deze onkruidverdelgers vergiften zijn en of hun gebruik meewerkt aan de vergiftiging van de omgeving.

De legende dat de herbiciden alleen giftig zijn voor planten en dus geen gevaar voor dieren inhouden, is wel zeer verspreid, maar ongelukkigerwijs niet waar. De onkruidverdelgers bevatten een grote verscheidenheid van chemicaliën die op de vegetatie en op de weefsels van een dier inwerken. Hun invloed op het organisme is zeer verschillend. Sommige zijn algemene vergiften, sommige zijn krachtige stimulansen voor de stofwisseling en veroorzaken een fatale verhoging van de lichaamstemperatuur, sommige leggen de kiem, soms alleen of samen met andere chemicaliën, voor kwaadaardige tumors, sommige beïnvloeden de erfelijkheid van het ras door het veroorzaken van genetische veranderingen. Onder de herbiciden zijn dus, evenals onder de insecticiden, zeer gevaarlijke chemicaliën en een zorgeloos gebruik hiervan in de veronderstelling dat ze 'veilig' zijn, kan fatale gevolgen hebben.

Niettegenstaande de concurrentie van een steeds voortdurende stroom nieuwe chemicaliën uit de laboratoria, worden de samenstellingen van arsenicum nog steeds royaal gebruikt, zowel als insecticiden (zoals boven besproken) als herbiciden, waarbij ze gewoonlijk de chemische vorm natriumarseniet hebben. De geschiedenis van hun toepassing is niet geruststellend. Als besproeiingsstof voor de berm van de weg hebben ze menig boer zijn koe gekost en een ongekend aantal wilde dieren is gestorven. Als doders van waterplanten in meren en waterreservoirs hebben ze openbaar water ongeschikt gemaakt om te drinken en zelfs om in te zwemmen. Als verneveling toegepast op aardappelvelden heeft het zijn tol geëist van menselijk en niet-menselijk leven.

In Engeland is deze laatste toepassing toegenomen sedert 1951 door een tekort aan zwavelzuur, dat vroeger werd gebruikt om de aardappelstengels af te branden. Het Ministerie van Landbouw vond het nodig om te waarschuwen tegen het gevaar zich op akkers, die met arsenicum waren bespoten, te begeven, maar deze waarschuwing werd niet begrepen door het vee (en we moeten aannemen ook niet door de wildstand en de vogels) en de berichten van vergiftiging van vee kwamen door met een monotone regelmaat. Toen de dood ook intrad bij een boerenvrouw die water had gedronken, dat door arsenicum verontreinigd was, stopte een van de vooraanstaande Engelse chemische fabrieken (in 1959) haar produktie en nam de voorraden arsenicumhoudende besproeiingsstoffen van de handelaars terug. Kort hierna berichtte het Ministerie van Landbouw dat wegens het grote risico voor mens en vee er beperkingen bij het gebruik van arsenieten zouden worden opgelegd. In 1961 volgde de Australische regering met eenzelfde restrictie. Maar in de Verenigde Staten bestaan er geen regels voor het gebruik van deze vergiften.

Sommige 'dinitro'-verbindingen worden eveneens als herbiciden gebruikt. Ze worden onder de gevaarlijkste stoffen van dit type die in de Verenigde Staten worden gebruikt, gerekend. Dinitrofenol is een sterke stimulans voor de stofwisseling. Om deze reden werd het enige tijd geleden wel gebruikt als een vermageringsmiddel, maar de marge tussen de dosis om te vermageren en die om te vergiftigen of te doden was klein – zo klein, dat verschillende patiënten stierven en anderen blijvend letsel opliepen voordat het gebruik van het middel eindelijk een halt kon worden toegeroepen.

Een chemisch produkt uit dezelfde familie, pentachloorfenol, dat soms 'penta' wordt genoemd, wordt èn gebruikt als onkruidverdelger èn als insecticide en wordt dikwijs gesproeid over onbebouwde velden en langs de treinrails. Penta is buitengewoon giftig voor een grote groep organismen van bacteriën tot de mens toe. Net zoals dinitro, grijpt het in – soms zelfs op fatale wijze – in de energiebron van het lichaam, zodat het organisme dat wordt aangetast, zichzelf letterlijk opbrandt. De verschrikkelijke kracht van dit middel wordt geïllustreerd door een dodelijk ongeluk dat kortgeleden door het 'California Department of Health' werd gerapporteerd. Een chauffeur van een tankwagen was bezig een preparaat te maken om de bladeren van katoen te doen afsterven en mengde dieselolie met pentachlorofenol. Toen hij de geconcentreerde chemische stof uit 't vat wilde laten lopen, viel de tapkraan van het vat per ongeluk terug. Hij reikte met zijn blote hand in het vat om de tapkraan te pakken. Hoewel hij onmiddellijk daarna zijn handen waste, werd hij plotseling ziek en stierf de volgende dag.

Ofschoon de gevolgen van onkruidverdelgers als natriumarseniet of de fenolachtigen nogal duidelijk zijn, zijn er ook herbiciden die op meer slinkse wijze hun werk verrichten. Bijvoorbeeld de op het moment geliefde onkruidverdelger bij veenbessen, aminotriazol, of amitrol, staat bekend als een stof met een betrekkelijk laag giftigheidsgehalte. Maar op de lange duur kan de eigenschap om kwaadaardige tumors te veroorzaken belangrijk worden zowel voor de wildstand als misschien voor de mens.

Onder de herbiciden zijn er ook die worden geclassificeerd als 'mutangens' of stoffen, die in staat zijn de genen te veranderen, dat zijn stoffen voor de erfelijkheid. We zijn diep getroffen door de genetische gevolgen van kernstraling; hoe kunnen we dan onverschillig blijven voor dezelfde gevolgen van chemische stoffen, die we in ruime mate in onze omgeving verspreiden?

4 Zichtbare wateren en ondergrondse zeeën

Water is van al onze natuurlijke hulpbronnen de kostbaarste geworden. Het grootste deel van de oppervlakte der aarde is wel bedekt met zee, maar toch hebben we een watertekort. Want het is een vreemde paradox dat het grootste deel van het overvloedige water der aarde niet gebruikt kan worden voor landbouw, industrie of menselijke consumptie, aangezien er een grote hoeveelheid zouten in voorkomt en derhalve heeft het merendeel van de wereldbevolking een tekort aan water of wordt ermee bedreigd. In een eeuw waarin de mens zijn afkomst is vergeten en blind is geworden voor zijn meest essentiële behoeften om in stand te blijven, is water mèt andere hulpbronnen het slachtoffer geworden van zijn onverschilligheid.

Het probleem van de waterverontreiniging door bestrijdingsmiddelen kan alleen worden begrepen in samenhang met het geheel waartoe het behoort – de contaminatie van het gehele milieu van het mensdom. De verontreiniging van onze wateren komt uit vele bronnen: radio-actieve stoffen, laboratoria en ziekenhuizen, fallout van kernexplosies, afval uit steden en dorpen en afval van fabrieken. Hieraan kan een nieuw soort fall-out worden toegevoegd: de chemische besproeiingen van akkers en tuinen, bossen en velden. Vele van de chemische stoffen in deze verontrustende mélange imiteren en verhogen de gevaarlijke gevolgen van straling en binnen de groep van chemicaliën zelf bestaan boosaardige en weinig-begrepen wisselwerkingen, transformaties en cumulaties van effect.

Vanaf het eerste begin van het door mensenhand fabriceren van chemische stoffen die door de natuur nimmer werden uitgevonden, zijn de problemen van waterzuivering groot geweest en het gevaar voor de gebruikers van water is toegenomen. Zoals we hebben gezien is de produktie van de synthetische chemicaliën op grote schaal begonnen omstreeks 1940. Deze heeft thans zulke afmetingen aangenomen, dat een onrustbarende stroom van chemische vervuiling dagelijks in onze Amerikaanse wateren terecht komt. Daar worden ze onontwarbaar vermengd met huishoudelijk en ander afval, die ook in deze wateren wordt geloosd en zij ontkomen aan de normale opsporingsmethoden, die bij de zuiveringsinstallaties worden gebruikt. De meeste van deze chemicaliën zijn dusdanig stabiel, dat ze niet door gewone processen kunnen worden afgebroken. Dikwijls kunnen ze zelfs niet geïdentificeerd worden. In de rivieren komt een ongelooflijke verscheidenheid van contaminatie voor die zich samenvoegt tot een bezinksel, dat de gezondheidsambtenaren in wanhoop maar met 'rotzooi' hebben betiteld. Professor Rolf Eliassen van het 'Massachusetts Institute of Technology' getuigde voor een Congrescommissie, dat het onmogelijk is om de gevolgen van dit mengsel van chemicaliën te overzien en evenmin om de organische stof te identificeren die uit deze vermenging zou kunnen voorkomen. 'Wat het gevolg is voor de mens? We weten het niet,' zei hij.

In steeds toenemende mate werken chemicaliën, die gebruikt worden voor het vernietigen van insecten, knaagdieren of ongewenste vegetatie mede aan deze organische verontreiniging. Sommige worden met opzet toegevoegd aan waterplassen om planten, insectenlarven of ongewenste vissen te vernietigen. Sommige komen van de besproeiing van bossen en kunnen wel tachtigduizend tot honderdduizend hectare van één enkele staat bedekken met een stof die tegen één enkele insectenplaag is gericht; deze stof valt dan ook in rivieren en beken of drupt van het bladerdak op de grond en wordt het begin van een langzame doorsiepeling naar de zee. Het is waarschijnlijk dat het overgrote deel der besmetting plaats vindt door de in water meegevoerde residuen van de miljoenen kilo's landbouwchemicaliën, die worden gebruikt om akkers te zuiveren van insecten en knaagdieren en die uit de grond worden geloogd door de regen om deel uit te gaan maken van de eeuwige beweging van water naar zee.

Hier en daar bestaat een duidelijk bewijs van de tegenwoordigheid van deze chemicaliën in onze rivieren en zelfs in onze waterleiding. Bijvoorbeeld, een monster drinkwater uit een deel van Pennsylvania, waar veel boomgaarden zijn, bevatte, toen het op vissen in een laboratorium beproefd werd, genoeg insecticide om alle proefvissen binnen vier uur te doden. Water van een afwateringskanaal voor katoenvelden bleef dodelijk voor vis zelfs nadat het door een waterzuiveringsinstallatie was geleid en in alle vijftien zijrivieren, die uitkomen in de Tennessee Rivier in Alabama, doodde het afvloeiingswater van de akkers die met toxaphene waren behandeld, alle vis. Twee van deze zijrivieren waren de bronnen voor een gemeentelijke waterleiding. Toch bleef een week na de toevoeging van het insecticide het water nog giftig, hetgeen werd bewezen door de dagelijkse sterfgevallen onder de goudvissen die in kooien in de rivier waren geplaatst.

Deze contaminatie is grotendeels onzichtbaar en wordt dan ook niet opgemerkt totdat honderdduizenden vissen sterven, maar soms wordt de vervuiling helemaal niet opgemerkt. De chemicus die is belast met de controle op de zuiverheid van het water, heeft geen routineproeven om deze organische verontreinigers op te sporen en geen methode om ze te verwijderen. Maar of ze nu opgemerkt worden of niet, de bestrijdingsmiddelen zijn er en, zoals mag worden verwacht wanneer zulke grote hoeveelheden over het land worden verspreid, ze hebben zich ingedrongen in veel of misschien wel alle belangrijke rivieren van ons land.

Als er iemand aan twijfelt of onze Amerikaanse wateren door insecticiden een algehele vervuiling hebben ondergaan, dan moet hij maar eens een rapport bestuderen, dat uitgegeven is door de 'United States Fish and Wildlife Service' in 1960. Deze dienst heeft studies gemaakt om te ontdekken of vissen, net zoals warmbloedige dieren, insecticiden in hun weefsels vasthouden. De eerste proefexemplaren werden uit de bosrijke omgeving van het westen gehaald, waar een massale besproeiing had plaats gehad om de sparreknopworm te bestrijden. Zoals van te voren kon worden verwacht, werd bij alle vissen DDT gevonden. De belangrijkste vondst werd gedaan toen de onderzoekers een kreek in een afgelegen gebied, ongeveer 45 kilometer van de dichtstbijzijnde plek waar het DDT gespoten was, controleerden. Deze kreek lag stroomopwaarts van deze plek en was ervan gescheiden door een hoge waterval. Voor zover bekend had er geen plaatselijke besproeiing plaats gehad. En toch hadden deze vissen ook DDT bij zich. Had deze chemische stof de afgelegen kreek bereikt door verborgen ondergrondse stromingen? Of was hij door de lucht vervoerd en op de oppervlakte van de kreek neergekomen? Bij een andere vergelijkende studie werd DDT in de weefsels van vissen uit een viskwekerij aangetroffen, waarvan de watertoevoer plaats vond uit een diepe put. Ook hier had, voorzover bekend, geen lokale besproeiing plaatsgehad. De enige mogelijkheid voor de contaminatie scheen het grondwater te zijn.

In het gehele probleem van de waterverontreiniging is er waarschijnlijk niets ernstigers dan de algemene vervuiling van het grondwater. Het is onmogelijk om ergens bestrijdingsmiddelen aan water toe te voegen zonder de zuiverheid van het water overal elders aan te tasten. De natuur werkt al zelden of nooit in afgesloten eenheden, en bij de watertoevoer op aarde doet zij dat zeker niet. Regen, die op de aarde neervalt, dringt langzaam door de poriën en spleten van de grond en de rotsen naar beneden, hij zinkt dieper en dieper totdat hij uiteindelijk een niveau bereikt waar alle poriën reeds gevuld zijn met water; het is een donkere, ondergrondse zee, die zich opheft onder de heuvels en dieper zinkt onder de dalen. Dit grondwater is altijd in beweging, soms zo langzaam dat de snelheid niet meer bedraagt dan een kleine twintig meter per jaar, soms tamelijk snel, zodat het voortgaat met een snelheid van 150 meter per dag. Het zet zich voort door onzichtbare waterwegen totdat het hier en daar aan de oppervlakte komt als een bron of wordt afgetapt om als waterput te dienen. Maar meestal ontspringt het ergens als een beek en voedt dan de rivieren. Behalve wat in de beken neervalt als regen of afvloeiing van het land, is alle stromend water van de aarde eens grondwater geweest. En daarom betekent op een gevaarlijke en verontrustende wijze alle verontreiniging van grondwater watervervuiling overal.

Door zulk een donkere, ondergrondse waterverplaatsing moeten de giftige chemicaliën gegaan zijn, die van een fabriek in Colorado terecht kwamen in een landbouwdistrict verscheidene kilometers verderop, waar ze waterputten vergiftigd, mensen en dieren ziekgemaakt en de oogst vernietigd hebben – het is een buitengewone gebeurtenis, die echter best de eerste kan zijn van vele volgende gelijksoortige gebeurtenissen. De geschiedenis in het kort, is deze. In 1943 begon het 'Rocky Mountain Arsenal' van het 'Army Chemical Corps' bij Denver oorlogsmateriaal te maken. Acht jaar later werden de terreinen van dit arsenaal verhuurd aan een oliemaatschappij, die er insecticiden ging fabriceren. Reeds voor de overdracht van de terreinen waren er mysterieuze berichten binnengekomen. Boeren, die op verschillende kilometers afstand van de fabriek woonden, maakten melding van ziekte onder het vee en zij klaagden over grote schade aan hun gewassen. Bladeren werden geel, planten kwamen niet tot volle wasdom en een groot deel van de oogst werd vernietigd. Er waren ook gevallen van menselijke ziekten, waarvan werd aangenomen dat ze hiermee in verband stonden.

Het water voor de bevloeiing van deze boerderijen werd uit ondiepe putten gehaald. Toen dit putwater werd onderzocht (tijdens een studie in 1959, waaraan verschillende regerings- en andere instanties deelnamen) bleek het, dat het een verscheidenheid aan chemicaliën bevatte. Chloriden, chloraten, zouten van fosforwaterstof, fluoriden en arsenicum waren als afval van het Rocky Mountain Arsenal gedurende de fabricagejaren in vijvers terechtgekomen. Klaarblijkelijk was het grondwater tussen het arsenaal en de boerderijen vervuild geraakt en er was 7 à 8 jaar voor nodig geweest om het afval ondergronds over een afstand van ongeveer 4 à 5 kilometer te doen arriveren bij de dichtstbijzijnde boerderij. Deze doorsijpeling was verdergegaan en had een omgeving van een onbekende grootte verontreinigd. De onderzoekers wisten geen oplossing om deze verontreiniging een halt toe te roepen, zelfs geen om verdere verspreiding tegen te gaan.

Alsof dit alles nog niet erg genoeg was, werd het meest mysterieuze en op de lange duur waarschijnlijk het meest betekenisvolle in deze geschiedenis wel de ontdekking van de onkruidverdelger 2,4-D in sommige putten en in de vijvers van het arsenaal. De aanwezigheid van dit middel verklaarde wel de schade aan de oogst, die met dit water was besproeid. Maar het mysterieuze lag in het feit, dat het arsenaal nooit of te nimmer 2,4-D had gefabriceerd.

Na een lange en zorgvuldige studie kwamen de chemici tot de conclusie dat de 2,4-D zich spontaan in de open bekkens moest hebben gevormd. Het moest zijn ontstaan uit andere substanties, die door het arsenaal werden afgevoerd. De aanwezigheid van lucht, water en zonlicht, zonder enige inmenging van de mens, had in de vijvers chemische laboratoria doen ontstaan, die een nieuw chemisch middel voortbrachten – een chemisch middel dat een funeste invloed had op veel plantenleven waarmee het in aanraking kwam.

En dus neemt de geschiedenis van de boerderijen in Colorado een afmeting aan die ver boven zijn plaatselijke betekenis uitgaat. Bestaan er soortgelijke verhalen, niet alleen in Colorado maar overal waar chemische contaminatie plaats vindt in openbaar water? Wat voor gevaarlijke stoffen kunnen ontstaan in meren en beken, in de tegenwoordigheid van de als katalysatoren werkende lucht en zonlicht, uit verschillende chemicaliën, die ieder apart als 'ongevaarlijk' bekend staan?

Inderdaad is een van de meest onrustbarende aspecten van de waterverontreiniging het feit, dat er – in rivier of meer of reservoir, of zelfs in het glas water, dat u bij het eten drinkt – chemicaliën gemengd worden, die geen enkele verantwoordelijke chemicus in zijn laboratorium tezamen zou brengen. De mogelijke wisselwerking van deze vrij aanwezige chemicaliën is een bron van bijzondere zorg voor de ambtenaren van de 'United States Public Health Service', die reeds hun angst hebben uitgesproken dat de produktie van gevaarlijke stoffen uit betrekkelijk onschadelijke chemicaliën wel eens op grote schaal zou kunnen gaan plaats vinden. De reacties kunnen tussen twee of meer chemicaliën optreden of tussen chemicaliën en de radioactieve afval die op steeds groter schaal in de rivieren wordt geloosd. Door de inwerking van ioniserende straling kunnen verwisselingen van atomen gemakkelijk plaats vinden, en deze zouden het karakter van de chemicaliën kunnen veranderen op een manier, die niet alleen niet te voorspellen, maar tevens oncontroleerbaar is.

Natuurlijk wordt niet alleen het grondwater verontreinigd, maar ook stromend oppervlaktewater – beken, rivieren, irrigatiewater. Het schijnt dat wat het laatste betreft zich een verontrustend verschijnsel aan het ontwikkelen is in de nationale natuurreservaten bij 'Tule Lake' en 'Lower Klamath', beide in Californië.

Deze reservaten zijn deel van een keten, die ook het reservaat bij het 'Upper Klamath Lake' bevat, dat juist over de grens van Oregon ligt. Zij worden alle verbonden, misschien op noodlottige wijze, door een gemeenschappelijke watertoevoer en ze worden alle gekenmerkt door het feit, dat ze als kleine eilandjes liggen in een grote zee van omringend bouwland, land dat is gewonnen door afwatering en omleiding van beken uit een vroeger paradijs van waterwild, moerasland en open water.

De landbouwgronden om de reservaten heen worden nu geïrrigeerd met water uit het Upper Klamath meer. Het irrigatiewater, dat weer wordt opgevangen nadat het zijn dienst op de akkers heeft gedaan, wordt teruggepompt in het Tule meer en vandaar naar Lower Klamath. Alle water van de wildreservaten in deze twee gebieden is derhalve afvoerwater van de bouwlanden. Het is belangrijk om dit te onthouden met betrekking tot recente gebeurtenissen.

In de zomer van 1960 pikte de staf van de reservaten honderden dode en stervende vogels op bij het Tule meer en Lower Klamath. De meeste van hen waren visetende vogels – reigers, pelikanen, futen en meeuwen. Na analyse werd gevonden, dat ze insecticide-residuen bevatten, die werden geïdentificeerd als toxaphene, DDD en DDE. Vis uit de meren bevatte eveneens insecticiden, hetzelfde geldt voor het plankton. Het hoofd van de reservaten denkt dat bestrijdingsmiddelen zich langzaam ophopen in de wateren van het reservoir, die afkomstig zijn van afvloeiing van zwaar met insecticiden bespoten bouwland.

De vergiftiging van water dat gebruikt wordt voor instandhouding van waterwild zou wel eens consequenties kunnen hebben, die door iedere jager zouden worden gevoeld, doch ook door hen, wie het gezicht en het geluid van het zich aan de avondhemel als een lint voortbewegende waterwild lief zijn. Deze met name genoemde reservaten nemen kritische plaatsen in bij de instandhouding van het waterwild in het westen. Ze liggen op een punt, dat op de nauwe ingang van een trechter lijkt, waar alle trek samenkomt en die de 'Pacific Flyway' wordt genoemd. Gedurende de trek in de herfst komen daar miljoenen eenden en ganzen van broedplaatsen, die zich uitstrekken van de Beringzee tot de Hudsonbaai – het is driekwart van alle waterwild dat in de herfst naar het zuiden trekt, naar de staten langs de Stille Oceaan. In de zomer zijn zij broedplaatsen voor waterwild, speciaal voor twee met uitsterven bedreigde soorten, de Amerikaanse tafeleend en de stekelstaarteend. Als de meren en poelen van deze reservaten op een gevaarlijke wijze verontreinigd worden, dan zou de schade toegebracht aan de waterwildbevolking in het westen onherstelbaar zijn.

Aan water moet ook worden gedacht als aan een van de schakels in de keten van leven, die het in stand houdt – van het allerkleinste deeltje groene cel van het drijvende plankton via de kleinste watervlooien tot de vissen die het plankton uit het water halen en op hun beurt worden opgegeten door andere vissen of door vogels, nertsen, wasberen – in een eindeloze cyclische overdracht van stoffen van het ene leven aan het andere. Wij weten reeds dat de noodzakelijke mineralen in het water op deze manier worden doorgegeven van schakel tot schakel in de voedselketen. Kunnen we aannemen, dat de vergiften die we aan het water toevoegen niet in deze kringloop van de natuur worden opgenomen?

Het antwoord zal worden gegeven door u de wonderlijke geschiedenis te vertellen van 'Clear Lake' in Californië. Clear Lake ligt in bergachtig gebied ongeveer 135 kilometer ten noorden van San Francisco en is altijd geliefd geweest bij hengelaars. De naam is niet erg toepasselijk, want in werkelijkheid is het meer nogal troebel door de zachte, zwarte modder, die op de ondiepe bodem ligt. Jammer genoeg voor de vissers en de bewoners langs de oever is het water een ideale woonplaats geworden voor een kleine mug, *Chaoborus astictopus*. Hoewel deze mug behoort tot de familie van de muskieten, is het geen bloedzuigend insect en waarschijnlijk neemt het als volwassen exemplaar geen voedsel tot zich. Maar de mensen, die met de muggen deze plek deelden, vonden ze alleen al vervelend door hun aantal. Er werden pogingen ondernomen om de plaag te bestrijden, pogingen, die grotendeels vruchteloos bleven totdat na 1940 de gechloreerde koolwaterstofinsecticiden nieuwe perspectieven openden. De stof die werd uitverkoren voor een nieuwe aanval was DDD, behorend tot de familie van DDT, maar naar werd aangenomen minder gevaar opleverend voor de visstand.

De nieuwe bestrijdingsmaatregelen, in 1949 genomen, werden zorgvuldig toegepast en weinigen konden vermoeden dat er gevaar aan zou kleven. Het meer werd opgenomen, de inhoud werd vastgesteld, en het insecticide werd toegepast in zo'n verdunning dat er tegenover ieder deel insecticide zeventig miljoen delen water stonden. De bestrijding van de mug was eerst succesvol, maar tegen 1954 moest de behandeling worden herhaald, deze keer in een verhouding van 1 deel insecticide op 50 miljoen delen water. De uitroeiing van de muggen leek hiermede voltooid.

Gedurende de daarop volgende wintermaanden kwamen de eerste vermoedens dat ook ander leven was aangetast: de West-amerikaanse futen op het meer begonnen te sterven en binnen korte tijd waren er meer dan honderd dood. Bij Clear Lake is deze fuut een broedvogel, maar ook een wintergast, hij wordt er aangetrokken door de overvloedige hoeveelheid vis in het meer. Het is een vogel met een prachtig uiterlijk en bekoorlijke manieren; hij bouwt zijn drijvende nest in ondiepe meren van het westen van de Verenigde Staten en Canada. Hij wordt wel de 'zwaan-fuut' genoemd, want hij kan over 't wateroppervlak glijden zonder een rimpeltje na te laten; het lichaam ligt dan plat op het water en de witte nek en het zwarte kopje worden hoog gehouden. Het pas uitgebroede jong is een zacht grijs balletje; een paar uur na het uitkomen gaat het al te water en zit op de rug van vader of moeder, beschut onder de ouderlijke vleugels.

Na een derde aanval op de nog steeds aanwezige muggenbevolking in 1957 stierven er nog meer van deze futen. Net zoals in 1954 kon er geen infectieziekte worden vastgesteld na het onderzoek van de dode vogels. Maar toen iemand er aan dacht om ook eens de vethoudende weefsels van de vogels te onderzoeken, werd ontdekt dat ze vol zaten met DDD in de buitengewone concentratie van 1600 delen per miljoen!

De maximum concentratie aan het water toegevoegd was 1/50 deel per miljoen. Hoe kon de chemische stof in zulke kolossale hoeveelheden in de futen zijn gekomen? Deze vogels zijn natuurlijk viseters. Toen de vis uit Clear Lake ook werd onderzocht, begon zich een helder beeld af te tekenen – het gif werd opgenomen door de kleinste organismen, werd geconcentreerd doorgegeven aan de grotere dieren. Planktonorganismen bleken plm. 5 delen per miljoen van het insecticide te bevatten (hetgeen ongeveer 25 keer de maximum concentratie is van wat het water zelf ooit had bereikt); plantenetende vis had accumulaties opgenomen die varieerden van 40 tot 300 delen per miljoen; carnivoren hadden het meeste binnengekregen. Er was een soort, bij wie maar liefst 2500 delen per miljoen werden gevonden. Het is een 'zwaan-kleef-aan' verhaal, waarbij de grotere carnivoren de kleinere hadden opgegeten, die weer herbivoren hadden gegeten, welke zich weer met het plankton hadden gevoed en het plankton had het gif uit het water opgenomen.

Er werden later nog meer ontdekkingen gedaan. Er kon geen

spoor van DDD meer worden gevonden in het water, kort nadat de laatste toepassing had plaats gehad. Maar het gif had het meer niet werkelijk verlaten; het was slechts opgenomen door het stramien van leven dat door het meer in stand wordt gehouden. Drie-en-twintig maanden nadat de chemische behandeling was stopgezet, bevatte het plankton nog steeds 5,3 deel per miljoen. In die tussentijd van bijna twee jaar waren opeenvolgende generaties plankton tot bloei gekomen en vergaan, maar het gif – hoewel het in het water niet meer aanwezig was – was op de een of andere manier van generatie op generatie overgegaan. En het was ook nog aanwezig in het dierenleven van het meer. Alle vissen, vogels en kikvorsen, die een jaar nadat de chemische bestrijding was stopgezet werden onderzocht, bleken DDD bij zich te hebben. De hoeveelheid in het vlees van de dieren aangetroffen, overtrof altijd vele keren de oorspronkelijke concentratie van het water. Onder deze levende dragers van gif waren vissen, die uitgebroed waren negen maanden na de laatste DDD-toepassing. futen en Californische meeuwen, die concentraties bevatten van meer dan 2000 delen per miljoen. Intussen werden de kolonies futen kleiner, hun aantal liep terug van 1000 paren vóór de eerste insecticide-behandeling tot ongeveer 30 paren in 1960. En zelfs deze dertig paar schijnen tevergeefs genesteld te hebben, want er zijn geen jonge futen meer op het meer waargenomen sinds de laatste toediening van DDD.

Deze hele keten van vergiftiging blijkt dus te rusten op de functie van kleine plantjes, die de oorspronkelijke concentratie-elementen zijn. Maar wat gebeurt er met het andere einde van de voedselketen – de mens, die waarschijnlijk onbekend met deze reeks gebeurtenissen, zijn vistuig uitgooit, een zootje vis vangt uit het Clear Lake, het mee naar huis neemt om het voor zijn avondeten te bakken? Wat doet een grote dosis DDD, of misschien wel herhaalde doses, met hem?

Hoewel het 'Department of Public Health' in Californië verklaard heeft geen gevaar te zien, heeft het toch in 1959 een order uitgevaardigd dat het gebruik van DDD in het meer moest worden stopgezet. Gezien de wetenschappelijke bewijzen, dat deze chemische stof grote biologische kracht heeft, lijkt dit gebaar een minimum veiligheidsmaatregel. Het fysiologische gevolg van DDD is waarschijnlijk uniek onder de insecticiden, want het vernietigt een deel van de bijnieren, de cellen van de buitenkant, die bekend staan als bijnierschors, die het hormoon cortison afscheidt. Dit vernietigende effect, dat bekend is sedert 1948, werd eerst geacht zich te beperken tot honden, omdat het zich niet had geopenbaard bij proefdieren zoals apen, ratten of konijnen.

Het was echter opmerkelijk, dat DDD bij honden een conditie teweeg bracht, die veel leek op de ziekte die bij mensen de ziekte van Addison wordt genoemd. Recente medische onderzoekingen hebben uitgemaakt dat DDD op sterke wijze de functies van de menselijke bijnierenschors aantast. De cel-vernietigende eigenschap wordt nu klinisch toegepast bij de behandeling van een zeldzame soort kanker, die ontstaat in de bijnier.

De situatie bij Clear Lake brengt ons tot een vraag die het publiek onder ogen moet zien: Is het verstandig of wenselijk om stoffen met zulke sterke uitwerking op fysiologische processen te gebruiken voor de uitroeiing van insecten, speciaal wanneer de bestrijdingsmiddelen met zich meebrengen, dat de chemische stof direct in het water wordt gebracht? Het feit, dat het insecticide werd aangebracht in zeer kleine concentraties betekent niets, zoals het accumulerende effect door de natuurlijke voedselketen heeft bewezen. Toch is Clear Lake een typisch voorbeeld voor een groot en groeiend aantal situaties, waar de oplossing van een voor de hand liggend en soms onbeduidend probleem een veel ernstiger, maar op het oog weinig aansprekend gevaar oproept. Hier werd het probleem opgelost ten gunste van diegenen, die last hadden van muggen en ten koste van een niet vast te stellen en waarschijnlijk zelfs onbegrepen risico voor allen, die voedsel of water nuttigden dat van het meer afkomstig was.

Het is onbegrijpelijk dat de opzettelijke toevoeging van vergiften aan een reservoir tot de gewoonten gaat behoren. Het doel is meestal om recreatie-gebruik te bevorderen, zelfs als het water tegen bepaalde kosten geschikt moet worden gemaakt als drinkwater. Als sportvissers hun vangsten ergens willen zien toenemen, verwachten zij van de autoriteiten dat deze een hoeveelheid vergif uitstrooien, die de ongewenste vis vernietigt, welke dan moet worden vervangen door vis uit kwekerijen die meer aan de smaak van de sportvisser beantwoordt. Dit proces lijkt een beetje op 'Alice-in-Wonderland'. Het reservoir was bedoeld als publieke waterleiding, en toch wordt het publiek gedwongen – waarschijnlijk bleef het onbekend met de eisen van de sportvisser – om water te drinken, dat giftige residuen bevat of belastinggeld te besteden aan een behandeling van het water, die de giften moest verwijderen – behandelingen, die geenszins onfeilbaar zijn.

Door de contaminatie van grond- en oppervlaktewater door synthetische bestrijdingsmiddelen en andere chemicaliën bestaat er gevaar, dat niet alleen giftige maar ook kanker-verwekkende stoffen in de publieke waterleiding komen. Dr. W. C. Hueper van het (Amerikaanse) Nationale Kanker Instituut heeft reeds gewaarschuwd, dat 'het gevaar van kanker door de consumptie van verontreinigd drinkwater in de nabije toekomst zal toenemen'. En inderdaad geeft een Nederlandse studie uit de vijftiger jaren steun aan het inzicht, dat verontreinigde waterwegen een gevaar voor kanker inhouden. Steden, die hun drinkwater uit rivieren plegen te halen, hadden een hoger sterftecijfer door kanker dan die, welke hun water betrokken uit bronnen, die klaarblijkelijk minder kans hadden om te vervuilen, zoals putten. Arsenicum, de in de natuur voorkomende stof, die het duidelijkst heeft bewezen kanker in de mens te veroorzaken, is tweemaal betrokken geweest bij historische gevallen waarin verontreinigd water een verbreiding van deze ziekte veroorzaakte. In het ene geval kwam het arsenicum van de slakkenhopen van mijnen, in het andere van rotsen, die een hoog gehalte aan arsenicum bevatten. Deze condities kunnen gemakkelijk worden geschapen en in sterkte verdubbeld door een grote toepassing van arsenicumhoudende insecticiden. De grond in zulke gebieden wordt giftig. De regen zal een deel van het arsenicum in beken, rivieren en reservoirs brengen, maar ook in de oneindige ondergrondse zeeën van grondwater.

Ook hier worden wij eraan herinnerd, dat in de natuur niets alleen staat. Om beter te begrijpen hoe de verontreiniging van onze wereld in zijn werk gaat, moeten wij eens kijken naar een ander deel van de aarde, de grond.

5 Het koninkrijk van de grond

Het dunne laagje grond dat een ongelijke bedekking van de continenten vormt, heeft ons bestaan en dat van elk ander landdier in zijn macht. Zonder grond zouden planten, zoals wij ze kennen, niet kunnen groeien en zonder planten zouden geen dieren kunnen leven.

En toch, als ons op landbouw gebaseerde leven afhangt van de grond, dan moeten wij ook toegeven dat de grond bestaat van het leven, dat zijn ontstaan en het behoud van zijn ware natuur ten nauwste samenhangen met levende planten en dieren. Immers, grond zelf is ten dele een schepping van het leven, vele eeuwen geleden geboren uit een wonderbaarlijk samenspel van leven en niet-leven. De ouders werden tezamen gebracht toen vulkanen hun materialen in forse stromen uitbraakten, toen water dat over de naakte rotsen van de continenten stroomde, zelfs het hardste graniet sleet en toen de beitels van vorst en ijs de rotsen spleten en verpulverden. Toen begonnen levende dingen hun scheppende toverarbeid en stukje bij beetje werden deze trage materialen grond. Korstmossen, de eerste bedekking van de rotsen, hielpen het proces van ontbinding door hun afscheiding van zuren en bereidden een woonplaats voor ander leven. Mossen namen bezit van de kleine plekjes grond – grond die werd gevormd door gekruimelde stukjes korstmos, door de huidjes van ontzaglijk kleine insecten, door de afvalprodukten van een fauna die eerst kort geleden uit de zee was voortgekomen.

Leven vormde niet alleen de grond, maar in die grond bestaan nu andere levende dingen, in een hoeveelheid en verscheidenheid die aan het ongelooflijke grenst; als dit niet zo was, dan zou de grond een dood en steriel ding zijn. Door hun tegenwoordigheid en hun werkzaamheid stellen de duizenden en duizenden organismen van de grond deze in staat om de groene mantel der aarde in stand te houden.

De grond leeft voort in een staat van voortdurende verandering en neemt deel aan cyclussen, die geen begin en geen einde kennen. Nieuwe materialen worden onophoudelijk toegevoegd als rotsen tot ontbinding overgaan, als organische stoffen vergaan en als met de regen uit de hemel stikstof en andere gassen binnendringen. Tegelijkertijd worden andere materialen weggenomen, ze worden tijdelijk geleend door levende wezens. Bijna onmerkbare, maar zeer belangrijke chemische veranderingen vinden steeds plaats, ze vormen elementen, die uit de lucht en het water worden opgenomen, om tot andere stoffen die voor plantengebruik geschikt zijn. Bij al deze veranderingen spelen levende organismen een actieve rol.

Er is geen fascinerender studie – die echter meer dan enige andere wordt verwaarloosd – dan die over de krioelende volken in het donkere rijk van de grond. Wij weten weinig van de gedragingen van de organismen van de grond, noch over wat hen samenhoudt, noch over hun relatie tot hun eigen wereld en die daarboven.

Misschien zijn de meest essentiële organismen in de grond wel de kleinsten, de onzichtbare groepen bacteriën en myceliumdraden. De statistieken over hun hoeveelheden geven ons astronomische getallen. Een theelepeltje aarde kan miljarden bacteriën bevatten. Ondanks hun minieme afmetingen, kan het gewicht van deze veelheid aan bacteriën in de bovenlaag van slechts 7½ centimeter dikte over een oppervlakte van 1000 m^2 vruchtbare grond ten slotte, wel duizend pond bedragen. Plaatsjeszwammen, die in lange draadachtige vezels groeien, zijn iets minder talrijk dan bacteriën, maar hun gewicht in eenzelfde hoeveelheid grond kan hetzelfde zijn, omdat ze groter zijn dan de bacteriën. Tezamen met kleine groene cellen, die algen genoemd worden, vormen zij het microscopisch plantenleven in de grond.

Bacteriën, fungi en algen zijn de voornaamste bronnen van verrotting, zij brengen planten- en dierenresten terug tot hun oorspronkelijke componenten en mineralen. De oneindige cyclische beweging van chemische elementen zoals koolstof en stikstof door grond, lucht en levende weefsels zou niet kunnen bestaan zonder deze microplanten. Zonder de stikstof-bindende bacteriën bijvoorbeeld, zouden alle planten sterven door stikstofgebrek, hoewel ze omringd worden door stikstofhoudende lucht. Andere organismen vormen koolstofdioxide, dat, als koolzuur, helpt bij de verpulvering der rotsen. Nog andere grondmicroben verrichten verschillende oxidatie- en reductieprocessen, waardoor mineralen als ijzer, mangaan en zwavel zodanig worden vervormd, dat zij opgenomen kunnen worden door planten.

Eveneens in enorme aantallen aanwezig zijn microscopische mijten en primitieve insecten zonder vleugels, die springstaarten genoemd worden. Ondanks hun kleine afmetingen spelen zij een belangrijke rol bij het afbreken van plantenresten en helpen zij bij de langzame omzetting van de afval van bossen in humus. De specialisatie van sommigen van deze allerkleinste wezens is bijna ongelooflijk. Verschillende soorten mijten bijvoorbeeld kunnen het leven slechts aanvangen binnen in de afgevallen naalden van de spar. Daar veilig opgeborgen, verteren zij het binnenste weefsel van de naald. Als de mijten hun ontwikkeling hebben doorgemaakt, is slechts de buitenste laag cellen nog over. De werkelijk enorme taak om af te rekenen met de bijzonder grote hoeveelheid plantenmateriaal tijdens en na de jaarlijkse bladafval is opgedragen aan enige van de kleinste insecten uit de grond en de bodem van het bos. Zij weken en verteren de bladeren en helpen bij het vermengen van de afgebroken materie met de oppervlaktegrond.

Afgezien van deze grote hoeveelheid kleine, maar onafgebroken bezig zijnde wezens, zijn er natuurlijk veel grotere vormen van grondleven, want dit beheerst het gehele gamma van bacteriën tot zoogdieren. Sommigen zijn permanente bewoners van de donkere grond juist onder de oppervlakte; sommigen overwinteren er of besteden vaststaande delen van hun levenscyclus in ondergrondse kamers, sommigen komen en gaan vrij in en uit hun onderaardse gangen naar de bovenwereld. Over het algemeen is het doel van al deze grondbewoning het verbeteren van de lucht- en watertoevoer van alle grondlagen waar planten groeien.

Geen bewoner van de grond is waarschijnlijk belangrijker dan de gewone worm. Meer dan driekwart eeuw geleden heeft Charles Darwin een boek gepubliceerd dat heet 'The Formation of Vegetable Mould, through the action of worms, with observations on their habits'. Hierin verstrekte hij de wereld de eerste begrippen over de fundamentele rol die de aardwormen spelen als geologische werktuigen bij de grondverplaatsing – en gaf een beeld van de steenmassa, die langzaam door de wormen met fijne aarde, die van onderen komt, wordt bedekt in hoeveelheden, die tot jaarlijkse kwantiteiten van tonnen kunnen oplopen, althans op de daarvoor meest geschikte plaatsen. Tegelijkertijd worden hoeveelheden organische stoffen, die uit bladeren en gras zijn voortgekomen (soms wel 20 pond per vierkante meter in zes maanden) naar beneden gewerkt en opgenomen in de grond. Darwin's berekeningen toonden aan, dat aardwormen in tien jaar tijds een laag grond kunnen aanbrengen van 2½ tot 4 centimeter dikte. En dit is nog niet alles: hun gangen maken de grond luchtig, zorgen voor een goede afwatering en helpen de wortels van de planten in hun groeiproces. De aanwezigheid van wormen verhoogt de stikstofbinding van de grondbacteriën en reduceert verrotting van de grond. Organische stoffen worden afgebroken als ze het darmkanaal van de worm passeren en de grond wordt verrijkt door zijn afscheidingsprodukten.

Deze gemeenschap in de grond bestaat dus uit een samenvlechting van levens, die elk op de een of andere manier van elkaar afhangen – de levende schepselen worden door de grond in stand gehouden, maar de grond op zijn beurt is een essentieel element van het leven op aarde, dat alleen kan bestaan als deze gemeenschap in de grond floreert.

Het probleem dat ons hier raakt is er een, dat weinig wordt bestudeerd. Wat gebeurt er met deze enorm talrijke en essentiële bewoners van de grond als giftige chemicaliën in hun wereldje gebracht worden, hetzij als 'grondverbeteraars', hetzij als stoffen, meegevoerd door de regen welke door het bladerdak heen in de grond dringt en op zijn weg giftige verontreiniging van bos en boomgaard en akker heeft meegenomen? Is het bijvoorbeeld aannemelijk te maken, dat we wel door een insecticide een larve van een oogstverwoestend insect ter dood brengen, zonder ook de 'goede' insecten te doden, wier functie het is om organische stof te verteren? Of kunnen wij een zwambestrijdingsmiddel toepassen zonder ook de fungi te doden, die in de wortels van bomen leven en daar nodig zijn om het voedsel uit de grond op te nemen?

De kille waarheid is, dat dit essentiële onderwerp van de ecologie van de grond grotendeels is verwaarloosd, zelfs door geleerden, en helemaal genegeerd is door verreweg het merendeel der bestrijdingdeskundigen. Chemische bestrijding van insecten schijnt voortgang te hebben gevonden in de veronderstelling, dat de grond iedere belediging zou kunnen en willen aanvaarden zonder ooit terug te slaan. Het karakter van de wereld en dat van de grond zijn grotendeels genegeerd.

Uit de weinige studies die zijn gemaakt, komt langzaam een beeld naar voren over de invloed van bestrijdingsmiddelen op de grond. Het behoeft niet te verbazen dat de studies het niet altijd met elkaar eens zijn, want de grondtypen variëren zo, dat wat schade voor het een betekent, onbelangrijk bij het ander kan zijn. Lichte zandgronden zijn gevoeliger dan humusrijke gronden. Combinaties van chemicaliën schijnen meer kwaad te doen dan aparte toepassingen. Ondanks de verschillende uitkomsten zijn er genoeg bewijzen van gevaar opgestapeld om veel geleerden voorzichtig te doen zijn.

Onder bepaalde condities worden de chemische omzettingen, die leven of dood uitmaken voor de levende wereld, aangetast. Salpetervorming, die stikstof uit de atmosfeer opneembaar maakt voor planten, is een voorbeeld. De onkruidverdelger 2,4-D veroorzaakt een tijdelijk oponthoud in de salpetervorming. Bij recente onderzoekingen in Florida hebben lindaan, heptachloor en BHC (benzeen-hexachloride) salpetervorming tegengegaan na twee weken in de grond te zijn geweest; BHC en DDT hebben een jaar na de toepassing opmerkelijk nadelige gevolgen te zien gegeven. Bij andere experimenten hebben BHC, aldrin, lindaan, heptachloor en DDD stikstofbindende bacteriën belet om de noodzakelijke wortelknollen bij vlinderbloemige planten te vormen. De opmerkelijke, maar heilzame relatie tussen de schimmels en de wortels van hogere planten wordt ernstig bedreigd.

Soms is het probleem: het ontwrichten van het delikate evenwicht tussen de verschillende populaties, dat de natuur vèrstrekkende doeleinden doet bereiken. Plotselinge toename van sommige soorten grondorganismen is voorgekomen waar andere door insecticiden werden vernietigd en deze verstoorde de verhouding rover-prooi. Zulke veranderingen zouden gemakkelijk de stofwisselingsactiviteit van de grond kunnen aantasten en vooral zijn produktiviteit beïnvloeden. Deze veranderingen kunnen ook betekenen dat potentieel gevaarlijke organismen, die vroeger in toom werden gehouden, zouden kunnen ontsnappen aan hun natuurlijke bestrijding en tot een plaag uitgroeien.

Een van de belangrijkste dingen, die we in verband met insecticiden moeten onthouden, is hun lange verblijf in de grond, dat niet in maanden maar in jaren moet worden afgemeten. Aldrin is vier jaar later tevoorschijn gekomen, gedeeltelijk als residu en in grotere hoeveelheid tot dieldrin omgevormd. Er blijft genoeg toxaphene over in zandgrond om 10 jaar na de toepassing nog termieten te doden. Benzeen-hexachloride blijft tenminste 11 jaar aanwezig, heptachloor of een daarvan afgeleide giftige stof, tenminste 9 jaar. Chloordaan is 12 jaar na de toepassing ervan teruggevonden in een hoeveelheid, die 15 % bedroeg van de oorspronkelijke kwantiteit. Ogenschijnlijk bescheiden toepassingen van insecticiden over een zeker aantal jaren kunnen fantastisch grote hoeveelheden in de grond ten gevolge hebben. Daar de gechloreerde koolwaterstoffen hardnekkig zijn, wordt de hoeveelheid van iedere behandeling opgeteld bij de vorige.

De oude legende dat een 'pondje DDT op een stuk grond' zonder gevaar is, verliest zijn waarde als de besproeiing wordt herhaald. Aardappelgronden hebben aangetoond, dat ze 15 Engelse ponden DDT per 4.000 m^2 kunnen bevatten, bij koren is dit cijfer 19. Een stuk land dat in onderzoek was en waarop grote bosbessen (veenbessen) werden verbouwd, bevatte 34½ Engelse ponden per 4.000 m^2. De grond van appelboomgaarden schijnt het toppunt van verontreiniging te kunnen bereiken met een hoeveelheid, die ongeveer gelijk staat met de accumulatie van de jaarlijkse toevoeging van DDT. Zelfs in één seizoen waarin de boomgaarden vier of meer keren besproeid zijn, kan een top van 30 tot 50 Engelse ponden DDT-residuen aangetroffen worden. Na herhaalde besproeiingen over een aantal jaren is de hoeveelheid in de grond tussen de bomen gelijk aan 26 tot 60 Engelse ponden DDT per 4.000 m^2 en die vlak onder de bomen kan tot 113 Engelse ponden oplopen.

Arsenicum is een klassiek geval van praktisch permanente vergiftiging van de grond. Hoewel arsenicumbesproeiing op tabaksplanten sedert 1940 voor het grootste deel is vervangen door de synthetische insecticiden, is het arsenicumgehalte van sigaretten, die van Amerikaanse tabak zijn gemaakt, in de jaren tussen 1932 en 1952 *met meer dan 300 percent toegenomen.* Meer recente studies hebben aangetoond, dat dit zelfs 600 percent kan worden. Dr. Henry S. Satterlee, een gezaghebbend geleerde op het gebied van arsenicumvergiftiging, zegt, dat, hoewel synthetische insecticiden voor een groot deel de plaats van arsenicum hebben ingenomen, de tabaksplanten steeds doorgaan met het oude gif uit de grond op te nemen, want de grond van de tabaksplantages in Amerika is doortrokken van residuen van een zwaar en praktisch onoplosbaar vergif, loodarsenaat. Dit gaat voort met arsenicum in oplosbare vorm af te scheiden. De grond van een groot deel van de tabaksplantages is onderworpen geweest aan 'een cumulatieve en bijna permanente vergiftiging', aldus Dr. Satterlee. Tabak die uit het oostelijke Middellandse-zee bekken komt, waar men geen arsenicumhoudende insecticiden heeft toegepast, vertoont niet deze toename van het arsenicumgehalte.

Wij worden derhalve met een tweede probleem geconfronteerd. We moeten ons niet alleen bezighouden met wat er met de grond gebeurt, we moeten ons ook afvragen op welke wijze insecticiden uit de verontreinigde grond in de weefsels der planten worden opgenomen. Er zal veel afhangen van het grondtype, van het gewas en van het karakter en de concentratie van het insecticide. Grond, die veel organische stoffen bevat, zal kleinere hoeveelheden gif afgeven dan andere grond. Peen absorbeert meer insecticide dan enig ander gewas dat hierop bestudeerd is; als de chemische stof, die is gebruikt, toevalligerwijs lindaan bevat, dan zal de peen een hogere concentratie vasthouden dan in de grond aanwezig is. In de toekomst zal het nodig worden om de grond te onderzoeken op insecticiden alvorens een bepaald gewas te verbouwen. Anders zullen zelfs onbespoten gewassen zoveel insecticide uit de grond in zich kunnen opnemen, dat ze ongeschikt voor consumptie worden.

Dit soort verontreiniging heeft eindeloze problemen geschapen voor tenminste één vooraanstaande fabrikant van babyvoeding, die weigerde fruit en groente te kopen die met giftige insecticiden waren behandeld, De stof die hem het meeste hoofdbrekens kostte was benzeenhexachloride (BHC), dat door de wortels en wortelknollen in de planten wordt opgenomen en zijn tegenwoordigheid duidelijk maakt door een muffe smaak en geur. Zoete aardappelen uit Californië, waar de akkers twee jaar tevoren met deze stof waren behandeld, bevatten residuen en moesten worden weggegooid. Er was een jaar, waarin een firma in South Carolina een contract had afgesloten voor zijn gehele bevoorrading van zoete aardappelen. In dat jaar was zo'n groot deel van de akkers verontreinigd, dat de fabrikant op de open markt moest gaan inkopen, hetgeen een aanmerkelijk verlies voor hem betekende. Reeds gedurende verschillende jaren heeft men een grote hoeveelheid fruit en groente moeten vernietigen, hoewel ze uit verschillende Amerikaanse staten kwamen. De hardnekkigste problemen deden zich voor met aardnoten. In de zuidelijke staten van Amerika worden aardnoten gewoonlijk afwisselend met katoen verbouwd en op dit laatste wordt benzeenhexachloride in ruime mate toegepast. Aardnoten, die later op deze grond worden verbouwd, nemen aanzienlijke hoeveelheden van het insecticide in zich op. Slechts een minieme hoeveelheid is genoeg om de verraderlijke muffe geur en smaak te voorschijn te doen komen. De stof dringt tot de noot door en kan niet worden verwijderd. Behandeling doet, in plaats van de muffigheid te verwijderen, haar soms nog toenemen. De enige weg die een fabrikant dan nog openstaat, is de oogst van het produkt te weigeren als deze met dit soort chemicaliën is behandeld of als deze afkomstig is van grond, die ermede is verontreinigd.

Soms wordt het gewas zelf bedreigd – een dreiging, die blijft bestaan zolang de insecticide-verontreiniging in de grond aanwezig is. Sommige insecticiden tasten gevoelige planten aan, zoals bonen, tarwe, gerst en rogge, waarbij de wortelontwikkeling wordt gestagneerd of de groei van zaailingen tegengegaan. De bevindingen van de hopbouwers in Washington en Idaho vormen een goed voorbeeld. Gedurende het voorjaar van 1955 ondernamen enkele hopbouwers de bestrijding op grote schaal van een soort tor, die leeft op de wortels van aardbeien. De larven hiervan hadden zich in grote getale op de wortels van de hop genesteld. Op advies van landbouwdeskundigen en insecticidefabrikanten kozen ze heptachloor als bestrijdingsmiddel. Binnen een jaar nadat het middel was toegepast, waren de stengels aan het verleppen en stierven. Op de onbehandelde akkers waren geen moeilijkheden; de schade hield op aan de grens van de behandelde en onbehandelde akkers. De hellingen werden ten koste van financiële offers herbeplant, maar binnen het jaar stierven ook de nieuwe stengels. Vier jaar later bevatte de grond nog steeds heptachloor en de geleerden waren het er niet over eens hoe lang de grond nog wel giftig zou blijven. Bovendien wisten ze ook geen middel om de toestand te corrigeren. Het federale Ministerie van Landbouw, dat vreemd genoeg nog in maart 1959 heptachloor als grondverbeteringsmiddel geschikt achtte voor hopvelden, moest, wel wat laat, deze aanbeveling intrekken. Intussen probeerden de hopbouwers enig verhaal in de rechtzaal te krijgen.

Met de toename van het gebruik van zulke bestrijdingsmiddelen en die van hun onvernietigbare residuen in de grond, is het wel zeker dat wij ons ongeluk tegemoet gaan. Dit was de gemeenschappelijke opvatting van een groep specialisten, die in 1960 in de universiteit van Syracuse vergaderden om de ecologie van de grond te bespreken. Deze heren somden de gevaren op van het gebruik van 'zulke sterke en weinig bekende gereedschappen' als chemicaliën en bestraling: 'Enkele verkeerde maatregelen van de mens kunnen eindigen in vernietiging van de produktiviteit van de grond en dan zullen de geleedpotigen overwinnen.'

6 De groene mantel der aarde

Water, grond en de groene mantel der aarde – de planten – vormen samen de wereld, die het dierenleven op aarde in stand houdt. Hoewel de moderne mens zich dit zelden realiseert, zou hij niet kunnen bestaan zonder de planten die de zonne-energie gebruiken om de essentiële grondstoffen te produceren, waarvan hij moet leven. Onze houding tegenover het plantenleven is bijzonder bekrompen. Als wij in een plant iets nuttigs zien, dan bevorderen wij zijn groei. Als wij zijn tegenwoordigheid ongewenst vinden of zelfs als we onverschillig tegenover hem staan, dan veroordelen wij hem zonder nadenken tot vernietiging. Behalve de verschillende planten die giftig zijn voor de mens of zijn vee, of die andere, voedselverschaffende planten verdringen, komen er nog vele andere voor vernietiging in aanmerking alleen maar omdat zij, volgens onze bekrompen opvatting, op een verkeerd moment op de verkeerde plaats staan. Verschillende andere weer worden vernietigd omdat ze toevallig samengroeien met de ongewenste planten.

De vegetatie der aarde maakt deel uit van een levenspatroon, waarin een innige en essentiële relatie bestaat tussen planten en de aarde, tussen planten onderling en tussen plant en dier. Soms hebben we geen andere keus dan deze relatie te verbreken, maar wij moeten ons bij onze handelingen wel bedenken, dat wat we doen consequenties kan hebben, die nog ver van ons af liggen, zowel wat plaats als tijd betreft. Maar deze nederige opvattingen vindt men niet bij de zulk een grote vlucht nemende 'onkruidverdelger'-handel van tegenwoordig, waar steeds hoger wordende verkoopcijfers en toenemende toepassingsmogelijkheden de produktie van plantendodende chemicaliën beïnvloeden.

Een van de meest tragische voorbeelden van onze onnadenkende vernieling kan worden aangetroffen in de met Amerikaanse bijvoet begroeide velden van het westen, waar een omvangrijke campagne aan de gang is om de bijvoet te vernietigen en er grasland voor in de plaats te maken. Als ooit een dergelijke onderneming zou moeten worden gezien in het licht van de historie en de geaardheid van het landschap, dan is het wel hier. Want hier vormt het natuurlijke landschap een sprekend voorbeeld van de wisselwerking der krachten die het hebben doen ontstaan. Het ligt voor ons uitgespreid als de bladzijden van een open boek, waarin we kunnen lezen waarom het land is zoals het is en waarom we het zo moeten laten. Maar de bladzijden blijven ongelezen.

Dit land van de bijvoet is het land van de westerse hoogvlakten en lagere hellingen van 't bergmassief, dat boven hun uittorent, een land, ontstaan uit de geweldige verheffing van de Rocky Mountains vele miljoenen jaren geleden. Er heersen grote uitersten van klimaat: er zijn lange winters waarin de sneeuwstormen van de bergen jagen en de sneeuw hoog in de vlakte ligt en er zijn zomers waarin de hitte slechts door spaarzame regens wordt verlicht, waarin de droogte diep in de grond dringt en de alles verzengende wind het vocht uit blad en stengel neemt.

Toen het landschap zich ontwikkelde, moet er wel een lange periode van proberen zijn geweest, waarin de planten trachtten te gedijen in dit hoge en winderige land. De een na de ander moet het opgegeven hebben. Op het laatst bleef er een plant over, die al de eigenschappen in zich droeg, die nodig waren om hier in stand te blijven. De bijvoet – laaggroeiend en heesterachtig – kon zijn plaats op de berghellingen en in de vlakten behouden, want hij kon genoeg vocht in zijn kleine grijze blad vasthouden om de droge wind te weerstaan. Het was geen toeval, maar eerder het resultaat van lange proefnemingen door de natuur, dat de grote vlakten in het westen het land van de bijvoet werden.

Tegelijk met de planten had het dierenleven zich ontwikkeld in harmonie met de gestrengheid van het land. Eens waren er twee soorten, die zich net zo aan het land hadden aangepast als de bijvoet. De een was een zoogdier, de snelle en elegante gaffelantiloop, de ander was een vogel, de Centrocercus. De bijvoet en deze hoendersoort leken wel voor elkaar gemaakt.

Het oorspronkelijke verspreidingsgebied van de vogel kwam overeen met het terrein van de bijvoet en toen de bijvoetlanden in omvang werden teruggebracht, nam de hoenderbevolking ook af. De bijvoet betekent alles voor deze vogels der vlakte. De lage bijvoet aan de voet van de hellingen beschermt hun nesten en hun jongen; de sterkere begroeiing dient als recreatie- en woongebied en te allen tijde verschaft de bijvoet aan deze hoendersoort zijn belangrijkste voedsel. Toch is er een tweezijdige relatie. De spectaculaire hofmakerij van de hanen van deze hoendersoort draagt ertoe bij de grond onder en om de bijvoet heen los te houden en steunt derhalve de groei van grassoorten in de schaduw van de bijvoet.

De antilopen hebben hun leven eveneens aan de bijvoet aangepast; ze leven voornamelijk in de vlakten en 's winters, als de eerste sneeuw is gevallen, komen de dieren die in de bergen van de zomerzon hebben genoten, naar lagere regionen. Daar helpt de bijvoet hen de winter door te komen. Als alle andere planten hun bladeren hebben afgeworpen, is de bijvoet nog groen. De grijsgroene bladeren, die bitter, aromatisch, rijk aan proteïne, vetten en noodzakelijke mineralen zijn, zitten vlak op de stengels van dichtgroeiende en heesterachtige planten. Hoe hoog de sneeuw ook komt, de top van de bijvoetplanten blijft er bovenuit steken of kan gemakkelijk door de scherpe antiloophoeven worden bereikt. De hoenders leven dan ook van deze uitstekende toppen, ze kunnen ze vinden op kale en door de wind sneeuwvrij gemaakte hellingen of daar waar de antiloop de sneeuw heeft weggekrabd.

Er is ook ander leven dat iets van de bijvoet verwacht. Muildierherten eten er dikwijls van. De bijvoet kan het voortbestaan betekenen voor vee, dat in de winter doorgraast. Schapen grazen in de winter op gebieden, waar praktisch alleen de bijvoet groeit. Een half jaar lang is dit gewas dan hun voornaamste voedsel, want het is een plant met een grotere energiewaarde dan zelfs gedroogde luzerne.

De arme hoogvlakten, de woeste bijvoetbegroeiing, de wilde, snelle antiloop en de hoender vormen dus een natuurlijk systeem dat in perfecte balans is. Is? Het werkwoord moet in de verleden tijd worden gebruikt, tenminste in die grote en steeds groeiende gebieden waar de mens tracht de natuur te verbeteren. In naam van de vooruitgang hebben de Amerikaanse bureaus, die zich bezig houden met steeds meer weiland beschikbaar te stellen aan de onlesbare dorst van de veehouders, zich op dit gebied geworpen. Hun activiteiten betekenen meer grasland, land zonder bijvoet. En dit betekent dat in een land, dat de natuur had bestemd voor grasgroei, gemengd met en onder bescherming van de bijvoet, de mens de bijvoet gaat vernietigen en alleen gras laat groeien. Er schijnen zich weinig mensen te hebben afgevraagd of grasland in dit gebied een juist en gewenst doel zou zijn. Het is echter wel zeker, dat het antwoord van de natuur anders luidde. De jaarlijkse neerslag in dit land, waar zelden regen valt, is niet voldoende om goed, samenhangend gras in stand te houden, neen, het bossige, 't hele jaar overblijvende gras dat in de schaduw van de bijvoet groeit, is beter geschikt.

Toch is de campagne om de bijvoet uit te roeien al een aantal jaren aan de gang. Verschillende instellingen en bureaus zijn er mee bezig, de industrie helpt hen enthousiast om de zaken te bevorderen, die immers grotere markten, niet alleen voor graszaad, maar ook voor een grote verscheidenheid aan machines, zoals maaimachines, ploegen en zaaimachines beloven. De nieuwste aanwinst aan het wapenarsenaal is het gebruik van chemische besproeiing. Thans worden miljoenen hectaren bijvoetgebied per jaar bespoten.

Wat is het gevolg? De eventuele resultaten van het uitroeien van de bijvoet en het zaaien van het gras berusten hoofdzakelijk op gissingen. Mensen die jarenlange ervaring hebben met het gedrag van de bodem zeggen, dat er in deze landstreek een betere grasgroei zal zijn tussen en onder de bijvoet dan verwacht kan worden in plaatsen waar de vocht-vasthoudende bijvoet is weggehaald en het gras alleen moet groeien.

Maar zelfs als het programma zou slagen in zijn eerste opzet, dan nog is het duidelijk dat het gehele levensstramien uit elkaar is gescheurd. De antiloop en de hoender zullen mèt de bijvoet verdwijnen. De muildierherten zullen er ook onder lijden en het land zal armer worden omdat de in het wild levende dieren, die bij dit landschap passen, zullen zijn vernietigd. Zelfs het vee, voor hetwelk aanvankelijk het project is opgezet, zal schade lijden, want geen enkele hoeveelheid mals, groen gras in de zomer zal de schapen in de winter beletten honger te lijden als de bijvoet, de wilde grassoorten en de andere wilde vegetatie verdwenen zijn.

Dit zijn de eerste en meest in het oog lopende gevolgen. De tweede zijn van een aard, die gelijk gesteld kan worden met de revolvermethode in de natuur: de bespuiting elimineert ook een groot aantal planten, die niet tot het beoogde doel behoorden. Rechter William O. Douglas heeft in zijn recente boek 'My Wilderness: East to Katahdin' verteld over een afschrikwekkend voorbeeld van ecologische vernietiging, die door de 'United States Forest Service' in het 'Bridger National Forest' in Wyoming is teweeggebracht. Ongeveer 4000 hectare bijvoetvlakten werden door deze dienst besproeid, omdat de veehouders meer grasland nodig hadden. De bijvoet ging inderdaad dood. Maar ook de groene rijen wilgen, die als linten langs de kronkelende beken in het landschap stonden. Elanden hadden in deze wilgebossen gewoond, want de wilg is voor de eland wat de bijvoet is voor de antiloop. Er waren ook bevers geweest, die van de wilgen hadden geprofiteerd door sterke dammen te maken van de omgehaalde takken en stammetjes. Door het werk van de bevers was er een meer ontstaan. Forel uit de bergbeken wordt zelden meer dan 15 centimeter lang; in het meer gedijden ze zo voorspoedig dat vele van hen wel vijf pond wogen. Waterwild kwam ook naar het meer. Alleen door de aanwezigheid van de wilgen en de bevers was dit gebied een aantrekkelijk recreatie-oord geworden waar veel gevist en gejaagd werd.

Maar tegelijk met de 'verbetering', ondernomen door de Forest Service, gingen de wilgen de weg van de bijvoet op; ze werden alle gedood door de niets ontziende besproeiingsstof. Toen rechter Douglas in 1959 het gebied bezocht – het was het jaar, dat de besproeiing plaats vond – schrok hij van de verlepte en stervende wilgen en sprak van 'een grote en ongelooflijke schade'. Wat zou er nu van de elanden worden? Of van de bevers en hun kleine, zelf ontworpen wereld? Een jaar later kwam hij terug en kon de antwoorden aflezen uit een verwoest landschap. De elanden en de bevers waren verdwenen. De grootste dam was weg omdat de knappe architecten hem niet hadden onderhouden en het meer was leeggelopen. Geen van de grote forellen was nog aanwezig, want ze konden niet leven in de kleine kreek, die was overgebleven en die zich langzaam voortbewoog in een kaal, heet landschap, waar geen schaduw te vinden was. De hele levende wereld was ontredderd.

Behalve de miljoenen hectaren weidegrond voor vee die per jaar worden bespoten, zijn ook enorme gebieden ander land de ontvangers van chemische stoffen, die dienen als onkruidverdelgers. Bijvoorbeeld, een gebied, dat groter is dan geheel New England, zo'n 20 miljoen hectaren, staat onder beheer van nutsbedrijven en een groot deel van die gebieden wordt regelmatig behandeld tegen het ontstaan van kreupelhout. In het zuidwesten van Amerika wordt een geschatte oppervlakte van 30 miljoen hectaren halfwoestijn op de een of andere manier behandeld en de chemische besproeiingsmethode is blijkbaar de meest aangewezen manier. Een uitgestrekt gebied van onbekende grootte, dat hout voortbrengt wordt nu van uit de lucht bespoten om het hardhout van de meer besproeiings-resistente naaldbomen te scheiden. De bespuiting van landbouwgronden met onkruidverdelgers heeft zich in de tien jaar na 1949 verdubbeld en in 1959 werden reeds meer dan 20 miljoen hectaren chemisch behandeld. Voeg daarbij de hectaren grasvelden bij villa's, parken, golflinks en we bereiken een astronomisch getal.

De chemische onkruidverdelgers zijn als een glanzend, nieuw stuk speelgoed. Ze werken op een opzienbarende manier, ze geven de mens een duizelingwekkend gevoel van macht over de natuur en wat de uitwerking op de lange duur betreft of de niet zo in het oog lopende resultaten – och, deze worden gemakkelijk terzijde geschoven als verbeelding van de pessimisten. De 'landbouwingenieurs' praten luchtigjes over 'chemisch ploegen' in een wereld, die wordt opgehitst om zijn ploegscharen in nevelspuiten te veranderen. De vroede vaderen van duizenden gemeenten luisteren gewillig naar verkopers van chemicaliën en de nijvere aannemers, die de bermen van de wegen wel eens van 'kreupelhout' zullen ontdoen – tegen een bepaalde prijs. Het is veel goedkoper dan maaien, wordt uitgeroepen. En dat lijkt misschien ook wel zo in de keurige rijen cijfers van de boekhouding, maar als de werkelijke kosten eens werden opgeschreven, niet alleen de kosten in dollars, maar ook die van de net zo belangrijke debet-zijde, die we straks onder de loep zullen nemen, dan zou de wijd en zijd verspreide faam van de chemicaliën kostbaarder zijn, zowel in dollars als uitgedrukt in schade aan de gezondheid van het landschap en de verschillende belangen die door dit landschap in stand worden gehouden.

Neem bijvoorbeeld eens het door iedere Kamer van Koophandel in Amerika zo gewaardeerde goed: de goodwill van de toeristen. Er bestaat een steeds groter wordend koor van woedende proteststemmen over de ontsiering van de eens zo mooie wegen door chemische bespuiting, die een dorre, bruine vegetatie in de plaats stelt van de schoonheid van varens, wilde bloemen en van het daarbij behorend struikgewas met bloesem of bessen. 'We maken een vieze, bruine, stervende bende van de bermen van onze wegen', schreef een vrouw uit New England aan haar plaatselijk blad. 'Dit verwacht de toerist hier niet als we zo veel geld besteden aan de reclame voor ons prachtige landschap.'

In de zomer van 1960 kwamen natuurliefhebbers uit vele Amerikaanse staten tezamen op een vredig eilandje in Maine om de overdracht daarvan door de eigenaresse, Millicent Todd Bingham, aan de 'National Audubon Society' bij te wonen. Het onderwerp van discussie van die dag was het behoud van het natuurlijke landschap en het ingewikkelde samenspel van leven, dat zijn stramien vlecht van de microbe tot de mens. Maar door alle discussies van de bezoekers aan het eiland heen klonk verontwaardiging over de verknoeiing van de wegen waarlangs ze waren gekomen. Eens was het een vreugde geweest langs deze wegen door de eeuwiggroene bossen te rijden, wegen die omzoomd waren met Amerikaanse wasboom en varen, els en blauwbes. En nu was er niets dan een bruine woestenij. Een van de aanwezigen schreef over deze pelgrimstocht in augustus naar het eiland in Maine: 'Ik kwam terug . . . woedend over de ontheiliging van de wegbermen in Maine. Waar vroeger de hoofdwegen waren omzoomd door wilde bloemen en aantrekkelijk struikgewas, daar waren nu slechts de littekens van de dode vegetatie, kilometer na kilometer . . . En van economisch standpunt gezien, kan Maine zich veroorloven de goodwill van de toerist te verliezen?"

De wegen in Maine zijn slechts een voorbeeld uit vele, hoewel het een bijzonder droevig voorbeeld is voor de tallozen onder ons, die van de schoonheid van die staat houden, een droevig voorbeeld van de zinloze vernieling van de Amerikaanse wegen die in naam van de onkruidbestrijding langs die wegen plaats vindt.

Botanici van het Connecticut Arboretum zeggen, dat de eliminering van de mooie Amerikaanse struiken en wilde bloemen langzamerhand de afmetingen van een crisis heeft aangenomen. Wilde azalea's, vogelkers, bosbessen, sneeuwbal, kornoelje, wasgagel, varen, krentebomen, wilde kers en wilde prunus sterven in de chemische zondvloed. Hetzelfde geschiedt met de madelieven, rudbeckia, wilde peen, gulden roede en herfstasters, die lieflijkheid en schoonheid aan het landschap geven.

De besproeiingen worden niet alleen verkeerd gepland, maar zijn ook doorspekt met misstanden, zoals het volgende voorval aangeeft. In het zuiden van New England beëindigde een aannemer eens zijn werk terwijl er nog een restje chemische stof in zijn tank was overgebleven. Hij liet dit weglopen langs een bosachtige weg, waar besproeiing niet was toegestaan. Het resultaat was, dat men daar de blauwe en gouden pracht van de asters en de gulden roede in de herfst moest missen. In een ander deel van New England veranderde een leverancier op eigen houtje de specificaties voor de bespuiting van steden en besproeide de bermen van de wegen tot een hoogte van 2½ meter in plaats van de voorgeschreven maximum hoogte van 1½ meter, zodat een brede, lelijke, bruine strook hout overbleef. In Massachusetts kocht een gemeente van een ijverige vertegenwoordiger eens een onkruidverdelger, zonder te weten dat deze arsenicum bevatte. Een van de resultaten van de daarop gevolgde bespuiting van een aantal wegen was, dat 12 koeien stierven door arsenicumvergiftiging.

Bomen in het Arboretum van Connecticut werden ernstig beschadigd toen de gemeente Waterford in 1957 haar wegen met chemische onkruidverdelgers bespoot. Zelfs grote bomen, die niet rechtstreeks waren bespoten, werden aangetast. De bladeren van de eiken begonnen om te krullen en bruin te worden, hoewel de voorjaarsgroei net had ingezet. Daarna begonnen nieuwe loten te ontstaan, die met een abnormale snelheid groeiden en het uiterlijk van een treurwilg gaven aan de eiken. Twee seizoenen later waren grote takken van deze bomen doodgegaan en andere takken bleven zonder bladeren, terwijl het hangende, treurende effect bleef.

Ik ken persoonlijk een weg, waar de natuur zelf een border heeft aangebracht van elzestruiken, sneeuwbal, varens en jeneverbes en die al naar gelang het seizoen een heldere bloesempracht of een schitterende bessenweelde te zien geeft. Er was nooit veel zwaar verkeer langs deze weg; er waren enkele scherpe bochten en stukken waar het kreupelhout het zicht van een chauffeur zou kunnen belemmeren. Maar de autoriteiten namen het heft in handen en lieten de weg bespuiten, zodat de kilometers lange weg veranderde in een racebaan, die een voorproefje te zien gaf van de steriele en afschuwelijke wereld, die wij onze technici laten maken. Maar hier en daar hadden de autoriteiten waarschijnlijk geweifeld en er waren oases van schoonheid temidden van de strenge leegheid overgebleven, oases, die de ontheiliging van de rest van de weg des te ondraaglijker maakten. Op zulke plekken monterde ik op bij het gezicht van de sluier witte klaverbloesem of de wolken paarse wikke, onderbroken door hier en daar de oranjegloeiende kelk van een boslelie.

Zulke planten zijn 'onkruid' alleen voor die mensen die hun geld verdienen met het verkopen en toepassen van chemicaliën. In een aflevering van het tijdschrift 'Proceedings' van een van de vele onkruidbestrijdingsinstituten las ik eens een artikel, dat getuigt van de bijzondere instelling en gedachtengang van iemand, die zich met onkruidbestrijding bezig houdt. De schrijver verdedigde het doden van goede planten 'alleen al omdat ze zich in slecht gezelschap bevinden.' Degenen, die zich erover beklaagden, dat wilde bloemen langs de wegen worden gedood, deden hem denken aan de aanhangers van de antivivisectie 'voor wie het leven van een straathond meer waard is dan het leven van kinderen, als men tenminste oordeelt naar hun handelingen'.

Menigeen van ons zal in de ogen van deze schrijver zeer verdacht zijn en veroordeeld worden om de slechtheid van ons karakter, omdat we liever de wikke en de bloeiende klaver en de boslelie in al hun lieflijke schoonheid willen zien dan wegbermen, die als door vuur geschroeid lijken, met bruin, afbrekend kreupelhout en met verlepte en hangende varens, die eens hun statige ranken trots ten hemel hieven. We zullen in zijn ogen verschrikkelijk week lijken, omdat we de aanblik van zulk 'onkruid' kunnen verdragen, omdat we ons niet verheugen over de uitroeiing ervan en omdat we niet vervuld zijn van verrukking dat de mens wederom heeft getriomfeerd over die wanschapen natuur.

Rechter Douglas vertelt van een vergadering van staatslandbouwdeskundigen, die de protesten behandelden van burgers over de besproeiingen van bijvoet die ik hierboven heb behandeld. Deze mannen vonden het meer dan belachelijk, dat een oude dame tegen het plan had geageerd, omdat de wilde bloemen zouden worden vernietigd. 'En toch, was haar recht om te genieten van een boslelie of een tijgerlelie niet even groot als het recht van een veefokker om het juiste gras uit te zoeken of dat van een houthakker om een boom te vellen?' vraagt deze menselijke en scherpe jurist. 'De aesthetische waarde van de wildernis is net zo goed een deel van ons erfgoed als de koper- en goudaders in onze heuvels en de bossen in ons berglandschap.'

Er is natuurlijk nog een andere kant aan het behouden van de vegetatie op onze wegbermen dan alleen een aesthetische. In de economie van de natuur neemt de natuurlijke begroeiing haar eigen gewichtige plaats in. De hagen langs de landwegen en de daaraan grenzende akkers verschaffen voedsel, bescherming en mogelijkheden tot nestelen aan de vogels en beschutting aan veel kleine dieren. Van de ongeveer 70 soorten kreupelhout en klimplanten, die beschouwd kunnen worden als typische wegbegroeiing in de oostelijke staten van Amerika, zijn er ongeveer 65 van belang als voedsel voor in het wild voorkomende dieren.

Deze begroeiing is ook de woonplaats van wilde bijen en andere insecten, die voor de bevruchting van plant en boom zorgdragen. De mens is afhankelijker van deze in het wild voorkomende bestuivers dan hij zich realiseert. Zelfs de boer begrijpt zelden het belang van wilde bijen en helpt dikwijls mee om de dieren te vernietigen. Sommige landbouwgewassen en veel wilde planten zijn geheel of gedeeltelijk afhankelijk van het werk van de ter plaatse aanwezige bestuivingsinsecten. Honderden soorten wilde bijen nemen deel aan de bestuiving van gekweekte gewassen, 100 soorten bezoeken alleen al de bloesem van de luzerne. Zonder de bestuiving van de insecten zouden de meeste planten, die in ongecultiveerde gebieden de grond vasthouden en verrijken, uitsterven met vèrgaande consequenties voor de ecologie van dat hele gebied. De vermenigvuldiging van veel kruiden, struiken en bomen van bos en veld hangt van de insecten af, en zonder deze planten zouden vee en in het wild voorkomende dieren geen voedsel kunnen vinden. Op het ogenblik worden de laatste heiligdommen van deze bestuivende insecten door de 'schone' bebouwing en de chemische vernietiging geëlimineerd en worden de draden, die leven aan leven binden, doorgesneden.

Deze insecten, die zo onmisbaar zijn voor onze landbouw en zelfs voor ons landschap, zoals we dat thans kennen, verdienen beter dan de zinloze vernietiging van hun woongebieden. Honingbijen en wilde bijen hangen sterk af van de aanwezigheid van zulk 'onkruid' als gulden roede, mosterdplant en paardebloemen voor het stuifmeel, dat als voedsel voor hun jongen dient. Wikke verschaft noodzakelijk voedsel in de lente aan de bijen, als de luzerne nog niet bloeit en helpt hen over dit vroege jaargetijde heen, zodat ze later de luzerne kunnen bestuiven. In de herfst, wanneer er geen ander voedsel is, leven ze van gulden roede, dat ze opslaan voor de winter. De natuur zelf, die alles precies en juist regelt, maakt dat een bepaalde soort bijen op dezelfde dag tevoorschijn komt als de eerste wilgebloesem. Er zijn wel mensen die deze dingen begrijpen, maar zij zijn niet degenen, die de opdracht geven om het hele landschap te verdrinken in de chemicaliën.

En waar blijven de mensen, die zogenaamd de waarde beseffen van een goede woonplaats voor het behoud van leven in het wild? Te velen van hen verdedigen onkruidverdelgers als 'onschadelijk' voor het leven in het wild, omdat ze als minder giftig beschouwd worden dan insecticiden. Daarom wordt er geen kwaad aangericht, zegt men. Maar terwijl de onkruidverdelgers neerregenen op bos en veld, op moeras en weiland, brengen ze toch maar grote veranderingen teweeg en zelfs een permanente vernietiging van het woongebied van ditzelfde leven. Het huis en het voedsel te vernietigen van dit leven is misschien nog erger dan het meteen te doden.

De invloed van deze algemene chemische aanval op wegberm en spoorbaan is tweeledig. Het probleem dat moet worden bestreden, wordt gecontinueerd, want de ervaring heeft duidelijk geleerd, dat de algemene bespuiting met onkruidverdelgers niet afdoende is en dat ze jaar na jaar moet worden herhaald. Bovendien gaan we hiermee voort hoewel er een goede methode van selectieve bespuiting bekend is, die beperking op lange termijn van de vegetatie kan bereiken en in de meeste gevallen herhalingen overbodig maakt.

Het doel van de onkruidbestrijding langs wegen en spoorbanen is niet om het landschap van alles behalve gras te beroven, maar om de planten te vernietigen die zo hoog worden dat ze het uitzicht van chauffeurs belemmeren of de bedrading van de spoorbaan in de weg staan. Dit betekent, over het algemeen dus, bomen. Het meeste kreupelhout is laag genoeg om geen gevaar op te leveren; varens en wilde bloemen zijn dat zeker.

Selectieve bespuiting werd ontwikkeld door Dr. Frank Egler gedurende zijn aanwezigheid een aantal jaren bij het Amerikaanse Museum voor Natuurlijke Historie, in zijn functie van voorzitter van het comité voor 'Brush Control Recommendations' voor spoorbanen. De ontwikkelde methode is gebaseerd op de eigen stabiliteit van de natuur, op het feit, dat de meeste groepen struiken sterk weerstand bieden tegen de ontwikkeling van bomen. Daarbij vergeleken wordt grasland veel gemakkelijker de woonstee van zaailingen van bomen. Het doel van een selectieve bespuiting is niet om gras langs de wegen en spoorbanen te produceren, maar om door een directe behandeling het hoge hout te elimineren en om alle andere vegetatie te behouden. Eén behandeling kan reeds afdoende zijn, met een mogelijke nabehandeling voor bijzonder sterke soorten; daarna hernemen de struiken hun recht en de bomen komen niet terug. De beste en goedkoopste bestrijdingsmiddelen tegen vegetatie zijn niet de chemicaliën, maar andere planten.

De methode is beproefd in experimentele gebieden, die over het gehele oosten der Verenigde Staten verspreid liggen. De resultaten bewijzen dat na één goede behandeling het gebied zich stabiliseert, en dat *de eerste twintig jaar geen herbespuiting nodig is*. De bespuiting kan dikwijls door mannen te voet geschieden, die dus hun materiaal volkomen in hun macht hebben door rugsproeiers te gebruiken. Soms kunnen compressiepompen of dergelijke op een chassis gemonteerd worden, maar er mag geen algemene besproeiing ontstaan. De behandeling wordt alleen toegepast op bomen en enkele bijzonder hoog groeiende struiken die moeten worden geëlimineerd. De zuiverheid van het landschap wordt daardoor behouden en de grote waarde van het woongebied voor het in het wild voorkomende leven blijft intact. Bovendien wordt de schoonheid van kreupelhout en varens en wilde bloemen niet opgeofferd.

Hier en daar wordt de methode van selectieve bestrijding reeds toegepast. Maar over het algemeen wordt een ingewortelde gewoonte moeilijk uitgeroeid en de algemene bespuiting tiert welig ten koste van grote jaarlijkse bijdragen van de belastingbetaler en ten nadele van het ecologisch levensstramien. De methode gedijt natuurlijk alleen omdat de werkelijke feiten niet bekend zijn Op het moment dat de belastingbetaler weet, dat de rekening voor het bespuiten van de wegen in zijn gemeente slechts eenmaal per generatie behoort te worden gepresenteerd in plaats van elk jaar, zal hij beslist eisen, dat een andere methode wordt toegepast.

Onder de vele voordelen die inherent zijn aan selectieve bespuiting is het feit, dat het de hoeveelheid chemische stof, die in het landschap wordt aangebracht, tot een minimum reduceert. Er komt geen wijd en zijd rondstrooien van de stof aan te pas, maar een geconcentreerde toepassing aan de voet van de bomen. Het potentiële gevaar voor alle leven daar omheen is daardoor tot een minimum teruggebracht.

De meest gebruikte herbiciden zijn 2,4-D, 2,4,5-T en hun verbindingen. Of deze al dan niet werkelijk giftig zijn, is een twijfelachtige zaak. Mensen, die hun grasveld met 2,4-D besproeiden en nat werden, hebben nu en dan zenuwontstekingen en soms zelfs verlammingen gekregen. Hoewel zulke ongelukken klaarblijkelijk weinig voorkomen, raden medische autoriteiten tot voorzichtigheid. Andere risico's, die minder voor het voetlicht treden, kunnen ook inherent zijn aan het gebruik van 2,4-D. Bij proeven is komen vast te staan, dat het noodzakelijke ademhalingsproces in de cel wordt gehinderd en dat het net zoals röntgenstralen de chromosomen schade toebrengt. Enige zeer recente proeven tonen aan, dat de voortplanting van vogels door deze en andere herbiciden, wanneer ze worden toegediend in concentraties ver beneden die, welke de dood veroorzaken, ongunstig wordt beinvloed.

Afgezien van enkele directe giftige gevolgen, zijn er opmerkelijke indirecte uitwerkingen te constateren na het gebruik van sommige onkruidverdelgers. Er is ontdekt dat dieren, zowel in het wild levende herbivoren als vee, soms op een vreemde manier de voorkeur gaan geven aan een bespoten plantensoort, hoewel die soort niet tot hun natuurlijke voedsel behoort. Als een zeer giftig herbicide is gebruikt, zoals arsenicum, zal hun verlangen om de verleppende vegetatie te bereiken zeker ongelukkige gevolgen hebben. Ook kunnen fatale gevolgen ontstaan door minder giftige herbiciden, wanneer de plant zelf giftig is of wellicht doornen of stekelige bolsters heeft. Giftig onkruid in weilanden bijvoorbeeld, is plotseling aantrekkingskracht op vee gaan uitoefenen nadat het bespoten was en de dieren zijn vervolgens gestorven omdat ze hebben toegegeven aan hun ongewone eetlust. De literatuur van de diergeneeskunde loopt over van dergelijke voorbeelden: varkens, die bespoten klitten hadden gegeten, zijn ernstig ziek geworden, lammeren, die behandelde distels hadden verorberd, waren vergiftigd, en bijen werden vergiftigd nadat ze in aanraking waren geweest met mosterdplanten, die waren gespoten nadat ze in bloei waren gekomen. De wilde kers, waarvan de bladeren giftig zijn, heeft een fatale aantrekkingskracht uitgeoefend op vee, nadat het bladerdak was bespoten (met 2,4-D). Klaarblijkelijk maakt de verleppende toestand die op de bespuiting volgt, dat de planten aantrekkelijk worden voor de dieren.

Kruiskruid heeft nog andere voorbeelden voortgebracht. Vee laat deze plant gewoonlijk links liggen, tenzij het bij gebrek aan iets beters ertoe gedwongen wordt ervan te eten, zoals laat in de winter of vroeg in het voorjaar. Toch eten de dieren er gulzig van als het met 2,4-D is bespoten.

De verklaring voor dit vreemde gedrag schijnt soms te liggen in de veranderingen, die de chemische stof aanbrengt in de stofwisseling van de plant. Er is een tijdelijke, grote toename van het suikergehalte, die de plant een lekkernij doet zijn voor vele dieren.

Een ander merkwaardig effect van 2,4-D heeft bij vee, in het wild voorkomende dieren en waarschijnlijk ook bij mensen belangrijke gevolgen gehad. Proeven, die ongeveer 10 jaar geleden zijn verricht, toonden aan dat na behandeling met deze chemische stof, koren en suikerbieten een sterke toename van het stikstofgehalte te zien gaven. Hetzelfde werd vermoed bij sorghum gras (ook wel kafferkoren genoemd), zonnebloemen, spinnekruid, hazelkatjes, papegaaikruid en waterpeper. Sommige van deze planten worden in normale omstandigheden door vee genegeerd, maar worden met graagte gegeten na hun behandeling met 2,4-D. Volgens sommige landbouwexperts heeft men enkele sterfgevallen van vee kunnen terugbrengen tot bespoten onkruid. Het gevaar ligt bij de toename van nitraten, want de merkwaardige fysiologie van de herkauwers brengt terstond een kritisch vraagstuk naar voren. De meeste herkauwers hebben een ingewikkelde spijsvertering, waaronder een maag die in vier kamers is onderverdeeld. De vertering van cellulose wordt ondernomen door micro-organismen (pens-bacteriën) in een van die kamers. Wanneer het dier eet van planten, die een abnormaal hoog gehalte aan nitraten bevatten, werken de micro-organismen in de pens op de nitraten in, zodat zeer giftige nitrieten ontstaan. Daarna volgt een fatale keten van gebeurtenissen: de nitrieten werken zodanig op het bloedpigment in, dat een chocoladekleurige substantie ontstaat, waarin de zuurstof zo sterk wordt vastgehouden, dat het geen aandeel kan hebben in de ademhaling; vandaar dat er geen zuurstof van de longen in de weefsels wordt gebracht. De dood treedt binnen enkele uren in door gebrek aan zuurstof. De verschillende rapporten over sterfgevallen van vee, nadat dit heeft gegraasd op bepaald onkruid dat met 2,4-D was behandeld, krijgt daardoor een logische verklaring. Hetzelfde gevaar bestaat voor in het wild levende dieren, die tot de familie van de herkauwers behoren, zoals herten, antilopen, schapen en geiten.

Hoewel verschillende factoren (zoals bijzonder droog weer) ook een toename van het stikstofgehalte kunnen veroorzaken, mag de uitwerking van de steeds toenemende verkopen en toepassingen van 2,4-D niet verontachtzaamd worden. De universiteit van Wisconsin en haar landbouwproefstation vonden deze situatie belangrijk genoeg om in 1957 een waarschuwing te laten horen, dat 'planten, die door 2,4-D zijn gestorven, grote hoeveelheden nitraten kunnen bevatten.' Het gevaar bestaat voor mensen zowel als dieren en kan er toe bijdragen een verklaring te geven voor de recente geheimzinnige toename van 'inkuil sterfgevallen'. Wanneer maïs, haver of sorghum gras, die grote hoeveelheden nitraten bevatten, ingekuild worden, laten zij grote kwantiteiten giftige stikstof-zuurstof verbindingen los, die dodelijk gevaar opleveren voor iedereen, die de kuil binnentreedt. Wanneer men slechts korte tijd een van deze chemische gassen heeft ingeademd, kan een uitgebreide longontsteking ontstaan. In een serie van soortgelijke gevallen, onderzocht door de medische faculteit van de universiteit van Minnesota, bleek dat op één na alle gevallen dodelijk zijn geweest.

'Weer lopen we in de natuur als een olifant in de porseleinkast'. Dit zegt Dr. C. J. Briejèr, een Nederlandse geleerde van brede visie, over ons gebruik van onkruidverdelgers. 'Wat mij betreft, ik vind dat we er te gemakkelijk over denken. We weten niet of alle onkruid in de gewassen schadelijk is of dat sommige soorten misschien nuttig zijn', aldus Dr. Briejèr.

Zelden wordt de vraag gesteld: 'Wat is de verhouding tussen het onkruid en de grond?' Misschien is die verhouding, zelfs van ons egoïstisch standpunt gezien, nuttig. Zoals we hebben aangetoond, staan de grond en de levende wezens in en op die grond tot elkaar in relatie van onderlinge afhankelijkheid en gemeenschappelijk voordeel. Waarschijnlijk zal het onkruid iets uit de grond nemen, maar misschien geeft het er ook wel iets aan terug. Een praktisch voorbeeld werd kort geleden door de parken in een Nederlandse stad gegeven. De rozen deden het niet goed. Grondmonsters toonden aan dat kleine aaltjes (nematoden) in grote hoeveelheden aanwezig waren. De geleerden van de Nederlandse Plantenziektenkundige Dienst rieden geen chemische bespuiting of grondbehandeling aan; in plaats daarvan adviseerden ze Afrikaantjes tussen de rozen te planten. Deze plant, die elke purist ongetwijfeld onkruid in een bed rozen zou noemen, scheidt een stof in zijn wortels af die de aaltjes doodt. Het advies werd opgevolgd: sommige perken werden wel en andere niet met Afrikaantjes beplant, het laatste als controlemiddel. De resultaten waren verrassend. Met de hulp van de Afrikaantjes gedijden de rozen, in de controleperken bleven ze ziekelijk en achterlijk. Afrikaantjes worden thans op veel plaatsen geplant om nematoden tegen te gaan.

Op dezelfde manier, misschien zonder dat wij het weten, kunnen andere planten die wij zonder er bij na te denken vernietigen, een functie vervullen, die noodzakelijk is voor de gezondheid van de grond. Een zeer nuttige functie van in de natuur voorkomende planten – die bijna overal 'onkruid' genoemd worden – is de toestand van de grond te verraden. Deze nuttige functie gaat natuurlijk verloren waar een chemische onkruidbestrijder is gebruikt.

Degenen die voor alle problemen hun toevlucht nemen tot bespuiting zien ook nog een andere zaak van groot wetenschappelijk belang over het hoofd, de noodzaak om grote groepen in de natuur levende planten te bewaren. We hebben deze nodig als maatstaf voor de veranderingen die onze eigen activiteiten oproepen. We hebben ze nodig als woonplaats voor de oorspronkelijke insecten en andere organismen, die wij in stand moeten houden, want – zoals in hoofdstuk 16 zal worden uitgelegd – de ontwikkeling van het weerstandsvermogen tegen insecticiden verandert de genetische eigenschappen van insecten en misschien ook andere organismen. Een geleerde heeft zelfs voorgesteld dat er een soort 'dierentuin' zou moeten worden opgericht om insecten, mijten en dergelijk gedierte in stand te houden nog voor hun genetische samenstelling is veranderd.

Sommige specialisten waarschuwen voor op het oog kleine, maar vèrstrekkende vegetatieveranderingen, die optreden door het steeds verder toenemende gebruik van herbiciden. Het 2,4-D dat de tweezaadlobbigen vernietigt, doet de grasgroei door de verminderde concurrentie gedijen. Nu zijn sommige grassoorten zelf 'onkruid' geworden, hetgeen een nieuw probleem betekent en zo wordt een andere draai gegeven aan de cyclische beweging. Deze vreemde gang van zaken wordt onderkend in een kort geleden verschenen aflevering van een tijdschrift, dat zich bezig houdt met problemen rondom de verschillende gewassen: 'Door de algemene toepassing van 2,4-D teneinde tweezaadlobbig onkruid te beperken, zijn speciaal de grassoorten een dreiging geworden voor de produktie van maïs en sojabonen.'

Jacob's kruiskruid, of kruiskruid in het kort, de vloek van de lijders aan hooikoorts, geeft een goed voorbeeld van de manier waarop het veranderen van de natuur soms een boemerang kan worden. Vele duizenden liters chemicaliën zijn over de wegbermen uitgegoten in naam van de kruiskruid-bestrijding. Maar ongelukkigerwijs resulteert de algemene bespuiting in meer kruiskruid, niet in minder. Kruiskruid is een eenjarige plant; het zaad ervan heeft een open grond nodig om het volgend jaar weer op te schieten. Onze beste bescherming tegen deze plant is dus de instandhouding van een dichte begroeiing met kreupelhout, varens en andere overblijvende planten. De bespuiting vernietigt deze beschermende vegetatie en maakt open, kale vlakten, die het kruiskruid maar al te graag opvult. Het is bovendien waarschijnlijk dat het stuifmeelgehalte in de lucht niets te maken heeft met het kruiskruid, dat langs de bermen van de wegen groeit, maar met het kruiskruid van stadsparken en braakland.

De geweldige vlucht die de verkoop van chemicaliën tegen handjesgras heeft genomen, geeft een ander voorbeeld van de wijze waarop slechte methoden gemakkelijk aanspreken. Er is een goedkopere en betere manier om handjesgras te verwijderen dan jaar na jaar te proberen het met chemicaliën te doden. Dat is om voor concurrentie te zorgen, concurrentie, die het niet gemakkelijk overleeft, concurrentie van andere grassoorten. Handjesgras kan alleen gedijen in een ongezond grasperk. Het is een ziekteverschijnsel, niet een echte ziekte. Door voor een vruchtbare grond te zorgen en het gewenste gras goed op weg te helpen, is het al mogelijk om een omgeving te creëren waar het handjesgras niet kan groeien, want het heeft een open vlakte nodig, waarin het zaad ieder jaar gemakkelijk kan opschieten.

In plaats van de kwaal bij de wortel aan te pakken, gaan de bewoners van onze buitenwijken voort – geadviseerd door hun tuinman, die op zijn beurt weer wordt voorgelicht door de chemische fabrikanten – werkelijk verbazingwekkende hoeveelheden bestrijdingsmiddelen voor handjesgras aan hun grasveld te geven. Ze worden in de handel gebracht onder handelsmerken, die geen enkele aanduiding geven over de aard van de stof en vele bevatten vergiften als kwik, arsenicum en chloordaan. De toepassing van de hoeveelheden op de gebruiksaanwijzing maakt dat er ontstellende kwantiteiten op het gras achterblijven. De gebruikers van een bepaald produkt moeten bijvoorbeeld 15 Engelse ponden technisch chloordaan per 1.000 m^2 aanbrengen als ze de instructies goed opvolgen. Bij een ander produkt brengen ze 44 Engelse ponden arsenicum op een even grote oppervlakte. De tol die dit eist van het vogelleven is verschrikkelijk, zoals we in hoofdstuk 8 zullen zien. Hoe giftig deze grasvelden zijn voor mensen is onbekend.

Het succes van de selectieve bespuiting bij wegbermen en spoorbanen geeft enige hoop, dat even gezonde ecologische methoden zullen worden ontwikkeld voor andere vegetatiecampagnes bij boerderijen, bossen en weilanden, methoden, die er niet op gericht zullen zijn een speciale soort uit te roeien, maar de vegetatie als geheel in het oog te houden.

Andere successen tonen aan dat er wel iets bereikt kan worden. De natuur heeft zelf al vele problemen, waarmee wij ons thans bezighouden, onder ogen gehad en gewoonlijk heeft zij die ook op haar eigen wijze overwonnen. Waar de mens intelligent genoeg is geweest om de natuur te aanschouwen en haar na te doen, is hij ook dikwijls met succes beloond.

Een bijzonder goed voorbeeld op het gebied van het onder controle houden van ongewenste planten is het probleem van het Klamathkruid uit Californië. Ofschoon het Klamathkruid, of geitekruid, afkomstig is uit Europa, waar het St. Janskruid wordt genoemd – het is met de mens op zijn trek naar het westen meegekomen – is het in 1793 bij Lancaster, Pennsylvania, voor het eerst in Amerika gesignaleerd. Omstreeks 1900 dook het op in Californië, in de buurt van de Klamathrivier, vandaar dat het de naam Klamathkruid kreeg. Omstreeks 1929 had het 40.000 hectaren weiland in beslag genomen en tegen 1952 was dit gebied al gegroeid tot een miljoen hectaren. St. Janskruid dat niet zoals de plaatselijke bijvoet een ecologische plaats in 't geheel had, kende hier ook geen dieren of andere planten die zijn tegenwoordigheid nodig hadden. Integendeel, waar het maar opdook, werd het vee 'schurftig, kreeg een rauwe mond en gedijde niet'. Dit kwam van het eten van deze giftige plant. De waarde van het land zakte derhalve, want men beschouwde het St. Janskruid als de eerste hypotheek.

In Europa is het Klamathkruid of het St. Janskruid nooit een probleem geweest, want er bestonden verschillende soorten insecten, die er op zo veelzijdige manier van leefden, dat de uitbreiding van het onkruid vanzelf binnen de perken werd gehouden. Speciaal in Zuid-Frankrijk hebben twee soorten kevers, niet groter dan een erwt en metaalkleurig, hun hele bestaan zo ingesteld op de aanwezigheid van het onkruid, dat ze uitsluitend daarvan leven en zich kunnen voortplanten.

Het was een gebeurtenis van de eerste orde toen de eerste scheepsladingen van deze kevers in 1944 in de Verenigde Staten werden ingevoerd, want het was de eerste keer in Noord-Amerika dat werd gepoogd de verbreiding van een plant binnen de perken te houden met een planten-etend insect. Omstreeks 1948 waren plant en insect zo op elkaar ingesteld, dat verdere invoer niet nodig was. De uitbreiding van de kevers werd bevorderd door ze uit de bestaande kolonies weg te nemen en ze te herdistribueren in hoeveelheden, die tot miljoenen opliepen. In kleine gebieden verbreiden de kevers zichzelf, want ze verhuizen als het St. Janskruid uitsterft en ze vinden met grote precisie nieuwe standplaatsen. Door het uitdunnen van het onkruid door deze kevers, kunnen wèl gewenste planten, die verdrongen zijn geweest, terugkeren.

Een rapport over de bestrijding van St. Janskruid, dat in 1959 het licht zag, geeft aan dat deze 'effectiever is geweest dan zelfs de meest enthousiasten hadden durven hopen' en dat het onkruid is teruggebracht tot slechts 1 % van zijn vroegere overvloed. Deze kleine hoeveelheid is onschadelijk en is zelfs nodig om een keverbevolking te handhaven, die een eventuele toekomstige toename van het onkruid moet te lijf gaan.

Een ander bijzonder succesvol en economisch voorbeeld van onkruidbestrijding komt uit Australië. Tijdens de kolonisatie van nieuwe landen worden dikwijls planten en dieren geïntroduceerd en zo had een zekere Kapitein Arthur Philips in 1787 verschillende soorten cactus meegebracht met de bedoeling om schildluizen te kweken, die een scharlakenkleurige verf leveren. Sommige cacteeën, speciaal vijgecactussen verdwenen uit zijn tuin en tegen 1925 groeiden er 25 soorten in het wild. Daar ze in hun nieuwe land geen natuurlijke barrières tegenkwamen, groeiden de cacteeën uitbundig totdat ze ongeveer 25 miljoen hectaren in beslag namen. Minstens de helft van deze oppervlakte was zo dicht begroeid, dat het land onbruikbaar was.

In 1920 werden er Australische entomologen naar Noord- en Zuid-Amerika gezonden om de vijanden (insecten) van deze vijgcactussen in hun natuurlijke milieu te bestuderen. Nadat verschillende soorten getest waren, werden er in 1930 3 miljard eitjes van een Argentijnse mot in Australië losgelaten. Zeven jaar later was de laatste dichte begroeiing van deze vijgecactus verdwenen en de eens onbewoonbare gebieden stonden opnieuw open voor nederzettingen en weilanden. De hele behandeling had minder dan een halve cent per duizend vierkante meter gekost, in tegenstelling tot de onbevredigende pogingen om de plant op chemische manier te doen verdwijnen, die ongeveer 25 gulden per 1.000 vierkante meter hadden gekost.

Deze twee voorbeelden tonen aan, dat zeer effectieve bestrijdingsmiddelen voor vele soorten ongewenste vegetatie kunnen worden gevonden als meer aandacht wordt besteed aan de rol van de plantenetende insecten. De wetenschap die zich bezighoudt met het onderhoud van grote weilanden heeft deze mogelijkheid praktische links laten liggen, hoewel deze insecten misschien wel de meest selectieve van alle gras- en onkruideters zijn en hun zeer eenzijdige dieet gemakkelijk tot voordeel van de mens zou kunnen worden aangewend.

7 Nodeloze vernieling

Op zijn weg naar de onderwerping der natuur heeft de mens 'n vernederend document van vernieling achtergelaten, dat niet alleen tegen de aarde die hij bewoont is gericht, maar ook tegen het leven dat deze aarde met hem deelt. De geschiedenis van de laatste paar eeuwen vertoont zwarte bladzijden, zoals de slachting van buffels op de vlakten van het westen, het bloedbad onder de vogels van de kuststreken door beroepsjagers en de bijna volkomen uitroeiing van de zilverreigers om hun veren. Op het ogenblik zijn we bezig om hieraan nog een ander hoofdstuk en een nieuw soort vernieling toe te voegen: het ombrengen van vogels, zoogdieren, vissen en praktisch iedere vorm van leven door chemische insecticiden, die in het wilde weg over het land worden uitgestrooid.

Volgens de gedachtengang, die op het ogenblik ons lot bestiert, mag niets de man met de spuit in de weg staan. De slachtoffers die per ongeluk bij zijn kruistocht tegen de insecten worden gemaakt, tellen niet mee: als roodborstlijsters, fazanten, wasberen, katten of zelfs vee toevallig hetzelfde stukje aarde bewonen als de insecten, voor wie de insectendodende regen bedoeld is, dan mag niemand protesteren.

De burger die heden ten dage zich een eerlijk oordeel wil vormen over het verlies aan leven-in-het-wild, wordt geconfronteerd met een dilemma. Aan de ene kant zeggen natuurbeschermers en biologen, dat de verliezen groot zijn en soms zelfs catastrofaal, aan de andere kant staan de bestrijdingsinstituten, die categorisch ontkennen dat er verliezen hebben plaats gevonden of dat deze verliezen, als ze er dan al zijn geweest, zeer belangrijk zijn. Wiens inzicht moeten wij geloven?

De betrouwbaarheid van een getuige is altijd een eerste vereiste. De beroepsbioloog, die zich bezig houdt met het leven in het wild, is waarschijnlijk het beste in staat om zulk een verlies te ontdekken en te interpreteren. De entomoloog, wiens specialiteit insecten zijn, is er al niet zo goed toe in staat, alleen al door zijn studierichting, en psychologisch is hij minder geschikt om ongewenste nevenverschijnselen van zijn eigen bestrijdingscampagne op te merken. En toch zijn het de insectenbestrijders, en natuurlijk de fabrikanten van chemicaliën, die steevast de feiten ontkennen die door de biologen worden geconstateerd en die volhouden, dat ze weinig zien van schade aan het leven in de natuur. Net zoals de priester en de Leviet uit de Bijbel, geven zij er de voorkeur aan, aan de andere kant te gaan lopen en niets te zien. Zelfs als we goedgunstig oordelen en hun ontkenningen uitleggen als de kortzichtigheid van de specialist en als ontsproten aan eigenbelang, dan wil dit nog niet zeggen, dat ze bevoegde getuigen zijn.

De beste manier om ons een eigen oordeel te vormen is om de belangrijke bestrijdingscampagnes goed te bekijken en van waarnemers, die bekend zijn met het natuurleven, te horen wat er gebeurt in het kielzog van de regen van gif, die uit de hemel neervalt.

Voor de vogelwaarnemers, voor de forens, die geniet van de vogels in zijn tuin, voor de jager, de visser of de ontdekker van wilde gebieden is alles wat het natuurleven in een bepaalde streek voor zelfs een enkel jaar vernietigt, een ontzegging van genot, waartoe hij wettelijk recht heeft. Dit is een juiste opvatting. Zelfs als, wat soms wel gebeurt, enkele vogels, zoogdieren en vissen zich herstellen na een enkele bespuiting, dan nog is een grote en diepgaande schade aangericht.

Maar zulk een herstel komt niet veel voor. Bespuiting wordt altijd herhaald en de keren, dat het natuurleven er slechts een enkele maal aan wordt blootgesteld, zijn zeldzaam. Wat gewoonlijk volgt is een vergiftigde omgeving, een giftige val, waarin niet alleen de bevolking van het bespoten gebied omkomt, maar ook de immigranten. Hoe groter het gebied, dat onder behandeling wordt genomen, des te ernstiger is de schade, want dan zijn er geen oases van veiligheid. Op het ogenblik, na een decennium van insecten-bestrijdingscampagnes, waarbij duizenden hectaren tegelijk worden bespoten, waarbij de enkeling en de gemeenten ook nog eens in toenemende mate besproeien, hebben vernieling en dood zich in het Amerikaanse natuurleven opgehoopt. Laten we eens enkele van deze campagnes onder de loep nemen en kijken wat er is gebeurd.

In de herfst van 1959 werden ongeveer 10.000 hectaren land in het zuidoosten van de staat Michigan, met inbegrip van talrijke buitenwijken van Detroit, vanuit de lucht bewerkt met aldrin, een van de gevaarlijkste stoffen van de gechloreerde koolwaterstoffengroep. De campagne werd ondernomen door het departement van landbouw van Michigan, in samenwerking met het Amerikaanse Ministerie van Landbouw; het doel was de bestrijding van de Japanse kever.

Er was geen dringende noodzaak voor deze drastische en gevaarlijke aanpak. Integendeel, Walter P. Nickell, een van de beste en bekendste natuurkenners van die staat, die veel tijd in de vrije natuur doorbrengt en lange perioden in Zuid-Michigan verblijft, heeft gezegd: 'Voor zover mij bekend is, is de Japanse kever al meer dan dertig jaar in Detroit in kleine aantallen voorgekomen. Deze aantallen hebben geen verontrustende toename te zien gegeven. Nu, in 1959, moet ik de eerste Japanse kever nog zien, behalve dan degene die in de regeringsvallen zijn gevangen . . . Alles wordt met zulk een omzichtigheid behandeld, dat ik geen enkele inlichting heb kunnen krijgen die erop wees, dat hun aantal was toegenomen.'

Een officiële mededeling sprak slechts van het feit, dat 'de kever aanwezig' was in de gebieden, waar de aanval vanuit de lucht zou plaats vinden. Ondanks het gebrek aan rechtvaardiging, ging de campagne door; Michigan verschafte de manschappen en hield een oogje in het zeil, de regering verschafte het materiaal en nog meer manschappen en de gemeenten moesten betalen voor het insecticide.

De Japanse kever, een insect dat per ongeluk de Verenigde Staten is binnengekomen, werd voor het eerst ontdekt in New Jersey, in 1916, toen men enkele metaalachtige, groenglanzende kevers in een kwekerij bij Riverton vond. De kevers, die men eerst niet thuis kon brengen, werden tenslotte geïdentificeerd als bewoners van de hoofdeilandengroep van Japan. Hoogstwaarschijnlijk waren ze Amerika binnengekomen op kweekprodukten, die waren ingevoerd vóór de beperkingen, die in 1912 werden ingesteld.

Vanaf de plek van invoer is de Japanse kever verder over een groot deel van de staten, die ten oosten van de Mississippi-rivier liggen, verspreid, omdat de temperatuur en de regenvalcondities er daar geschikt voor waren. Elk jaar vindt er gewoonlijk een spreiding plaats buiten de grenzen van het vorige gebied. In de oostelijke staten, waar de kevers het langst zijn geweest, zijn pogingen ondernomen om een natuurlijke regulatie door te voeren. Waar dit gebeurd is, zijn de kevers op een betrekkelijk laag aantal gebleven, hetgeen vele rapporten dienaangaande kunnen bewijzen.

Ondanks de bewijzen van een redelijke beperking in de oostelijke gebieden, hebben de staten uit het middenwesten, die nu op de grens van de indringing der kevers liggen, een aanval geopend, die een allergevaarlijkst insect waardig zou kunnen zijn. Daarbij zijn chemicaliën toegepast, die op de manier waarop ze zijn gebruikt, zo gevaarlijk zijn, dat grote aantallen mensen, hun huisdieren en alle natuurlijk leven aan het gif worden blootgesteld. Als gevolg van deze campagnes tegen de Japanse kever is een schrikbarende vernietiging van natuurlijk leven veroorzaakt en zijn mensen aan onmiskenbaar gevaar blootgesteld geweest. Delen van Michigan, Kentucky, Iowa, Indiana, Illinois en Missouri zijn het slachtoffer van een chemicaliënregen in naam van de keverbestrijding.

De bespuiting in Michigan was een van de eerste luchtaanvallen op de Japanse kever op grote schaal. De keuze van aldrin, een van de dodelijkste chemicaliën, was niet gedaan uit hoofde van een speciale geschiktheid voor de bestrijding van deze kever, maar alleen vanwege de wens om geld te sparen: aldrin was de goedkoopste van de verbindingen, die beschikbaar waren. Hoewel de staat Michigan in een officieel communiqué aan de pers bevestigde, dat aldrin vergif is, werd tevens te kennen gegeven, dat er geen gevaar bestond voor de mensen in de dichtbevolkte gebieden waar de stof werd toegepast. (Het officiële antwoord op de vraag: 'Wat voor voorzorgsmaatregelen moet ik nemen?' was: 'Voor u, geen'.) Een zegsman van de 'Federal Aviation Agency' werd later in de plaatselijke pers aangehaald: 'Dit is een onschadelijke handeling.' Een vertegenwoordiger van het 'Department of Parks and Recreation' in Detroit voegde er de geruststellende mededeling aan toe, dat 'de nevelbespuiting ongevaarlijk is voor mensen en geen planten of huisdieren zal benadelen.' Wij moeten wel aannemen dat geen van deze zegslieden de gepubliceerde en gemakkelijk te verkrijgen rapporten had nageslagen van de Amerikaanse 'Public Health Service', de 'Fish & Wildlife Service' of andere bewijzen voor de bijzonder giftige aard van aldrin.

Volgens de wet van Michigan op de bestrijding van ongedierte, die de staat vergunt zonder voorafgaande verwittiging of permissie van de landeigenaren tot bespuiting over te gaan, begonnen de vliegtuigen laag over het gebied van Detroit te scheren. De gemeentelijke autoriteiten en de 'Federal Aviation Agency' werden onmiddellijk bestormd met telefoontjes van angstige burgers. Nadat ze bijna 800 telefoontjes in een uur te verwerken hadden gekregen, smeekte de politie de radio- en televisiestations en de dagbladen om 'de toeschouwers uit te leggen, wat ze zagen en te zeggen, dat het geen gevaar kon' (aangehaald uit de Detroit News). De veiligheidsambtenaar van de 'Federal Aviation Agency' verzekerde het publiek dat 'de vliegtuigen zorgvuldig werden gecontroleerd' en dat ze 'toestemming hadden om laag te vliegen'. In een nogal misplaatste poging om de angst te verminderen, voegde hij eraan toe, dat de vliegtuigen noodknoppen hadden, die ze in staat stelden hun gehele inhoud met één druk op de knop te lozen. Dit behoefde gelukkig niet te gebeuren, maar terwijl de vliegtuigen hun werk deden, viel het insecticide op kevers en mensen.

Een ware douche 'gevaarloos' gif viel op winkelende vrouwen neer, op mensen die naar hun werk gingen en op kinderen die uit school kwamen voor de middagpauze. Huisvrouwen veegden de granules uit hun portieken en van hun stoepen; ze zeiden dat 'het op sneeuw leek'. Later werd er door de 'Audubon Society' van Michigan op gewezen, dat 'op plekjes tussen de dakpannen, dakranden, in ruwe boomschors en op twijgen, de kleine witte korrels aldrin-en-klei, die niet groter zijn dan een speldeknop, bij miljoenen zijn achtergebleven . . . toen er sneeuw en regen kwam, kon elke plas een mogelijke gifdrank bevatten'.

Binnen enkele dagen nadat gespoten was, kwamen de telefoontjes over de vogels bij de 'Detroit Audubon Society' binnen. Volgens de secretaresse van die vereniging, Mevrouw Ann Boyes, 'was de eerste aanwijzing, dat de mensen zich bezorgd maakten over het lot van de vogels afkomstig van een vrouw, die op zondagmorgen, toen ze uit de kerk kwam een aantal dode of stervende vogels had gezien. De bespuiting had op die plaats op donderdag plaats gehad. Zij had gezegd, dat er in de hele omgeving geen vliegende vogels meer waren, dat ze er minstens 12 dood in haar tuin had aangetroffen en dat de buren dode eekhoorntjes hadden gevonden'. Alle andere telefoontjes, die Mevrouw Boyes die dag ontving, gewaagden van 'een groot aantal dode vogels en geen enkele levende . . . Mensen, die voederplaatsen hadden, zeiden dat er geen vogels meer op het voedsel afkwamen'. Vogels, die stervende werden opgepikt vertoonden de typische verschijnselen die insecticide-vergiftiging met zich meebrengt – trillingen, het verlies van het vliegvermogen, verlamming en stuiptrekkingen.

De vogels waren niet de enige levende wezens die werden aangetast. Een plaatselijke veearts deelde mee, dat zijn wachtkamer vol was met klanten, wier honden en katten plotseling ziek waren geworden. De katten, die zo precies zijn in hun verzorging en hun vacht en poten schoonlikken, schenen het 't ergst te pakken te hebben. Hun ziekte openbaarde zich door ernstige diarrhee, overgeven en stuiptrekkingen. Het enige advies dat de veearts kon geven was om de dieren niet onnodig uit te laten en hun poten zorgvuldig te wassen als ze uit waren geweest. (Maar de gechloreerde koolwaterstoffen kunnen zelfs niet van groente en fruit gewassen worden, zodat er van deze maatregel niet veel heil te verwachten was.)

Ondanks het hardnekkig volhouden van de 'City-County Health Commission', dat de vogels door een ander soort bespuiting moesten zijn gedood en dat de klacht van keel- en borst-irritaties, die op het blootstellen aan aldrin was gevolgd, aan 'iets anders' toegeschreven moest worden, ontving de plaatselijke gezondheidsdienst een voortdurende stroom van klachten. Een vooraanstaande internist uit Detroit werd al binnen het uur bij vier van zijn patiënten geroepen, die naar de vliegtuigen hadden staan kijken. Ze vertoonden alle vier dezelfde verschijnselen: misselijkheid, overgeven, rillingen, koorts, oververmoeidheid en hoesten.

De ervaringen van Detroit zijn in andere omstreken geëvenaard, daar de druk om de Japanse kever met chemicaliën te bestrijden was toegenomen. In Blue Island, Illinois, werden honderden dode en stervende vogels aangetroffen. Gegevens, die door vogelliefhebbers zijn verzameld, zeggen dat 80 percent van de zangvogels is opgeofferd. In Joliet, Illinois, was een kleine duizend hectare met heptachloor behandeld in 1959. Volgens gegevens van een plaatselijke sportvereniging, was de vogelbevolking in de behandelde omgeving 'zo goed als weggevaagd'. Dode konijnen, muskusratten, opossums en vissen werden ook in grote aantallen aangetroffen en een van de plaatselijke scholen maakte van de nood een deugd door een wetenschappelijke verhandeling te geven aan de hand van de vele vogels, die door het insecticide vergiftigd waren.

Er is wellicht geen gebied, dat zoveel heeft moeten lijden om een keverloze wereld te creëren als dat van Sheldon, in het oosten van Illinois en de aangrenzende gebieden in Iroquois. In 1954 begonnen het Amerikaanse Ministerie van Landbouw en het departement van Landbouw in Illinois met een campagne om de Japanse kever over de gehele lengte van zijn opmars in Illinois uit te roeien. Er werd beweerd, neen, er werd verzekerd, dat intensieve bespuiting alle binnendringende kevers zou vernietigen. De eerste 'uitroeiingspoging' vond datzelfde jaar nog plaats, toen een kleine 600 hectare vanuit de lucht met dieldrin werd behandeld. De volgende 1000 hectare werd op dezelfde wijze in 1955 onder handen genomen en hiermede scheen de taak volbracht. Maar er werden meer chemische behandelingen ondernomen en tegen het einde van 1961 waren maar liefst 55.000 hectaren behandeld. Al in het eerste jaar van de campagne was het duidelijk, dat ernstige verliezen onder de in het wild levende dieren en onder de huisdieren voorvielen. Maar de chemische campagnes werden voortgezet, zonder zelfs instituten te raadplegen zoals de Amerikaanse 'Fish and Wildlife Service' of de 'Illinois Game Management Division'. (In het voorjaar van 1960 verschenen ambtenaren van het Ministerie van Landbouw voor een commissie uit het Congres om te ageren tegen een wet, die zulk een voorafgaande raadpleging zou vereisen. Ze verklaarden zonder blikken of blozen dat zulk een wet onnodig was, omdat samenwerking en consultatie 'reeds een gewone zaak' waren. Deze ambtenaren konden geen voorbeelden geven van voorvallen, waarbij samenwerking niet 'op Washington niveau' had plaats gehad. Gedurende dezelfde behandeling verklaarden zij, niet van te voren de 'Fish and Wildlife Service' te willen raadplegen.)

Hoewel de gelden voor de chemische bestrijdingscampagnes bijzonder vlot beschikbaar kwamen, moesten de biologen van het 'Natural History Survey' in Illinois, die trachtten de schade die aan de natuur was toegebracht, op te nemen, het op een koopje doen. Er was slechts 1100 dollar beschikbaar om in 1954 een assistent aan te stellen en er werden in 1955 geen extra gelden uitgetrokken. Niettegenstaande deze beperkende moeilijkheden verzamelden de biologen feiten, die tezamen een bijna ongeëvenaarde vernietiging van de wildstand afschilderden, een vernietiging, die al duidelijk te zien was toen de campagne net begonnen was.

De condities leken wel geschapen om de insectenetende vogels te vergiftigen, zowel door de gebruikte vergiften als door de gebeurtenissen, die elkander na de toepassing daarvan opvolgden. Bij de eerste toepassingen bij Sheldon werd dieldrin gebruikt in een hoeveelheid van ongeveer drie pond per duizend vierkante meter. Om het effect op de vogels te kunnen begrijpen, behoeven we ons slechts te herinneren, dat laboratoriumproeven op kwartels hebben aangewezen dat dieldrin ongeveer 50 keer zo giftig is als DDT. Het vergif dat over het landschap van Sheldon werd uitgestrooid was derhalve ongeveer gelijk aan 150 pond DDT per 1.000 m^2! En dit is nog slechts een minimum, want er schijnt een overlappen van behandelingen te hebben plaats gehad langs de grenzen en in uithoeken.

Toen de chemische stof in de aarde drong, kropen de vergiftigde keverlarven naar boven, waar ze aan de oppervlakte bleven liggen totdat ze dood gingen en zodoende een gemakkelijke prooi waren voor de insectenetende vogels. Dode en stervende insecten van allerlei soort kon men overal zien liggen, zelfs tot twee weken na de toepassing van de chemicaliën. Het gevolg voor de vogelbevolking kon zeer gemakkelijk voorspeld worden. Spotlijsters, spreeuwen, leeuweriken, glansspreeuwen en fazanten waren praktisch verdwenen. Roodborstlijsters waren 'bijna uitgeroeid', volgens het rapport van een bioloog. Dode wormen waren, nadat een zacht regentje was gevallen, in grote aantallen waargenomen; waarschijnlijk hadden de lijsters van deze dode wormen gegeten.

Voor andere vogels was ook de eens zo zegenrijke regen tot een ongeluk geworden, omdat het vergif er door in hun wereldje was gekomen en tot hun vernietiging had geleid. Vogels, die men had zien drinken van of baden in plassen, die door de regen waren achtergebleven, waren onvermijdelijk ten dode opgeschreven.

De vogels die het overleefd hebben, zijn waarschijnlijk steriel geworden. Hoewel er enkele nesten in het behandelde gebied zijn gevonden, waren er maar weinig eieren, niet een had jonge vogels.

Onder de zoogdieren waren het vooral de eekhoorntjes, die zo goed als uitgeroeid waren; hun lichamen werden gevonden in houdingen, die karakteristiek zijn voor een gewelddadige dood door vergiftiging. Dode muskusratten werden in de hele omgeving aangetroffen, dode konijnen lagen in de akkers. Een speciaal soort eekhoorntje werd voordien veel in de stad gezien; na de behandeling was het totaal verdwenen.

Er was praktisch geen boerderij in de omgeving van Sheldon, die nadat de oorlog tegen de kevers was begonnen, zich nog in het bezit van een kat mocht verheugen. Negentig percent van alle boerderijkatten was het slachtoffer geworden van de dieldrin. Dit had kunnen worden voorzien, omdat dit soort vergif al in andere plaatsen zoveel onheil had gesticht. Katten zijn zeer gevoelig voor alle insecticiden en speciaal voor dieldrin. Gedurende de anti-malaria campagne op West-Java, die werd uitgevoerd door de Wereldgezondheidsorganisatie, schijnen ook veel katten gestorven te zijn. Op Midden-Java werden er zoveel gedood, dat de prijs voor katten meer dan verdubbeld werd. Op dezelfde wijze heeft de Wereldgezondheidsorganisatie in Venezuela, waar zij een campagne heeft gevoerd, de kat tot een zeldzaam dier gemaakt.

In Sheldon waren het niet alleen de wilde schepselen en de huisdieren, die in de strijd tegen één insect werden opgeofferd. Observaties ten aanzien van verschillende kudden schapen en runderen leveren bewijzen, dat vergiftiging en dood ook het vee bedreigen. Een rapport van het 'Natural History Survey' beschrijft een van deze episoden als volgt:

> De schapen werden in een klein, onbehandeld, blauwgrasland gelaten, dat door een grintweg gescheiden was van het veld, dat op 6 mei met dieldrin was behandeld. Klaarblijkelijk was er iets van de stof over de weg in het weiland terecht gekomen, want de schapen begonnen bijna onmiddellijk tekenen van vergiftiging te vertonen . . . Ze hadden geen zin meer in eten en vertoonden tekenen van onrust, ze volgden de omheining van het weiland om een uitweg te zoeken . . . Ze weigerden gehoed te worden, blaatten onophoudelijk en stonden met de kop naar beneden; tenslotte moesten ze uit het weiland worden weggedragen . . . Ze hadden groot verlangen naar water. Twee stuks werden dood aangetroffen in de beek, die door het weiland stroomde en de andere schapen moesten herhaaldelijk uit de beek worden gejaagd, sommigen met geweld. Drie schapen werden tenslotte het slachtoffer; voor zover wij konden zien, herstelden de anderen zich.

Dit was dus het beeld tegen het einde van '55. Hoewel de chemische oorlog de volgende jaren werd voortgezet, droogde de bron van gelden voor het onderzoek geheel op. Verzoeken om geld om de research op dit gebied te kunnen voortzetten werden in de jaarlijkse budgetten, die door het 'Natural History Survey' aan het bestuur van Illinois werden overhandigd, opgenomen, maar iedere keer behoorde juist dit verzoek tot de eerste punten, die werden afgewezen. Het moest tot 1960 duren voor er op de een of andere wijze geld gevonden kon worden om de uitgaven voor één enkele assistent te dekken . . ., die het werk moest doen van vier.

Het betreurenswaardige beeld, dat het verlies aan dieren in 1955 te zien had gegeven, was weinig veranderd toen de biologen de afgebroken studie weer konden opvatten. In die tussentijd was men wat de chemische bestrijdingsstof betreft overgegaan op het nog giftiger aldrin, dat bij proeven op kwartels *100 tot 300 keer* zo giftig is gebleken als DDT. Tegen 1960 was er geen zoogdiersoort meer in het gebied, die geen verliezen had geleden. Met de vogels was het nog erger gesteld. In het stadje Donovan waren de roodborstlijsters uitgestorven, net zoals de glansspreeuwen, de gewone spreeuwen en de bruine spotlijsters.

Deze en andere vogels hadden ook elders ernstige verliezen geleden. Fazantenjagers voelden de gevolgen van de kevercampagne aan den lijve. Het aantal broedende vogels op de behandelde stukken land liep met 50 percent terug en het aantal jonge vogels per broedsel werd eveneens gereduceerd. De fazantenjacht, die andere jaren in deze omtrek aantrekkelijk was geweest, werd als profijtloos opgegeven.

Niettegenstaande de enorme vernieling die in naam van de uitroeiing van de Japanse kever reeds had plaats gevonden, scheen de behandeling van meer dan 40.000 hectaren in Iroquois over een periode van acht jaar slechts een tijdelijk succes opgeleverd te hebben, want het insect had zijn weg naar het westen vervolgd. De gehele omvang van de vernieling die door deze inefficiënte campagne is aangericht, zal wel nooit bekend worden, want de resultaten van de observaties van de biologen uit Illinois geven slechts minimumcijfers aan. Als het researchprogramma behoorlijk gefinancierd was geweest, zodat het het gehele terrein van onderzoekingen had kunnen beslaan, dan zouden de bewezen vernielingen nog schrikwekkender zijn geweest. Maar in de acht jaar van de campagne waren slechts 6000 dollar beschikbaar voor biologisch onderzoek. Intussen had de regering ongeveer 375.000 dollar uitgegeven aan het bestrijdingswerk en enkele duizenden dollars meer waren bijgepast door de staat Michigan. Het bedrag dat aan research kon worden besteed was derhalve slechts een fractie van een percent van het bedrag, dat aan het chemisch program kon worden uitgegeven.

De campagnes in het middenwesten zijn uitgevoerd in een soort paniekstemming, alsof het voorttrekken van de kever een buitengewoon gevaar opleverde, dat elke maatregel rechtvaardigde. Dit is natuurlijk een verdraaiing van de feiten en als de gemeenten, die deze chemische onderdompelingen hebben moeten doorstaan, beter op de hoogte waren geweest van de geschiedenis van de Japanse kever in Amerika, dan zouden ze wel wat minder toegeeflijk zijn geweest.

De Amerikaanse staten in het oosten van het land, die zo gelukkig zijn geweest hun keverinvasies te stuiten voordat de synthetische insecticiden bestonden, hebben niet alleen de invasie overleefd, maar bovendien de kever bestreden op een wijze die geen enkel gevaar opleverde voor welke andere vorm van leven ook. Daar gebeurde niets dat vergeleken kan worden met de bespuitingen in Detroit en Sheldon. De doeltreffende methoden die in de oostelijke staten werden toegepast, omvatten natuurlijke bestrijdingsmiddelen, die het dubbele voordeel hebben èn permanent te werken èn veilig voor het milieu te zijn.

Gedurende de eerste twaalf jaar na zijn aankomst in Amerika, nam de Japanse kever snel in aantal toe, daar hij geen van de vijanden ontmoette, die zijn aantal in het land van herkomst beperkt hield. Maar toch was hij tegen 1945 nog slechts een plaag van beperkte betekenis in het grootste deel van het gebied, waarover hij zich had verspreid. Zijn ondergang was grotendeels het gevolg van de invoer van parasieten-insecten uit het Verre Oosten en van ziekte-organismen, die schadelijk voor hem waren.

Tussen 1920 en 1933 werden ongeveer 34 soorten roof- en parasietinsecten uit de Oriënt ingevoerd. Dit was het gevolg van een nijver onderzoek naar de gehele leefwijze van de kever in zijn geboortestreek. Vijf hiervan kregen een plaats in de oostelijke staten van Amerika. De meest effectieve en meest verspreide soort is een parasitische wesp uit Korea en China, de *Tiphia vernalis.* De vrouwelijke *Tiphia,* die een keverlarve in de grond aantreft, spuit er een verlammend vocht in en legt een eitje onder de huid van de larve. De jonge wesp, die als larve geboren wordt, voedt zich met de verlamde keverlarve en vernietigt deze. Binnen 25 jaar tijds werden *Tiphia* kolonies in 14 oostelijke staten geïntroduceerd met de hulp van regerings- en plaatselijke instituten. De wesp vestigde zich op uitgebreide schaal in deze omgeving en wordt door insectenkenners geprezen als een belangrijk middel om de kever beperkt te houden.

Een nog belangrijker rol is gespeeld door een bacterie-ziekte, die kevers aantast die tot de familie van de Japanse kever behoren, de scarabeeën. Het is een zeer gespecialiseerd organisme, dat geen andere insecten aantast en onschadelijk is voor aardwormen, warmbloedige dieren en planten. De sporen der ziekte komen voor in de grond. Als ze in het bloed van een naar eten zoekende larve terecht komen, worden ze daar sterk vermenigvuldigd en veroorzaken een abnormaal lichte kleur, vandaar de populaire naam 'melkziekte'.

Melkziekte werd in 1933 in New Jersey ontdekt. Tegen 1938 kwam deze ziekte veel voor in de oudere gebieden van de Japanse keverplaag. In 1939 werd een bestrijdingscampagne ingezet, die de verspreiding van de ziekte moest bevorderen. Er was geen methode ontwikkeld om het ziekte-organisme in een kunstmatig medium te kweken, maar een bevredigend substituut was gevonden; geïnfecteerde larven werden gemalen, gedroogd en gemengd met kalk. In de standaard uitvoering bevat een gram poeder 100 miljoen sporen. Tussen 1939 en 1953 werden ongeveer 38.000 hectaren grond in 14 oostelijke staten onder handen genomen in samenwerking tussen staat en regering; ander regeringsland werd ook behandeld en een flink gebied van onbekende grootte werd behandeld op last van particuliere organisaties of personen. Tegen 1945 heerste de melkspoorziekte onder de keverbevolking van Connecticut, New York, New Jersey, Delaware en Maryland. In sommige proefgebieden had de infectie van de larven een percentage van 94 bereikt. De campagne werd als regeringsprogram in 1953 gestopt en de produktie werd door een particulier laboratorium overgenomen, dat nog steeds aan personen, tuinclubs, verenigingen en iedereen, die geïnteresseerd is in de keverbeperking, levert.

De oostelijke staten, waar deze campagne werd gevoerd, genieten thans een hoge graad van natuurlijke bescherming tegen de kever. De organismen blijven nog jaren in de grond levensvatbaar en vestigen zich er derhalve permanent, zij blijven zeer effectief en worden op natuurlijke manier verspreid.

Waarom werden, na dit indrukwekkende voorbeeld in het oosten, dezelfde methoden niet in Illinois en de andere staten in het middenwesten toegepast, waar thans de chemische strijd tegen de kevers zo hevig woedt?

Men zegt dat de besmetting met melkspoorziekte 'te duur' is, hoewel niemand in de veertien oostelijke staten in de veertiger jaren hierop een aanmerking maakte. En wat voor soort boekhouding velde dit oordeel 'te duur'? Zeer zeker niet een, die alle werkelijke kosten van de totale vernieling heeft opgeteld, die zijn ontstaan na besproeiingen zoals die in Sheldon. Dit oordeel negeert ook het feit, dat de besmetting met kiemen slechts één keer behoeft te geschieden; de eerste kosten zijn meteen alle kosten.

Men zegt ook dat de melkspoorziekte niet over de gehele omvang van het keverwoongebied kan worden verspreid, omdat deze alleen daar succes heeft waar een grote larvenbevolking in de grond aanwezig is. Zoals zoveel uitlatingen ten gunste van bespuiting, moet ook dit in twijfel worden getrokken. De bacterie die melkspoorziekte veroorzaakt, infecteert minstens 40 andere soorten kevers, die tezamen in grote gebieden voorkomen en naar alle waarschijnlijkheid eraan zouden medewerken om de ziekte te doen inwortelen zelfs daar waar de Japanse kever nog weinig of niet voorkomt. Bovendien kunnen ze zelfs daar worden aangebracht, waar in het geheel geen larven aanwezig zijn, want de lange levensvatbaarheid van de sporen kan wachten op de toekomstige keverbevolking daar waar de grens van hun opmars ligt.

Degenen die tegen welke prijs dan ook onmiddellijke resultaten willen zien, zullen ongetwijfeld voortgaan met chemicaliën tegen de kevers te gebruiken. Dit zullen ook diegenen doen, die voor de moderne methode en tegen geleidelijke verdwijning zijn, maar chemische bestrijding is een perpetuum mobile en vereist vele en kostbare herhalingen.

Aan de andere kant zullen degenen, die twee seizoenen kunnen wachten op bevredigende resultaten, aan de melkziekte de voorkeur geven en zij zullen beloond worden met een voortdurend onder controle zijn van het euvel. De resultaten zullen eerder meer dan minder effectief worden naarmate de tijd voorschrijdt.

Uitgebreide proeven zijn aan de gang in het laboratorium van het departement van Landbouw te Peoria, Illinois, teneinde een manier te vinden om het organisme dat de melkziekte veroorzaakt kunstmatig in cultuur te brengen. Dit zou de kosten aanmerkelijk drukken en zou een uitgebreider gebruik ervan stimuleren. Na jaren arbeid is nu enig succes geboekt. Als deze 'doorbraak' vaste voet heeft gekregen, zal er misschien wat gezond verstand tot ons gedoe met de Japanse kever terugkeren, die zelfs op het hoogtepunt van zijn verwoestingen nooit de nachtmerrie-achtige excessen gerechtvaardigd heeft van sommige van deze campagnes uit het middenwesten.

Incidenten zoals die uit het oosten van Illinois roepen een vraag op, die niet alleen wetenschappelijk, doch ook moreel bekeken moet worden. Deze vraag is of een beschaving een meedogenloze oorlog kan voeren zonder zichzelf te gronde te richten en zonder het recht te verliezen beschaafd genoemd te worden.

Deze insecticiden zijn geen selectieve vergiften, zij zoeken niet die ene soort uit, die we kwijt willen. Elk insecticide wordt gebruikt om de eenvoudige reden dat het een dodelijk vergif is. Het vergiftigt derhalve alle leven waarmee het in aanraking komt: de kat, die de lieveling is van een of andere familie, het vee van de boer, het konijn in het veld en de leeuwerik in de lucht. Deze schepselen zijn onschuldig aan welk gevaar voor de mens ook. Door hun bestaan alleen maken zij en hun medeschepselen het leven voor de mens zelfs prettiger. En toch beloont hij hen met een dood, die niet alleen plotseling is maar ook verschrikkelijk. Wetenschappelijke waarnemers in Sheldon beschreven de symptomen van een leeuwerik, die de dood nabij werd aangetroffen: 'Hoewel hij geen macht meer had over zijn spieren en noch vliegen noch staan kon, bleef hij met de vleugels slaan en met zijn tenen krampachtige bewegingen maken terwijl hij op zijn zij lag. Zijn snavel was open en zijn adem ging moeilijk.' Nog meelijwekkender was de stille getuigenis van de dode eekhoorns, die 'een karakteristieke houding in de dood aannamen. De rug was gebogen en de voorpoten, met de tenen stijf samengeknepen, waren tot dicht bij de borstkas opgetrokken . . . Kop en nek waren lang uitgestrekt en de bek bevatte dikwijls vuil, hetgeen erop wees, dat het stervende dier herhaaldelijk in de aarde had gebeten.'

Wie van ons wordt niet als mens naar beneden gehaald als hij berust in handelingen, die zulk een lijden bij levende wezens teweeg kunnen brengen?

8 En de vogels zingen niet meer

In een steeds groter wordend deel van de Verenigde Staten wordt de lente thans niet meer aangekondigd door het terugkeren van de vogels. De vroege morgen is vreemd stil, waar deze voorheen was vervuld van de schoonheid van hun gezang. Dit plotselinge verstommen van vogelgezang, deze vervaging van kleur, schoonheid en interesse, die zij eens gaven aan onze wereld, zijn zeer snel ontstaan, op een verraderlijke manier en onopgemerkt door diegenen, wier omgeving nog niet werd aangetast. Een huisvrouw uit Hinsdale, Illinois, schreef in wanhoop naar een van 's wereld meest vooraanstaande ornithologen, Robert Cushman Murphy, emeritus curator aan het 'American Museum of Natural History':

> In ons dorp zijn de iepen al verscheidene jaren achtereen bespoten (ze schreef in 1958). Toen we hier zes jaar geleden kwamen wonen, was er een overvloed aan vogels; ik had een voedertafel ingericht en ontving de hele winter een gestage stroom van kardinalen, zwartkopmezen, bonte spechten en boomklevers, en de kardinalen en mezen brachten in de zomer hun jongen mee.
>
> Na verscheidene jaren van DDT-bespuiting is de stad bijna zonder roodborstlijsters en spreeuwen; in twee jaar heb ik geen mezen gezien en dit jaar zijn ook de kardinalen verdwenen. De hele broedvogelbevolking in de buurt schijnt te bestaan uit een paar duiven en misschien een familie zwarte spotlijsters.
>
> Het is moeilijk om aan de kinderen uit te leggen dat de vogels gedood zijn, omdat ze op school hebben geleerd, dat een wet de vogels beschermt tegen doden of vangen. 'Komen ze nog terug?', vragen ze en ik weet niet wat ik hun moet antwoorden. De iepen zijn nog steeds bezig dood te gaan, maar de vogels ook. Wordt er iets ondernomen? Kan er iets gedaan worden? Kan ik iets doen?

Een jaar nadat de regering een uitgebreide bespuitingscampagne op touw had gezet tegen de gloeimier,* schreef een vrouw uit Alabama: 'Ons erf is meer dan een halve eeuw een waar vogelreservaat geweest. In juli merkten we nog op, dat er meer vogels dan ooit waren. Toen, plotseling, in de tweede week van augustus, waren alle vogels verdwenen. Ik had me aangewend om vroeg

* Een niet in Nederland voorkomend insect, dat ook wel steekmier of knoopmier genoemd wordt (Amerikaans: fire-ant).

op te staan om voor mijn lievelingspaard te zorgen, dat een veulentje had. Er was geen geluid van vogelzang waar te nemen. Het was luguber, afschrikwekkend. Wat is de mens bezig te doen in onze perfecte en mooie wereld? Tenslotte, vijf maanden later, verschenen er een blauwe gaai en een winterkoninkje.'

De herfstmaanden, waaraan deze vrouw refereerde, brachten nog meer sombere berichten uit het zuiden, waar in Mississippi, Louisiana en Alabama de 'Field Notes' – die eens per kwartaal worden uitgegeven door de 'National Aubudon Society' en de Amerikaanse 'Fish & Wildlife Service' – het frappante verschijnsel optekende van de 'griezelig lege plekken, waar praktisch elk vogelleven ontbrak'. De Field Notes worden samengesteld uit de rapporten van geoefende waarnemers, die vele jaren in de natuur hebben doorgebracht en die in hun gebied een ongeëvenaarde kennis bezitten van de vogels uit de omtrek. Een van deze waarnemers deelde mede, dat zij op een autotocht door het midden van Mississippi 'geen enkele landvogel zag'. Een ander in Baton Rouge berichtte, dat de inhoud van haar voederplaats 'weken achtereen' onaangetast bleef, terwijl vruchtdragende struiken in haar tuin, die gewoonlijk om die tijd van het jaar kaalgegeten waren, nog steeds vol bessen zaten. Nog iemand anders schreef, dat zijn raam, dat 'dikwijls als lijst diende voor een schilderij, dat glansde van het rood van 40 tot 50 kardinalen en dat krioelde van andere vogelsoorten, thans zelden het gezicht op meer dan twee vogels tegelijk had.' Professor Maurice Brooks van de universiteit van West Virginia, een autoriteit op het gebied van vogels uit de Appalachen, deelde mede, dat de vogelbevolking van West Virginia een 'ongelooflijke teruggang' te zien gaf.

Een verhaal moge dienen als het tragische symbool van het lot van de vogels – een lot, dat al enkele soorten beschoren is geweest en dat thans alle vogels bedreigt. Het is het verhaal van de roodborstlijster, de vogel die iedereen kent in Amerika. Voor miljoenen Amerikanen betekent de eerste roodborstlijster, dat de kracht van Koning Winter is gebroken. Zijn komst wordt in de kranten aangekondigd en aan de ontbijttafel besproken. En als het aantal van deze trekvogels toeneemt en de eerste groene nevels zich in de bebossing openbaren, dan luisteren duizenden mensen naar de eerste ochtendkoorzang van de roodborstlijsters, die helder door de morgenlucht trilt. Maar nu is alles veranderd en zelfs op de terugkeer van de vogels mag niet meer worden gerekend.

Het voortbestaan van de roodborstlijster en van veel andere soorten vogels schijnt op noodlottige wijze te zijn verbonden met de Amerikaanse iep, een boom, die een stuk geschiedenis is voor duizenden Amerikaanse steden van de Atlantische kust tot in de

Rocky Mountains. Een boom, die de straten der steden versiert, de dorpspleinen omzoomt en de binnenplaatsen van de universiteiten beschaduwt met majestueuze bogen van groen. De iepen zijn nu getroffen door een ziekte, die hen overal in het land heeft bereikt, een ziekte, die zo ernstig is dat veel experts geloven, dat alle pogingen om hen te redden vruchteloos zullen blijken te zijn. Het zou tragisch zijn om de iepen kwijt te raken, maar dubbel tragisch als – bij de vruchteloze pogingen hen te redden – grote delen van onze vogelbevolkingen zouden worden uitgeroeid.

De zogenoemde iepziekte kwam omstreeks 1930 vanuit Europa naar de Verenigde Staten, op voor de fineerindustrie ingevoerde iepenstammen. Het is een zwamziekte; het organisme dringt in de watergeleidende kanalen van de boom, verspreidt zich door sporen in de sappen en veroorzaakt door giftige afscheiding en klontering een verschrompeling van de takken, hetgeen de dood van de boom tengevolge heeft. De ziekte wordt van de zieke naar de gezonde bomen overgebracht door de iepespintkevers. De gangen, die de insecten onder de schors van de dode bomen maken, geraken vol sporen van de ingedrongen zwam; deze sporen blijven aan het insectenlijf kleven en worden meegenomen naar de plaatsen, waarheen het insect vliegt. Pogingen om de zwamziekte bij de iepen te bestrijden, hebben zich voornamelijk geconcentreerd op de bestrijding van het ziekte-overbrengende insect. In stad na stad, speciaal daar waar de iep veel voorkomt, dus in het midden-westen en in New England, is een uitgebreide bespuitingscampagne een routinezaak geworden.

Wat deze bespuitingen betekenden voor het vogelleven en speciaal voor de roodborstlijsters, is het eerst naar voren gebracht door het werk van twee vogelkenners van de Michigan universiteit, Professor George Wallace en een van zijn afgestudeerde assistenten, John Mehner. Toen Mehner in 1954 aan zijn proefschrift begon, koos hij een researchonderwerp dat iets met de roodborstlijster te maken had. Dit was zeer toevallig, want in die tijd vermoedde niemand, dat de roodborstlijsters in gevaar verkeerden. Maar op het moment dat hij aan zijn project wilde beginnen, gebeurden er dingen die zijn werk zouden doen veranderen en hem zelfs van zijn materiaal zouden beroven.

De bespuiting tegen de iepziekte begon op kleine schaal in 1954 op het terrein van de universiteit. Het volgende jaar sloot de stad East Lansing (waar de universiteit is gevestigd) zich bij de campagne aan, de bespuiting op het universiteitsterrein werd uitgebreid en daar de plaatselijke bestrijding van plakkers en muskieten ook aan de gang was, verergerde de regen van chemicaliën tot een wolkbreuk.

Gedurende 1954, het jaar van de eerste lichte bespuiting, scheen alles goed te gaan. De volgende lente begonnen de roodborstlijsters als gewoonlijk op het universiteitsterrein terug te keren. Net zoals de grasklokjes uit het essay van Tomlinson 'The lost Wood,' 'vermoedden ze geen kwaad' toen ze opnieuw hun bekende plaatsen innamen. Maar al spoedig bleek, dat er iets mis was. Dode en stervende roodborstlijsters werden op het universiteitsterrein aangetroffen. Er werden weinig vogels bezig gezien met hun gewone fourage-arbeid of met nesten bouwen. Er waren niet veel nesten en er werden weinig jongen geboren. Dit verschijnsel deed zich met een monotone regelmaat voor in de volgende lentes. Het bespoten gebied was een giftige val geworden, waarin iedere vlucht trekkende vogels binnen een week zou worden geëlimineerd. Telkens als er nieuwe aankwamen, werd het aantal tot de dood gedoemde vogels groter en zag men ze stuiptrekkend op het universiteitsterrein liggen alvorens ze de dood ingingen.

'Ons terrein dient als begraafplaats voor de meeste roodborstlijsters, die trachtten hun woonplaats in het voorjaar weer op te zoeken', zei Dr. Wallace. Maar waarom? Eerst dacht hij aan een ziekte van het zenuwstelsel, maar het bleek al spoedig dat 'niettegenstaande de verzekeringen van de insecticidemensen, dat hun bespuitingen onschadelijk voor vogels waren, de roodborstlijsters in werkelijkheid doodgingen aan insecticidenvergiftiging; zij vertoonden de welbekende symptomen van evenwichtsstoornis, gevolgd door trillingen, stuiptrekkingen en de dood'.

Verschillende feiten deden vermoeden, dat de vogels vergiftigd werden, niet zozeer door direct contact met het insecticide als wel doordat zij wormen aten. Men had wormen van het universiteitsterrein onopzettelijk aan rivierkreeft gegeven en alle kreeften waren prompt gestorven. Een slang, die in een kooi in het laboratorium gevangen werd gehouden, had hevige trillingen vertoond, nadat hij van die wormen gegeten had. En wormen zijn in het voorjaar het hoofdvoedsel van de roodborstlijster.

Het belangrijkste stuk in de legpuzzel van de ten dode gedoemde roodborstlijsters werd al spoedig aangebracht door Dr. Roy Barker van het 'Illinois Natural History Survey' in Urbana. Dr. Barker's publicatie, die in 1958 werd uitgegeven, ging de ingewikkelde cyclus van gebeurtenissen na waardoor het lot van de vogels door middel van de wormen aan de iepenbomen wordt gekoppeld. De bomen worden in het voorjaar bespoten (gewoonlijk in een verhouding van 2 tot 5 Engelse ponden DDT per 16 meter boomlengte, hetgeen equivalent kan zijn aan ongeveer 6 Engelse ponden per 1.000 vierkante meter daar waar het aantal iepen groot is) en vaak nog eens in juli met ongeveer de helft van deze concentratie. Een krachtige bespuiting doet een stroom vergif neerkomen op alle delen van zelfs de grootste bomen, waardoor niet alleen het oorspronkelijke doelwit, de spintkever, wordt gedood, maar ook andere insecten, met inbegrip van bestuivers en belagers als spinnen en andere kevers. Het vergif vormt een hardnekkige film over de bladeren en de schors. Regen spoelt hem niet weg. In de herfst vallen de bladeren op de grond, hopen zich op in doorweekte lagen en beginnen het langzame proces van eenwording met de grond. Zij worden hierbij geholpen door de arbeid van de aardworm, die zich voedt met de bladerafval, want iepenblad behoort tot hun geliefkoosd voedsel. Door de bladeren te eten krijgen de wormen ook het insecticide binnen en het wordt in hun lichaam opgeslagen en geconcentreerd. Dr. Barker heeft residuen DDT gevonden in het gehele darmkanaal van de wormen, in hun bloedvaten, zenuwen en lichaamswand. Zonder twijfel gaan sommige wormen er zelf aan ten onder, maar anderen overleven het en worden 'biologische versterkers' van het gif. In het voorjaar komen de roodborstlijsters terug om een nieuwe schakel in de cyclus te vormen. Slechts elf grote wormen kunnen al een dodelijke dosis DDT op een roodborstlijster overbrengen. En 11 wormen zijn slechts een klein deel van het dagelijkse rantsoen van een vogel, die tien tot twaalf wormen in evenveel minuten verslindt.

Niet alle vogels krijgen een vergiftigende dosis binnen, maar er is een andere consequentie die net zo goed als dodelijke vergiftiging tot hun uitsterven kan leiden. Een schaduw van steriliteit ligt over alle vogelstudies, een schaduw die zich verlengt tot alle levende wezens in zijn bereik. Er zijn thans nog slechts tussen de twintig en veertig roodborstlijsters op het gehele universiteitsterrein te vinden in het voorjaar, vergeleken met een conservatieve schatting van 370 volwassen vogels op het 65 hectare grote terrein. In 1954 bevonden zich in ieder nest, dat door Mehner werd geobserveerd, jongen. Eind juni 1957, toen minstens 370 jonge vogels op het universiteitsterrein zouden moeten rondscharrelen – de normale vervanging van de volwassen vogels – vond Mehner *er slechts één*. Een jaar later zou Dr. Wallace mededelen: 'Gedurende het voorjaar en de zomer van 1958 heb ik geen enkele jonge roodborstlijster op het hoofdterrein van de universiteit gezien en tot op heden heb ik ook niemand gesproken, die er wèl een had waargenomen.'

Een deel van dit onvermogen om jongen voort te brengen wordt toegeschreven aan het feit, dat een van de ouders of alle twee sterven voordat het jong geboren kan worden. Maar Dr. Wallace heeft bewijzen, die op iets veel noodlottigers duiden: het vermogen van de vogels om nageslacht te krijgen is weg. Hij beschikt, bijvoorbeeld, 'over bewijzen van roodborstlijsters en andere vogels, die wel een nest bouwden, maar geen eieren legden en over anderen, die wel eieren legden, er op gingen zitten, maar ze niet uitbroedden. Er is een voorval van een roodborstlijster, die trouw 21 dagen lang op zijn eieren zat, maar ze kwamen niet uit. De normale broedtijd is slechts 13 dagen . . . Onze onderzoekingen tonen aan, dat er zich grote concentraties DDT in de testes en eierstokken van de broedende vogels bevinden', getuigde hij voor een commissie uit het Congres in 1960. 'Tien mannetjes hadden hoeveelheden, die varieerden van 30 tot 109 delen per miljoen in de testes en twee vrouwtjes hadden respectievelijk 151 en 211 delen per miljoen in de follikels van de eierstok.'

Al spoedig begonnen onderzoekingen in andere gebieden bewijzen te leveren, die al even treurig waren. Professor Joseph Hickey en zijn studenten van de universiteit van Wisconsin constateerden, na een zorgvuldige studie in bespoten en onbespoten gebieden, een sterftepercentage van 86 tot 88. Het Cranbrook Institute of Science in Bloomfield Hills, Michigan, verzocht in 1956 om alle vogels, die mogelijk het slachtoffer konden zijn van DDT vergiftiging, voor onderzoek naar het instituut op te zenden – zulks om te trachten de mate van vogelsterfte door de iepenbespuiting na te gaan. Aan het verzoek werd voldaan in een mate, die alle verwachtingen overtrof. Binnen enkele weken waren alle diepvriesmogelijkheden van het instituut uitgeput, zodat van verdere aanbiedingen moest worden afgezien. Omstreeks 1959 was een duizendtal vergiftigde vogels uit deze enkele streek ingeleverd of aangemeld. Hoewel de roodborstlijster het voornaamste slachtoffer was (een vrouw, die het instituut opbelde zei dat er 12 roodborstlijsters dood op haar grasveld lagen terwijl ze sprak), waren er nog 63 andere soorten onder de vogels, die op het instituut onderzocht werden.

De roodborstlijsters vormen slechts een schakel in de keten van vernietiging, die nauw verbonden is met de bespuiting van de iep, terwijl deze bespuiting op haar beurt slechts een van de veelvuldige campagnes is, die Amerika met vergif bedekken. Een grote sterfte is aangericht onder ongeveer 90 soorten vogels, met inbegrip van die soorten, die aan mensen die buiten wonen en amateurbiologen het meest bekend zijn. De aantallen nestelende vogels zijn over het algemeen met maar liefst 90 percent afgenomen in de steden, die bespuitingen hebben ondergaan. Zoals we zullen zien, zijn al de verschillende typen vogels aangetast: grondvoeders, bladvoeders, takvoeders en roofvogels.

Het is redelijkerwijze aan te nemen, dat alle vogels, die voor hun voedsel afhankelijk zijn van wormen of andere grondorganismen, bedreigd worden met hetzelfde lot als de roodborstlijsters. Ongeveer 45 soorten vogels betrekken de aardwormen in hun dagelijks voedsel. Onder hen is de houtsnip, een soort, die overwintert in zuidelijker streken, die de laatste tijd zwaar zijn behandeld met heptachloor. Twee belangrijke ontdekkingen zijn nu in verband met de houtsnip gedaan. De geboorte van jonge vogels in de broedplaatsen in New Brunswick is definitief teruggelopen en volwassen vogels, die onderzocht zijn, bleken grote residuen DDT en heptachloor te bevatten.

Er zijn reeds onrustbarende berichten van grote sterfte onder de meer dan 20 andere soorten grondvoeders, wier voedsel – wormen, mieren, larven en andere grondorganismen – is vergiftigd. Tot deze soorten behoren drie lijsterachtigen, die wel de mooiste vogelstemmen bezitten, de groenrug, de boslijster en de Amerikaanse nachtegaal. En de gorzen, die onder het kreupelhout van de boslanden door schieten en al ritselend door de dorre bladeren naar voedsel zoeken – de zanggors en de witkeelgors – ook deze zijn onder de slachtoffers van de iepenbespuiting aangetroffen.

Zoogdieren kunnen ook gemakkelijk in de cyclus opgenomen worden, direct zowel als indirect. Wormen vormen een deel van het gevarieerde voedsel van de gewone wasbeer en worden in voor- en najaar ook gegeten door opossums. De ondergrondse tunnelbouwers, zoals spitsmuizen en mollen vangen ze ook in flinke aantallen en geven wellicht het gif door aan de roofvogels, zoals kerkuilen en andere uilen. Verschillende stervende kerkuilen werden na hevige voorjaarsregens in Wisconsin opgeraapt; waarschijnlijk waren ze vergiftigd door het eten van wormen. Buizerds en uilen zijn gevonden, die stuiptrekkend op de grond lagen. Dit kunnen gevallen zijn van een secundaire vergiftiging, veroorzaakt door het eten van vogels en muizen, die insecticiden in hun lever of andere organen hadden geaccumuleerd.

Het zijn niet alleen de schepsels, die op de grond hun voedsel zoeken of die als roofdier leven, welke gevaar lopen door de iepenbespuiting. Alle bladvoeders, die dus hun (insecten)voedsel van de bladeren van de bomen halen, zijn uit de zwaar bespoten gebieden verdwenen. Onder hen zijn de bosbewoners, die goudhaantjes genoemd worden, zowel het vuurgoudhaantje als het gewone goudhaantje, de kleine muggenvangers en vele van de zangvogels, die in het voorjaar in grote vluchten door de bomen scheren in een veelkleurige stroom van leven. In 1956 werd het spuiten wegens het late voorjaar uitgesteld en viel toen samen met de aankomst van bijzonder grote aantallen zangvogels. Bijna alle soorten zangvogels, die in dat gebied aanwezig waren, betaalden hun tol in de slachting, die op de bespuiting volgde. In Whitefish Bay, in Wisconsin, kon andere jaren minstens een duizendtal myrtzangers gezien worden; in 1958, na de bespuiting van de iepen, zagen waarnemers er slechts twee.

En zo groeit de lijst, die kan worden aangevuld met voorbeelden uit andere streken; en tot de zangvogels, die door het insecticide omkomen behoren diegenen, welke allen, die van vogels houden, het meest fascineren. Deze bladvoeders worden hetzij aangetast door vergiftigde insecten te eten of ze sterven indirect door een tekort aan voedsel.

Het gebrek aan voedsel heeft ook de zwaluwen, die door de lucht scheren en hun voedsel uit de lucht oppikken zoals een haring het plankton uit de zee vangt, hard aangepakt. Een natuurliefhebber uit Wisconsin deelt mede: 'De zwaluwen hebben het hard te verduren. Iedereen klaagt erover hoe weinig er nog maar zijn vergeleken met vier of vijf jaar geleden. We zien er nu zelden een . . . Dit kan liggen aan het gebrek aan insecten, als gevolg van de bespuiting, of aan het eten van vergiftigde insecten.'

Over andere vogels schreef dezelfde waarnemer: 'Een ander sprekend voorbeeld is de Phoebe. Vliegenvangers zijn overal schaars, maar de vroege, sterke, gewone Phoebe is er niet meer. Ik heb er dit voorjaar slechts één gezien en vorig voorjaar ook eentje. Andere vogelwaarnemers in Wisconsin hebben dezelfde klacht. Ik had vijf of zes paar kardinalen vroeger, en nu niet een. Winterkoninkjes, roodborstlijsters, spotlijsters en dwergooruilen nestelden ieder jaar in onze tuin. Nu is er niet een. Slechts de spotvogels, de duiven, de spreeuwen en de huismussen blijven over. Het is tragisch en ik kan het niet verdragen.'

De latentblijvende bespuiting, die in de herfst op de iepen wordt toegepast en die het gif tot in elk spleetje in de bast doet doordringen, is waarschijnlijk verantwoordelijk voor de ernstige vermindering van het aantal mezen, boomklevers, spechten en boomkruipers. Gedurende de winter 1957-58 zag Dr. Wallace geen mezen of boomklevers bij de voedertafel bij zijn huis en dat was voor het eerst in vele jaren. Drie boomklevers, die hij later vond, gaven een zielige trapsgewijze les van oorzaak en gevolg: de een was bezig te eten van een iep, de tweede was stervend en vertoonde typische DDT vergiftigingssymptomen en de derde was dood. De stervende boomklever had 226 delen DDT per miljoen in zijn weefsels.

De voedingsgewoonten van al deze vogels maken hen niet alleen zeer gevoelig voor insecticiden, maar maken ook dat hun uitsterven betreurenswaardig is, zowel van economisch standpunt als om minder tastbare redenen. Het zomervoedsel van de boomklever en de boomkruiper, bijvoorbeeld, omvat de eieren, larven en volwassen dieren van een groot aantal insecten, die schadelijk voor bomen zijn. Ongeveer driekwart van het voedsel van de mees is dierlijk en bcvat alle levensstadia van vele insecten. De etensgewoonten van de mees worden in Bent's uitgebreide boek 'Life Histories of North American birds' beschreven: 'Al verdertrekkend onderzoekt iedere vogel van de vlucht nauwkeurig bast, twijgen en takken op kleine stukjes voedsel (spinne-eieren, cocons of ander latent insectenleven)'.

Diverse wetenschappelijke onderzoekingen hebben de doorslaggevende rol van de vogels vastgesteld, die zij in verschillende situaties bij de insectenbestrijding spelen. Zo zorgen de spechten voor een intensieve bestrijding van de Engelmann sparreschorskever en zijn zij tevens belangrijk voor de beperking van de wormsteek in een bepaald soort appelboomgaarden. Mezen en andere standvogels kunnen boomgaarden beschermen tegen bladrups.

Maar wat in de natuur geschiedt, mag niet gebeuren in de moderne, van chemicaliën druipende wereld, waar bespuiting niet alleen de insecten doodt, maar ook hun natuurlijke vijanden, de vogels. Als er later een opleving komt bij de insectenbevolking, hetgeen bijna altijd geschiedt, dan zijn er geen vogels om hun aantallen te beperken. Zoals de conservator, afdeling vogels, van het 'Milwaukee Public Museum', Owen J. Gromme, aan het Milwaukee Journal schreef: 'De grootste vijand van de insecten zijn andere roofinsecten, vogels en enkele kleine zoogdieren, maar de DDT doodt zonder onderscheid en treft ook de veiligheidsbeambten en politieagenten van de natuur . . .

Moeten wij, in naam van de vooruitgang, het slachtoffer worden van onze eigen duivelse manieren van insectenbestrijding, alleen om tijdelijk verlichting te verkrijgen en het later toch weer tegen de insecten af te leggen?

Hoe zullen wij nieuwe plagen het hoofd bieden, die de overblijvende bomen zullen aantasten als de iepen verdwenen zijn en wanneer de natuurlijke waarborgen (de vogels) door het vergif zijn uitgeroeid?'

Mr. Gromme deelt mede, dat telefoontjes en brieven over dode en stervende vogels in Wisconsin gestadig in aantal toenamen vanaf het moment, dat de bespuiting begon. Ondervraging onthulde altijd, dat bespuiting of verneveling had plaats gehad in de streken waar de vogels stierven.

De ervaringen van de heer Gromme worden gedeeld door vogelkenners en conservators van de meeste researchinstituten in het midden-westen, zoals het Cranbrook Institute in Michigan, de

Illinois Natural History Survey en de universiteit van Wisconsin. Eén blik in de kolom 'Lezers spreken' van de dagbladen van de streken, waar wordt gespoten, openbaart dat de burgers niet alleen opgeschrikt en verontwaardigd zijn, maar dat ze dikwijls een gezonder begrip hebben van de gevaren en inconsequenties van bespuiting dan de officiële instanties, die de opdracht ertoe geven. 'Ik zie met angst de dagen tegemoet, die nu wel spoedig zullen aanbreken, dat veel prachtige vogels stervend in mijn achtertuin zullen liggen,' schreef een vrouw uit Milwaukee. 'Het is een zielige, hartverscheurende ervaring . . . Bovendien is het teleurstellend en ergerlijk, want klaarblijkelijk heeft deze slachting niet het doel bereikt waartoe ze was aangericht . . . Als men goed nadenkt, mag men dan bomen redden zonder ook de vogels te sauveren? Heeft de economie der natuur niet gesteld, dat ze elkaar zullen redden? Kan men het evenwicht in de natuur niet herstellen zonder het te vernietigen?'

De gedachte dat de iepen, hoewel ze wel majestueuze schaduwrijke bomen zijn, geen 'heilige koeien' zijn en geen 'blancovolmacht' campagne rechtvaardigen tegen ieder ander soort leven, wordt ook in andere brieven tot uitdrukking gebracht. 'Ik heb altijd van de iepen, die een soort handelsmerk van ons landschap zijn, gehouden', schrijft een andere vrouw uit Wisconsin. 'Maar er zijn vele soorten bomen . . . We moeten onze vogels ook beschermen. Kan iemand zich iets onopwekkenders en droevigers voorstellen dan een voorjaar zonder het gezang van de roodborstlijster?'

Voor het grote publiek kan de keuze gemakkelijk een van zwart of wit lijken: Zullen we de vogels houden of de iepen? Maar zo eenvoudig is het niet. Door de ironie van het noodlot dat zich door het gehele chemische bestrijdingsgebied beweegt, zouden we uiteindelijk best eens geen van tweeën kunnen hebben als we op onze huidige, veelbetreden weg voortgaan. De bespuiting doodt de vogels, maar redt de iepen niet. De illusie, dat de redding van de iepen in het mondstuk van het bespuitingsmechanisme ligt, is een gevaarlijk dwaallicht, dat de ene streek na de andere door een poel van uitgaven leidt zonder blijvende resultaten achter te laten. In Greenwich, Connecticut, werd tien jaar lang regelmatig gespoten. Toen kwam er een jaar van droogte, dat bijzonder gunstig voor de kever was en de sterfte onder de iepen nam met 100 % toe.

In Urbana, Illinois, waar de universiteit van Illinois gevestigd is, kwam de iepziekte voor het eerst in 1951 voor. Bespuiting vond in 1953 plaats. Tegen 1959, ondanks zes jaar regelmatige besproeiing, had het universiteitsterrein 86 % van zijn iepen verloren en de helft van dit verlies kon aan de iepziekte worden toegeschreven. Een gelijksoortige ervaring bracht de hoofdhoutvester van Toledo, Ohio, Joseph A. Sweeney, ertoe om de resultaten van de bespuiting eens goed onder de loep te nemen. De bespuiting was in 1953 begonnen en ging tot 1959 door. Ondertussen had Sweeney echter opgemerkt, dat over de gehele stad genomen de esdoornschildluisplaag, na bespuiting 'volgens het boekje', erger was dan tevoren. Hij besloot om de resultaten van de bespuitingen tegen iepziekte zelf nog eens na te gaan. Zijn bevindingen deden hem schrikken. Hij vond, dat in de stad Toledo 'slechts daar enige beperking van de iepziekte kon worden geconstateerd waar we snel de zieke of aangetaste bomen hadden verwijderd. Buiten, waar niets was gedaan, had de ziekte niet zo snel om zich heen gegrepen als in de stad. Dit toont aan dat de bespuiting de natuurlijke vijanden van de ziekte vernietigt.'

'We stoppen met de bespuitingen tegen de iepziekte. Dit heeft me in conflict gebracht met mensen, die door dik en dun de aanbevelingen van het Amerikaanse Ministerie van Landbouw opvolgen, maar ik beschik thans over de feiten en daar houd ik me aan.'

Het is moeilijk te vatten waarom deze steden uit het midden-westen waar de iepziekte betrekkelijk recent om zich heen heeft gegrepen, zo vanzelfsprekend tot grootscheepse en uitgebreide bespuitingsprogramma's zijn overgegaan, klaarblijkelijk zonder naar de ervaringen van andere streken te informeren, die al langer met dit bijltje hadden gehakt. De staat New York, bijvoorbeeld, heeft waarschijnlijk wel de langste periode van aanhoudende ervaringen op het gebied van de iepziekte doorgemaakt, want waarschijnlijk is het zieke iepenhout omstreeks 1930 in de haven van New York binnengekomen. En de staat New York heeft heden ten dage een zeer belangrijke staat van dienst omtrent het in bedwang houden en onderdrukken van deze ziekte. Toch heeft dit gebied niet zijn toevlucht tot bespuitingen genomen. Integendeel, zijn landbouwdienst raadt bespuiting als een algemene bestrijdingsmaatregel niet aan.

Hoe heeft New York dan zijn prachtige resultaat bereikt? Vanaf de allereerste periode in de strijd voor de iep tot op heden, heeft een rigoureuze sanering of een prompte verwijdering en vernietiging van alle aangetaste of zieke hout plaats gehad. In het begin waren de resultaten soms teleurstellend, maar dat kwam omdat toen nog niet werd begrepen, dat niet alleen de zieke boom, maar ook alle iepenhout, waarin de kever zich zou kunnen hebben genesteld, moest worden vernietigd. Aangetast iepenhout, dat gehakt is en opgeslagen als brandhout, bevat een groot aantal fungusdragende kevers tenzij het is opgestookt voor het voorjaar komt.

Het zijn de volwassen kevers, die uit hun winterslaap wakker worden en gedurende april en mei voedsel zoeken, welke de iepziekte overbrengen. De New Yorkse insectenkundigen hebben door ervaring geleerd welke soorten keverbevattend materiaal belangrijk zijn voor de verspreiding van de ziekte. Door zich op dit gevaarlijke materiaal te concentreren, is het niet alleen mogelijk gebleken om goede resultaten te boeken, maar ook om de kosten van de sanering binnen redelijke perken te houden. Tegen 1950 was de verspreiding van de iepziekte in New York tot 0,2 % van de 55.000 bomen in de stad afgenomen.

Een saneringsprogramma werd in 1942 in Westchester County doorgevoerd. In de daarop volgende 14 jaren bedroeg het gemiddelde jaarlijkse verlies slechts 0,2 %. Buffalo, met zijn 185.000 iepen, kan bogen op uitmuntende resultaten bij de beperking van de ziekte door sanering; de recente jaarlijkse verliezen bedragen 0,3 %. Met andere woorden, bij deze graad van sterfte zou het 300 jaar duren voordat Buffalo's iepen verdwenen waren.

Indrukwekkend is het gebeurde in Syracuse. Daar bestond geen doelmatig program vóór 1957. Tussen 1951 en 1956 verloor Syracuse bijna 3.000 iepen. Toen begon onder leiding van Howard C. Miller van het New Yorkse 'College of Forestry', een intensieve campagne om alle zieke iepen en alle mogelijk keverbevattend hout radicaal te vernietigen. Het verlies beweegt zich thans beneden de 1 % per jaar.

De economie van de saneringsmethode wordt onderstreept door New Yorkse specialisten op het gebied van de iepziekte. 'In de meeste gevallen zijn de uitgaven klein, vergeleken bij de waarschijnlijke besparingen', zegt J. G. Matthysse van het New York State College of Agriculture. 'Als het een kwestie is van een dode of afgebroken tak, dan zou de tak op een zeker ogenblik toch verwijderd moeten worden als voorzorg tegen mogelijke schade aan eigendommen of lichamelijk letsel. Als het een houtstapel is, kan het hout vóór de lente komt opgebruikt worden, de bast kan van het hout gepeld worden of het hout kan op een droge plaats worden opgeborgen. In het geval van stervende of dode iepenbomen zijn de kosten van ogenblikkelijke verwijdering gewoonlijk niet groter dan die op een later moment, want de meeste dode bomen in stedelijke buitenwijken moeten toch omgehakt worden.'

De situatie bij de iepziekte is derhalve niet geheel hopeloos, mits weloverwogen en verstandige maatregelen worden genomen. Hoewel de ziekte zelf niet door enig middel, dat thans bekend is, kan worden uitgeroeid, kan zij wel onderdrukt en binnen redelijke perken gehouden worden, zodra zij zich in een streek heeft geopenbaard. Deze saneringsmethode is niet nutteloos en brengt geen tragische vernietiging van vogels met zich mee. Andere mogelijkheden op het gebied van de erfelijkheidsleer en experimenten geven hoop, dat er een bastaardiep ontwikkeld kan worden, die resistent is tegen de iepziekte. De Europese iep is zeer resistent en er zijn al veel van deze bomen in Washington D.C. geplant. Zelfs gedurende de tijd dat een groot percentage van de hoofdstedelijke iepen aangetast werd, waren er geen gevallen van iepziekte onder deze exemplaren.

Onmiddellijke herbeplanting door middel van een boomkwekers- en bosbouwprogramma wordt thans aangeraden in die streken, die grote aantallen iepen kwijtraken. Dit is belangrijk en hoewel deze campagnes de resistente Europese iep zouden moeten introduceren, moeten zij toch ook trachten een verscheidenheid van soorten te planten, zodat geen toekomstige epidemie een streek van al zijn bomen zou kunnen beroven. De sleutel tot een gezonde planten- of dierengemeenschap ligt bij wat de Britse ecoloog Charles Elton noemt 'de instandhouding van de verscheidenheid'. Wat thans gebeurt is voor een groot deel het resultaat van de biologische wereldwijsheid van vorige generaties. Zelfs nog maar een generatie geleden wist men niet, dat een groot gebied beplanten met een enkele soort boom onheil betekende. En dus omzoomden hele steden hun straten en pleinen met iepen en vandaag sterven de iepen tezamen met de vogels.

Net zoals de roodborstlijster schijnt nog een andere Amerikaanse vogel op de rand van uitsterven te staan. Dit is ons nationale symbool, de witkoparend. Hun aantal is schrikbarend teruggelopen gedurende de laatste tien jaar. De feiten duiden aan, dat iets in de omgeving van de arend aan het werk is, dat zijn voortplanting in de weg staat. Wat dit is, is nog niet definitief bekend, maar er zijn aanwijzingen, dat insecticiden de schuld dragen.

De arenden die het best bestudeerd zijn in Noord-Amerika zijn degenen, die nestelen langs een kuststrook tussen Tampa en Fort Myers in het westen van Florida. Daar kreeg een gepensioneerde bankier uit Winnipeg, Charles Broley, ornithologische faam door tussen 1939 en 1949 meer dan 1.000 jonge witkoparenden te ringen. (Slechts 166 arenden waren in de hele voorafgaande geschiedenis van het ringen van vogels geringd.) Mr. Broley ringde de arenden gedurende de wintermaanden, voordat de jonge vogels het nest verlieten. Latere ontdekkingen van geringde vogels toonden aan, dat deze uit Florida afkomstige arenden langs de kust naar het noorden trekken, naar Canada, tot aan het Prince Edward eiland toe, hoewel ze vroeger als niet-trekkend werden beschouwd. In de herfst komen ze naar het zuiden terug en hun trek is waargenomen vanaf beroemde waarnemingsposten zoals Hawk Mountain in het oosten van Pennsylvania.

Gedurende de eerste jaren van zijn ringwerk vond Mr. Broley wel 125 bewoonde nesten per jaar op het stuk kust, dat hij voor zijn arbeid had uitgekozen. Het aantal jongen, dat ieder jaar werd geringd, bedroeg 150. In 1947 begon het aantal jonge vogels af te nemen. Sommige nesten bevatten geen eieren, andere nesten hadden eieren, maar geen jongen. In het laatste jaar van genoemde periode waren slechts 43 nesten bewoond. Zeven ervan hadden jongen (8 jonge arenden), 23 bevatten eieren, die niet uitkwamen, 13 werden slechts als eetplaats door volwassen arenden gebruikt en bevatten geen eieren. In 1958 moest Mr. Broley over 150 kilometer kuststrook trekken voordat hij een jonge arend vond, die hij kon ringen. Volwassen arenden, die in 1957 nog in 43 nesten waren gezien, waren zo zeldzaam dat hij ze bij slechts 10 nesten observeerde.

Hoewel Mr. Broley's overlijden in 1959 deze waardevolle serie onafgebroken observaties besloot, bevestigden de rapporten van de 'Florida Aubudon Society' en die in New Jersey en Pennsylvania een loop der gebeurtenissen, die het weleens noodzakelijk voor ons zou kunnen maken naar een ander nationaal symbool uit te kijken. De rapporten van Maurice Broun, beheerder van de 'Hawk Mountain Sanctuary,' zijn veelbetekenend. Hawk Mountain is een schilderachtige bergtop in zuidoost Pennsylvania, waar de meest oostelijke bergranden van de Appalachen een laatste hindernis vormen voor de westenwinden, voordat ze wegglijden naar de kustvlakte. De wind, die tegen de berghelling opstormt, wordt omhoog gedreven, zodat er op veel herfstdagen een voortdurende opwaartse trek is waarop de breedgevleugelde buizerds en arenden zonder moeite kunnen zweven en zodoende vele kilometers per dag afleggen op hun trek naar het zuiden. Op Hawk Mountain komen de bergketenen samen, evenals de trekbanen. Hierdoor komt het dat vanuit een groot gebied in het noorden de vogels hier als door een flessenhals passeren.

In zijn meer dan twintig jaren als conservator van het vogelreservaat, heeft Maurice Broun meer buizerds en arenden dan enig ander Amerikaan waargenomen en genoteerd. Het hoogtepunt van de arendentrek komt in de laatste weken van augustus en de eerste weken van september. Men neemt aan, dat dit vogels uit Florida zijn, die naar het zuiden terugkeren na de zomer in het noorden doorgebracht te hebben. (Later in de herfst en vroeg in de winter komt er een paar grotere arenden. Men neemt aan dat deze tot een noordelijker ras behoren en naar een onbekende overwinteringsplaats gaan.) De eerste jaren na de oprichting van het vogelreservaat, van 1935 tot 1939, was 40 % van de waargenomen vogels jaarlingen, die gemakkelijk konden worden herkend aan hun donkere verenkleed. Maar de laatste jaren zijn deze halfvolwassen vogels een zeldzaamheid geworden. Tussen 1955 en 1959 was slechts 20 % van alle vogels eenjarigen en in één jaar (1957) was er slechts één jonge vogel op elke 32 volwassene.

De waarnemingen op Hawk Mountain stemmen overeen met observaties elders. Een van deze rapporten komt van Elton Fawks, een ambtenaar van het 'National Resources Council' in Illinois. Arenden, die waarschijnlijk in het noorden thuishoren, overwinteren langs de rivieren Mississippi en Illinois. In 1958 berichtte Fawks, dat bij een recente telling bij de 59 arenden slechts één onvolwassen exemplaar was aangetroffen. Gelijksoortige indicaties over het uitsterven van het ras zijn afkomstig van 's werelds enige arendreservaat, 'Mount Johnson Island', in de Susquehanna rivier. Hoewel dit eiland slechts 12 kilometer verwijderd is van de Conowingo Dam en een kleine kilometer van de Lancaster County kust afligt, heeft het zijn primitieve wildheid behouden. Sedert 1934 is het enige arendnest daar geobserveerd door Professor Herbert H. Beck, een vogelkenner uit Lancaster en conservator van het reservaat. Tussen 1935 en 1947 werd het nest regelmatig en altijd met succes bewoond. Hoewel sinds 1947 de volwassenen het nest wel hebben gebruikt en er bewijzen zijn, dat er eieren werden gelegd, zijn er geen jonge vogels meer waargenomen.

Dus heerst er op Mount Johnson Island dezelfde toestand als in Florida – de nesten worden wel door de volwassenen gebruikt, er worden eieren gelegd, maar er zijn weinig of geen jonge vogels. Bij het zoeken naar een verklaring schijnt slechts één bij alle feiten steekhoudend te zijn, en dat is dat het voortplantingsvermogen van de vogels door een of andere agens in hun omgeving zo gedaald is, dat er thans praktisch geen jaarlijkse produktie van jongen meer is, die het ras in stand moet houden.

Deze soort toestand is door andere onderzoekers kunstmatig bij andere vogels opgewekt, met name door Dr. James DeWitt van het Amerikaanse 'Fish and Wildlife Service'. Dr. DeWitt's nu klassiek geworden proeven ten aanzien van het effect, dat een serie insecticiden op kwartels en fazanten heeft, hebben de stelling bewezen, dat het blootstellen van volwassen vogels aan DDT of aanverwante chemicaliën, zelfs wanneer ze op het oog geen schade aanrichten, op ernstige wijze de voortplanting kan belemmeren. De manieren waarop dit wordt bereikt, kunnen verschillen, maar het resultaat is altijd hetzelfde. B.v., kwartels die gedurende de broedtijd DDT door hun eten kregen, overleefden dit en produceerden zelfs een normaal aantal bevruchte eieren. Maar er waren weinig eieren die uitkwamen. 'Veel embryo's schenen zich normaal te ontwikkelen gedurende de eerste stadia van de bebroeding, maar stierven gedurende het uitkomen', zegt Dr. De Witt. Van de vogels die wel uitkwamen, stierf er meer dan de helft binnen vijf dagen. Bij andere proeven, waarbij kwartels en fazanten beiden als proefproject werden genomen, legden de volwassenen het hele jaar geen eieren als ze voedsel dat insecticiden bevatte, hadden gekregen. En Dr. Robert Rudd en Dr. Richard Genelly van de universiteit van Californië berichtten gelijksoortige bevindingen. Toen fazanten dieldrin in hun eten kregen, 'daalde de eierproduktie aanzienlijk en er waren weinig kuikens, die in leven bleven'. Volgens deze geleerden volgde het verlate maar giftige effect op de jonge vogels op de aanwezigheid van dieldrin in het eigeel, dat gedurende de broedtijd en bij het uitkomen langzamerhand wordt opgenomen.

Deze aanduiding wordt gestaafd door recente studies van Dr. Wallace en een van zijn afgestudeerden, Richard F. Bernard, die grote concentraties DDT vonden in roodborstlijsters, nestelend op het terrein van de universiteit van Michigan. Ze vonden het vergif in de testes van alle mannelijke vogels, in zich ontwikkelende eifollikels, in de eierstokken van de vrouwtjes, in geheel afgewerkte doch nog niet gelegde eieren, in de eileiders, in niet uitgekomen eieren in verlaten nesten, in embryo's in de eieren en in een pas uitgekomen dood nestjong.

Deze belangrijke studies bevestigen het feit dat het giftige insecticide zijn uitwerking heeft op een generatie later dan op die welke er oorspronkelijk mee in contact is geweest. De opslag van gif in het eigeel dat het zich ontwikkelende embryo moet voeden, is een ware garantie voor de dood en verklaart ook waarom zoveel vogels van DeWitt in het ei stierven of slechts enkele dagen na het uitkomen.

Laboratoriumtoepassingen van deze studies op arenden brengen bijna onoverkomelijke moeilijkheden met zich mee, maar er worden thans studies in de natuur ondernomen in Florida, New Jersey en elders, in de hoop dat vastgesteld kan worden wat de klaarblijkelijke onvruchtbaarheid van de arendbevolking in Amerika veroorzaakt. Intussen duiden de bestaande aanwijzingen op insecticiden. Op plaatsen waar veel vis is, maakt dit voedsel een groot deel uit van de arendkost (ongeveer 65 % in Alaska, ongeveer 52 % in de omstreken van Chesapeake Bay). De arenden die zo lang door Mr. Broley bestudeerd zijn, waren zonder twijfel hoofdzakelijk viseters. Sinds 1945 is de onderhavige kuststrook herhaaldelijk bespoten met DDT, opgelost in stookolie. Het hoofddoel van de bespuiting vanuit de lucht was de kweldermug, die daar in de zoutige zeeweiden langs de kust huist, welke deel uitmaakt van het voedselgebied van de arenden. Vis en krab werden in enorme aantallen gedood. Laboratoriumonderzoek op hun weefsels bracht grote concentraties DDT aan het licht, soms wel 46 delen per miljoen. Net zoals de futen uit Clear Lake, waarbij grote concentraties insecticide-residuen zich in het lichaam ophoopten door het eten van vis uit het meer, moeten de arenden ook het DDT in de weefsels van hun lichaam hebben opgeslagen. En net zoals de futen, de fazanten, de kwartels en de roodborstlijsters, worden ze steeds minder in staat om nog jongen te produceren en het voortbestaan van hun ras te waarborgen.

Van over de gehele wereld klinken de echo's van het gevaar, dat de vogels in onze moderne wereld lopen. De rapporten verschillen in de details, maar herhalen altijd het thema van de dood, die voor alle natuurleven volgt op het gebruik van bestrijdingsmiddelen. Zo luiden de verhalen over honderden kleine vogels en patrijzen in Frankrijk, nadat de wijnstok was behandeld met een arsenicumbevattend herbicide; en de jachtgebieden in België, die eens beroemd waren om het aantal patrijzen, klagen dat bespuiting van in de nabijheid gelegen akkers het gebied totaal van patrijs heeft beroofd.

In Engeland schijnt het voornaamste probleem iets speciaals te zijn, dat verband houdt met de steeds verder groeiende gewoonte om zaad met insecticide te behandelen alvorens het te zaaien. Zaadbehandeling is niet geheel nieuw, maar in vroeger jaren waren de voornaamste chemicaliën, die hiervoor gebruikt werden, fungiciden. Er schijnen geen nadelige gevolgen voor de vogels uit ontstaan te zijn. Toen veranderde men in 1956 de behandeling in een tweeledige toepassing; men voegde aan een fungicide nog dieldrin, aldrin of heptachloor toe om de insecten in de grond te bestrijden. Hierna verergerde de toestand.

In de lente van 1960 bereikte een ware zondvloed van berichten over dode vogels de Britse autoriteiten, met inbegrip van de 'British Trust for Ornithology', de 'Royal Society for the Protection of Birds' en de 'Game Birds Association'. 'Mijn gronden lijken wel een slagveld', schreef een landeigenaar in Norfolk. 'Mijn rentmeester heeft ontelbare lijken gevonden, met inbegrip van grote aantallen kleine vogels zoals vinken, groenlingen, kneutjes, heggemussen, ook gewone mussen . . . de vernietiging van dit vogelleven is erbarmelijk.' Een jachtopziener schreef: 'Mijn patrijzen zijn door het behandelde koren uitgeroeid, ook fazanten en andere vogels, honderden vogels zijn gedood . . . Voor mij, die mijn hele leven jachtopziener ben geweest, is het een droevige ervaring.

Het is ellendig om koppels patrijzen te zien, die tezamen gestorven zijn.'

In een gezamenlijk rapport beschreven de 'British Trust for Ornithology' en de 'Royal Society for the Protection of Birds' 67 sterftegevallen van vogels, hetgeen een verre van komplete lijst is van de vernietiging, die in het voorjaar van 1960 plaats vond. Van deze 67 werden 59 sterftegevallen veroorzaakt door behandeld zaad en acht door giftige bespuiting.

Een nieuwe golf van vergiftiging kwam het daarop volgende jaar. De dood van 600 vogels op een en dezelfde buitenplaats in Norfolk werd in het Hogerhuis medegedeeld en 100 fazanten stierven op een boerderij in Essex. Het werd al spoedig duidelijk, dat er meer graafschappen dan in 1960 bij de narigheid betrokken waren (34 tegen 23). Lincolnshire, dat een landbouwgraafschap is, scheen het meest geleden te hebben; er waren berichten dat er 10.000 vogels gestorven waren. Maar de vernietiging betrof heel het landbouwgebied van Engeland, van Angus in het noorden tot Cornwall in het zuiden, van Anglesey in het westen tot Norfolk in het oosten.

In het voorjaar van 1961 had de bezorgdheid zulke vormen aangenomen, dat een speciale commissie uit het Lagerhuis een onderzoek instelde en getuigenissen afnam van boeren, landeigenaren, vertegenwoordigers van het Ministerie van Landbouw en van verschillende regerings- en particuliere instanties, die met het leven in de natuur te maken hadden.

'De duiven vallen zo maar dood uit de lucht neer', zei een getuige. 'Je kunt 150 of 300 kilometer buiten Londen rijden en geen enkele torenvalk zien', zei een ander. 'Er bestaat geen weerga in deze eeuw, voor zover mij bekend is; dit is de grootste ramp voor de jacht en alle natuurleven, die ooit in het land is voorgekomen', getuigden beambten van het 'Nature Conservancy'.

De faciliteiten voor een chemische analyse van de slachtoffers waren volkomen onvoldoende; er waren slechts twee chemici in het land, die zulke proeven konden nemen (een regeringschemicus, de ander in dienst van de 'Royal Society for the Protection of Birds'). Getuigen beschreven de grote vuren waarop de lichamen van de vogels werden verbrand. Maar er werden pogingen gedaan om de karkassen te verzamelen voor onderzoek en alle onderzochte vogels op één na bevatten residuen van bestrijdingsmiddelen. De enige uitzondering was een snip en dat is geen zaadetende vogel.

Tegelijk met de vogels zijn waarschijnlijk ook vossen aangetast door het eten van vergiftigde muizen of vogels. Engeland, dat wordt geplaagd door konijnen, heeft de vos als roofdier hard nodig. Maar tussen november 1959 en april 1960 stierven er minstens 1300 vossen. De tol was het grootst in die graafschappen waar ook de sperwer, de torenvalk en andere roofvogels praktisch verdwenen waren, hetgeen erop zou kunnen wijzen dat het vergif door de gehele voedingsketen loopt, van de zaadeters tot aan de behaarde en gevederde carnivoren. De bewegingen van de zieltogende vossen waren gelijk aan die van dieren, die door gechloreerde koolwaterstofinsecticiden zijn vergiftigd. Men zag hen in cirkels rondlopen, verdwaasd en half blind, voordat ze al stuiptrekkend stierven.

De verhoren overtuigden de commissie ervan dat de wildstand 'sterk bedreigd' werd en zij beval het House of Commons aan, de 'Minister van Landbouw en de Staatssecretaris voor Schotland onmiddellijk een verbod te laten afvaardigen voor het gebruik van die zaadbehandelingsmethoden, die dieldrin, aldrin, heptachloor of chemicaliën van vergelijkbare giftigheid bevatten.' De commissie adviseerde tevens betere controle uit te oefenen opdat chemicaliën, alvorens op de markt gebracht te worden, grondig op het veld en in de laboratoria beproefd worden. Dit is, en wij kunnen er niet genoeg op wijzen, een van de grootste verzuimen bij de research van bestrijdingsmiddelen overal ter wereld. De fabrieksproeven op gewone laboratoriumdieren, zoals ratten, honden, marmotten, vinden gewoonlijk niet plaats op in het wild levende dieren, niet op vogels, niet op vissen en ze worden uitgevoerd onder gecontroleerde en kunstmatig geschapen condities. De uitkomsten voor het leven in de natuur zijn dikwijls allesbehalve precies.

Engeland staat niet alleen met zijn probleem om de vogels te beschermen tegen de behandelde zaden. In Amerika is het vraagstuk zeer moeilijk geweest in de rijstproducerende gebieden van Californië en het zuiden. Californische rijstbouwers hebben enkele jaren het zaad met DDT behandeld als bescherming tegen de dikkopgarnaal en de aaskever, die soms de jonge rijstloten beschadigen. De Californische jagers hebben altijd uitmuntende jachtvelden gehad, omdat de rijstvelden waterwild en fazanten aantrokken. Maar de laatste tien jaren bleven er hardnekkige rapporten uit de rijstproducerende gebieden binnenkomen over vogelverliezen, speciaal onder fazanten, eenden en epauletspreeuwen. De 'fazantenziekte' werd een veel voorkomend verschijnsel, de vogels 'zoeken het water op, raken verlamd en worden trillend op de dammen en ophogingen aangetroffen', zegt een waarnemer. De 'ziekte' treedt op in het voorjaar als de rijstvelden gezaaid zijn. De DDT concentratie is vele keren hoger dan nodig zou zijn om een volwassen fazant te doden.

Het verloop van enkele jaren en de ontwikkeling van nog

giftiger insecticiden hebben ertoe bijgedragen dat het gevaar van behandeld zaad nog groter werd. Aldrin, dat 100 keer giftiger is dan DDT voor fazanten, wordt nu alom gebruikt. In de rijstvelden voor Oost-Texas zijn hierdoor de aantallen boomeenden, een taankleurige, op een gans lijkende eend van de 'Gulf Coast' sterk teruggelopen. Er is zelfs reden om aan te nemen dat de rijstplanters met het vinden van een manier om het aantal epauletspreeuwen beperkt te houden, het insecticide voor een tweeledig doel gebruiken, met noodlottige gevolgen voor verschillende vogelsoorten uit de rijstvelden.

Met het groeien van de gewoonte om te doden – een uitvlucht voor het uitroeien van elk schepsel dat ons hindert of ergert – worden de vogels meer dan ooit een direct doel van het gif. Er bestaat een groeiende tendens om vanuit de lucht zulke giftige stoffen als parathion uit te strooien teneinde vogels, die de boeren niet aanstaan, te 'beperken'. De 'Fish and Wildlife Service' heeft het nodig geoordeeld om zijn ernstige bezorgdheid hierover uit te spreken en erop gewezen, dat 'met parathion behandelde streken een potentieel gevaar bevatten voor mensen, huisdieren en natuurleven'. In het zuiden van Indiana bijvoorbeeld, werkte een groep boeren samen om in de zomer van 1959 een vliegtuig parathion te laten uitstrooien over een stuk vruchtbaar oeverland van een rivier. De streek was een geliefkoosde broedplaats voor koperwieken, die hun voedsel van de nabijgelegen maïsvelden haalden. Het probleem zou gemakkelijk zijn opgelost door een kleine verandering in de landbouwgewoonten aan te brengen – een overgang naar een maïsvariëteit met diepliggende aren, die voor de vogels niet toegankelijk zijn – maar de boeren waren overtuigd van de verdiensten, die het doden door vergif met zich meebrengt, en dus zonden zij de vliegtuigen op hun dodenmissie.

Waarschijnlijk was men blij met de resultaten, want de lijst van slachtoffers bevatte 65.000 epauletspreeuwen en gewone spreeuwen. Wat er nog meer aan leven vernietigd is, is onbekend. Parathion is niet alleen dodelijk voor epauletspreeuwen; het is een algemeen vergif. Maar de konijnen en wasberen en opossums, die ook op deze oeverlanden rondzwierven en misschien nog nooit de maïsvelden bezocht hadden, werden eveneens ten dode gedoemd door een rechter en een jury, die noch van hun bestaan afwisten noch zich iets aan hen gelegen lieten liggen.

En wat de mensen betreft? In Californische boomgaarden zijn arbeiders, die bladeren aanraakten, welke een maand tevoren met dit zelfde parathion behandeld waren, flauwgevallen en hebben een shock gekregen. Ze ontsnapten alleen aan de dood door een kundige medische behandeling. Bestaan er in Indiana nog jongens, die door bos en veld zwerven en zelfs de kanten van een rivier in hun onderzoek betrekken? Zo ja, wie bewaakt dan de vergiftigde streek om degenen tegen te houden, die er rondzwerven, tevergeefs op zoek naar een onbedorven natuur? Wie heeft er wachtgestaan om de zich van niets bewuste wandelaar te vertellen, dat de akkers die hij wilde betreden dodelijk zijn, dat alle vegetatie er is bedekt met een giftige film? En toch, ondanks dit grote risico, streden de boeren, terwijl niemand het hen belette, hun nodeloze oorlog tegen de koperwieken.

Bij elke van deze situaties vraagt men zich af: Wie heeft de beslissing genomen, die deze ketens van vergiftiging, deze steeds groter wordende golf van de dood, deze steeds wijder wordende kring van rimpels alsof er een steentje in een stille vijver is gevallen, veroorzaakt? Wie heeft in de ene schaal van de balans de bladeren gelegd, die misschien zouden kunnen worden opgegeten door kevers en in de andere schaal de armzalige hoopjes veelkleurige veren, de levenloze resten van de vogels die vielen voor de onselectieve ploertendoder van de giftige insecticiden? Wie heeft beslist – wie heeft het *recht* te beslissen – voor de ontelbare mensen, die niet werden geraadpleegd, dat het allerhoogste in de wereld een insectloze omgeving is, zelfs als die wereld steriel wordt en niet wordt gesierd door de wiekende vleugel van een vogel in zijn vlucht? De beslissing is die van een streng gezagsman, die tijdelijk met macht omkleed is; hij heeft deze beslissing genomen in een moment van onoplettendheid van de miljoenen mensen voor wie schoonheid en de geordende wereld van de natuur nog steeds een diepe en dwingende inhoud hebben.

9 Rivieren des doods

Uit de groene diepten van de Atlantische kust leiden vele paden terug naar het strand. Het zijn de paden, die door vissen worden gevolgd en hoewel ze noch gezien noch gevoeld kunnen worden, zijn deze paden verbonden met de mondingen van de naar de kust stromende rivieren. Duizenden jaren lang heeft de zalm deze stromen zoet water, die hem de weg naar de rivieren wezen, gevolgd en iedere zalm keert terug naar de zijrivier waar hij de eerste maanden of jaren van zijn leven heeft doorgebracht. En dus verhuisde in de zomer en herfst van 1953 de zalm van de rivier de Miramichi aan de kust van New Brunswick van de voedingsgronden ver in de Atlantische Oceaan naar zijn geboorterivier. In de bovenloop van de Miramichi, die ontstaat uit een net van overschaduwde beken, legde de zalm die herfst eieren in beddingen van kiezel en grint, waarover het water snel en koel stroomde. Zulke plekken, d.w.z. de hellingen, waarover het water stroomt en die begroeid zijn met spar en balsem, hemlock en den, zijn ideale broedgebieden voor zalm.

De gebeurtenissen volgden een patroon, dat reeds eeuwen hetzelfde was, een patroon dat de Miramichi rivier een van de beste zalmrivieren in Noord-Amerika heeft gemaakt. Maar dat jaar zou het veranderd worden.

Gedurende herfst en winter liggen de grote en dikwandige zalmeieren in ondiepe, met kiezel opgevulde, gaten, die de moederzalm in de bodem van de rivier heeft gegraven. In de winter, gedurende de kou, ontwikkelden ze zich slechts langzaam, zoals gewoonlijk, en bij het ontwaken van de lente en de komst van de dooi kwamen de jongen uit. Eerst verborgen ze zich tussen de kiezels van de rivierbedding – het waren kleine visjes van ongeveer een centimeter lengte. Ze hadden geen eten nodig, want ze leefden op de dooierzak. Ze zouden niet naar kleine insecten in de rivier gaan zoeken voordat die was geabsorbeerd.

Tezamen met de pas geboren zalm in de Miramichi rivier waren er in het voorjaar van 1954 ook jonge vissen van vorige jaren, één of twee jaar oud, met glanzende schubben en met strepen en heldere rode stippen op de huid. Deze jonge vissen aten gulzig van het vreemde en gevarieerde insectenleven uit de rivier.

Toen de zomer naderde, veranderde alles plotseling. Dat jaar was namelijk de noordwestelijke bovenloop van de Miramichi rivier opgenomen in een uitgebreide bespuitingscampagne, waaraan de Canadese regering reeds het jaar daarvoor begonnen was – een campagne, bedoeld om de bossen van de sparreknopworm te bevrijden. Dit insect hoort thuis in Canada en leeft op verschillende soorten eeuwig-groene planten en bomen. In het oosten van dit land schijnt het elke 35 jaar bijzonder overvloedig voor te komen. De eerste jaren na 1950 hadden ook zulk een opleving van de knopwormbevolking te zien gegeven. Om dit te bestrijden, was men, eerst op kleine schaal, met de bespuiting met DDT begonnen en in 1953 werd de intensiviteit van de campagne plotseling sterk opgevoerd. Honderdduizenden hectaren bos werden besproeid in plaats van, zoals eerst, honderden hectaren, om te pogen de sparren te redden, die de grondslag vormen voor de pulp- en papierindustrie.

Dus bezochten de vliegtuigen gedurende de maand juni 1954 de bossen van het noordwestelijke stroomgebied van de Miramichi en witte wolken mist van neerdalend stof markeerden de route, die zij kriskras door de lucht hadden afgelegd. De besproeiingsstof – een half Engels pond per 4.000 vierkante meter in een olie-oplossing – sijpelde langzaam door de sparrebossen naar beneden en een deel ervan bereikte uiteindelijk de grond en de kabbelende beken. De piloten van de vliegtuigen, die zich alleen bezig hielden met de hun opgedragen taak, deden geen enkele poging om de rivieren te vermijden of de besproeiingskranen af te sluiten als ze overvlogen. Maar aangezien de nevel zelfs met de geringste luchtstroom meegaat, zou het resultaat niet veel anders zijn geweest als ze er wel aan hadden gedacht.

Al heel gauw na de besproeiing waren er onmiskenbare tekenen, dat niet alles in orde was. Binnen twee dagen werden dode en stervende vissen langs de oever van de rivier gevonden, met inbegrip van jonge zalm. Er was ook forel onder de dode vis en langs de wegen en in de bossen zag men stervende vogels. Alle leven in de rivier was verdwenen. Vóór de besproeiing was er een rijke variatie van waterleven geweest, dat voedsel betekent voor de zalm en de forel: larven van de kokerjuffer, die in los samenhangende, beschermde huisjes van bladeren, stengels of kiezel leven, die worden samen gehouden door speeksel, de poppen van de Perlidae, die vastzitten op de rotsen van de snelvlietende stroom en de wormachtige larven van de kriebelmug, die zich vastzetten op de stenen in de stroomversnellingen of daar waar het water over steil afhangende rotsen loopt. Maar nu waren de insecten uit de rivier dood, vergiftigd door DDT en er was niets te eten voor de jonge zalm.

Het is niet verwonderlijk dat in deze omgeving van dood en verwoesting ook de zalm niet kon ontsnappen aan de algemene vernietiging. Tegen augustus was er niet één zalm meer over van die, welke in dat voorjaar in het bed van kiezel waren geboren. De iets oudere vissen, degenen die een of twee jaar eerder waren uitgekomen, maakten het niet veel beter. Van elke zes jongen van het broed van 1953, die in de rivier aanwezig waren geweest voordat de vliegtuigen kwamen, bleef er slechts één over. De jonge zalmen van het broed van 1952, die bijna zo ver waren dat ze naar zee konden, verloren een derde van hun oorspronkelijke aantal.

Deze feiten zijn zo precies bekend omdat de 'Fisheries Research Board' van Canada sedert 1950 zalmwaarnemingen in dit gebied had verricht. Elk jaar was een telling gemaakt van de vissen, die in de rivier leefden. De biologische documentatie gaf het aantal volwassen zalmen aan, dat stroomopwaarts trok om kuit te schieten, het aantal jongen van elke leeftijdsgroep, dat aanwezig was in de rivier en de grootte van de normale vissenbevolking, niet alleen van de zalm, maar ook van andere soorten. Met deze volledige documentatie van de condities, die vóór de besproeiing bestonden, was het mogelijk om de schade door deze bespuiting aangebracht, met een nauwkeurigheid vast te stellen, die bijna nergens geëvenaard kan worden.

Het rapport bevatte meer dan alleen de verliescijfers van jonge vis; het onthulde een ernstige verandering in de rivieren en beken zelf. Herhaalde besproeiing heeft thans de structuur van de rivier veranderd en alle waterinsecten, die het voedsel van zalm en forel uitmaken, zijn gedood. Zelfs na een enkele besproeiing is geruime tijd nodig om de meeste insecten in staat te stellen zich in voldoende mate te vermenigvuldigen om een normale zalmbevolking in stand te houden, een tijd, die eerder in jaren wordt afgemeten dan in maanden.

De kleinere soorten, zoals kleine muggen en kriebelmuggen, vermenigvuldigen zich vrij snel. Ze vormen geschikt voedsel voor de allerkleinste zalm, het broedsel van enige maanden oud. Maar er bestaat niet zo'n spoedig herstel van de grotere waterinsecten, waarvan de tweejarige en driejarige zalm afhankelijk is. Tot deze groep behoren de larven van de kokerjuffers, de Perlidae en de meivliegen. Zelfs in het tweede jaar nadat de DDT een rivier is binnengedrongen, zou een naar voedsel zoekende jonge zalm moeite hebben meer dan enkele kleine Perlidae te vinden. Er zouden geen volwassen Perlidae zijn, geen meivliegen, geen kokerjuffers. Teneinde dit natuurlijke voedsel toch beschikbaar te stellen, hebben de Canadezen geprobeerd om larven van de kokerjuffer en andere insecten over te brengen naar de getroffen omgeving van de Miramichi. Maar het spreekt vanzelf dat zulke transplantaties weer verdwijnen als er opnieuw besproeid moet worden.

In plaats van te verdwijnen, zoals werd verwacht, bleek de knopwormbevolking erg hardnekkig en tussen 1955 en 1957 werd de besproeiing in verschillende delen van New Brunswick en Quebec herhaald; sommige plekken werden niet minder dan drie keer bespoten. Hoewel de besproeiing toen bij wijze van proef werd stopgezet, leidde een plotselinge vermeerdering van knopwormen tot een hernieuwde campagne in 1960 en 1961. Het is nog nergens bewezen, dat chemische besproeiing tegen knopworm meer is dan een tijdelijke maatregel, bedoeld om de bomen van de dood te redden door ontbladering over verscheidene achtereenvolgende jaren, en dus zal de bijkomstige uitwerking zich blijven laten voelen zolang de besproeiing doorgaat. In een poging om de vernietiging van de visstand te verminderen, hebben de Canadese bosbouwautoriteiten de concentratie van het DDT verlaagd van ½ Engelse pond tot ¼ pond per 4.000 m², zulks op aanbeveling van de 'Fisheries Research Board'. (In de Verenigde Staten geldt de standaard kwantiteit van het hoogst giftige pond per acre systeem nog steeds.) Thans, na verschillende jaren van waarnemingen, hebben de Canadezen een zekere evenwichtsituatie bereikt, maar een situatie die weinig kan bieden aan de zalmvissers als tenminste de besproeiingen worden voortgezet.

Een bijzonder ongewone samenloop van omstandigheden heeft tot dusver de waterloop van de noordwestelijke takken van de Miramichi gered van de verwachte vernietiging – een constellatie van gebeurtenissen, die zich misschien slechts één keer per eeuw voordoet. Het is belangrijk om te begrijpen wat er is gebeurd en de reden waarom het is gebeurd.

Zoals we hebben gezien, werd de loop van deze tak van de Miramichi in 1954 zwaar besproeid. Daarna was de gehele bovenloop van deze tak, met uitzondering van een smalle rand in 1956, uitgesloten van de campagne. In de herfst van 1954 speelde een tropische storm een rol ten gunste van de Miramichi zalm. De orkaan Edna, die tot het einde van zijn weg naar het noorden nauwelijks in hevigheid afnam, bracht wolkbreuken in de kustgebieden van New England en Canada. De daaruit ontstane overstromingen van de rivier zorgden voor een toevoer van zoet water tot ver in de oceaan en lokten ongewone aantallen zalm binnenslands. Daardoor kwam er in de kiezelbodem van de stromen, die de zalm voor het kuitschieten uitzoekt, een ongewone overvloed aan eieren. De jonge zalm, die in dat gebied in het voorjaar 1955 werd geboren, vond er omstandigheden die praktisch ideaal te noemen waren. Hoewel de DDT het jaar tevoren alle waterinsecten gedood had, waren de kleine muggen en kriebelmuggen in grote aantallen teruggekomen. En zij behoren tot het dagelijkse voedsel van de baby-zalm. Het zalmbroedsel van dat jaar vond niet alleen overvloedig eten, maar er waren bovendien weinig concurrenten. Dit kwam door het wrede feit, dat de oudere zalm door de besproeiing van 1954 was gedood. Hierdoor groeide het broedsel van 1955 zeer snel en bleef in uitzonderlijke aantallen leven. Ze ontwikkelden zich snel en gingen al jong zeewaarts. Velen van hen keerden in 1959 terug om in hun geboorterivier een grote toeloop van tweedejaars zalm te vertonen.

Als de zijrivieren van de noordwestelijke Miramichi in betrekkelijk goede conditie zijn, dan is dat alleen omdat de besproeiing er slechts een jaar plaats vond. De gevolgen van herhaalde besproeiing kunnen duidelijk van de andere takken van het stroomgebied worden afgelezen. Daar is een onrustbarende teruggang in de zalmbevolking aan de gang.

In alle besproeide zijrivieren is jonge zalm van elke afmeting schaars. De jongste generatie is dikwijls 'praktisch uitgeroeid', zeggen de biologen. In de voornaamste zuidwestelijke zijrivier van de Miramichi, die in 1956 en 1957 werd besproeid, was de vangst in 1959 de laagste van een tiental jaren. De vissers merkten de buitengewone schaarste aan tweejarige zalm op – dat is de jongste groep van de terugkerende vis. Bij de sorteerinstallatie in de monding van de Miramichi werd in 1959 een vierde van het aantal tweejarige zalm van het jaar tevoren geteld. In 1959 produceerde de hele loop van de Miramichi slechts 600.000 jonge zalmen van twee jaar, die klaar zijn om zeewaarts te gaan. Dit was minder dan een derde van de drie voorafgaande jaren.

Tegen deze achtergrond gezien, zou de toekomst van de zalmvisserij in New Brunswick wel eens kunnen afhangen van het feit of er een vervangingsmiddel voor DDT kan worden gevonden om de bossen te bespuiten.

De situatie in het oostelijke deel van Canada is niet uniek, behalve misschien dan wat betreft de uitgebreidheid van de besproeiing der bossen en de rijkdom aan feiten, die kon worden verzameld. De staat Maine heeft ook zijn wouden met sparren en balsem en daarmee het probleem om de bosinsecten te bestrijden. Maine heeft ook zijn scholen zalm, een overblijfsel van de prachtige scholen van vroeger, maar een restant dat met moeite in stand is gehouden door het werk van biologen en natuurbeschermers, die het onmogelijke gedaan hebben om iets van de natuurlijke woonplaats voor de zalm te bewaren in wateren, die overvol zijn van industriële vervuiling en opgepropt met boomstammen. Hoewel men heeft getracht door besproeiing de alom aanwezige knopworm te bestrijden, zijn de behandelde gebieden betrekkelijk klein geweest en men heeft tot nu toe nog niet de broedplaatsen van zalm in de campagnes betrokken. Maar wat er gebeurd is met de riviervis, die door het departement van 'Inland Fisheries and Game' in een areaal is geobserveerd, is wellicht een teken aan de wand.

Het departement deelt mede, dat 'onmiddellijk na de besproeiing van 1958 grote aantallen stervende zuigvissen werden aangetroffen in 'Big Goddard Brook'. Deze vissen vertoonden de typische symptomen van DDT vergiftiging; zij zwommen wild in het rond, snakten bij de oppervlakte naar adem en vertoonden trillingen en stuiptrekkingen. De eerste vijf dagen na de besproeiing werden 668 zuigvissen tussen twee versperringsnetten opgehaald. Watersalamanders en zuigvissen werden ook in grote aantallen gedood in Little Goddard, Carry, Alder en Blake Brooks. Men kon dikwijls vis zien, die zich verslapt en stervend stroomafwaarts liet drijven. Soms zag men blinde en stervende forel, die zich meer dan een week na de besproeiing passief liet afdrijven.'

(Het feit, dat DDT blindheid bij vissen kan veroorzaken, wordt door verschillende onderzoekingen gestaafd. Een Canadese bioloog, die de besproeiing op het noordelijk deel van het eiland van Vancouver observeerde, deelde mede, dat de forel met de hand uit het water kon worden gepakt, want de vis bewoog zich sloom en deed geen pogingen om te ontsnappen. Bij het onderzoek vond men een ondoorschijnende witte film over het oog, die er op wees dat het gezichtsvermogen was verminderd of vernietigd. Laboratoriumproeven door het Canadese departement van Visserij toonden aan, dat bijna alle vis (Coho zalm), die niet was gedood door kleine concentraties DDT (3 delen per miljoen), symptomen van blindheid vertoonde bij een opmerkelijke ondoorzichtigheid van de ooglens.)

Waar er ook maar uitgebreide bossen zijn, bedreigen de moderne insectenbestrijdingsmethoden de vissen, die in de riviertjes in de schaduw van de bomen huizen. Een van de bekendste voorbeelden van visvernietiging in de Verenigde Staten vond plaats in 1955, ten gevolge van besproeiingen in en bij het Yellowstone National Park. Tegen de herfst van dat jaar waren er zoveel dode vissen in de Yellowstone Rivier gevonden, dat sportvissers en vis- en wildopzichters ongerust werden. Ongeveer 135 kilometer rivier was aangetast. In een stuk van 300 meter oeverlengte werden 600 dode vissen geteld, waaronder forel, wijting en zuigvissen. Waterinsecten, het natuurlijke voedsel voor de forel, waren verdwenen.

Ambtenaren van de 'Forest Service' verklaarden, dat zij hadden gehandeld overeenkomstig een advies, dat 1 pond DDT per 4.000 m² 'veilig' was. Maar de resultaten van de besproeiing waren dusdanig, dat iedereen er van overtuigd zou moeten zijn, dat het advies verre van betrouwbaar was. Een vergelijkende studie werd in 1956 ondernomen door het 'Fish & Game Department' in Montana en twee regeringsinstanties, de 'Fish & Wildlife Service' en de 'Forest Service'. De besproeiingen in Montana bereikten dat jaar een gebied van 360.000 hectare; een iets minder groot gebied werd in 1957 eveneens behandeld. De biologen hadden derhalve geen moeite om een terrein voor hun studie uit te zoeken.

De dood kondigde zich, zoals altijd, aan door de geur van DDT in de bossen, een olielaagje over het wateroppervlak en dode forel langs de oevers. Alle onderzochte vissen, dode en levende, hadden DDT in hun weefsels. Evenals in Oost-Canada, was een van de ernstigste gevolgen van de besproeiing de grote teruggang van voedselorganismen. In vele onderzochte gebieden was het aantal waterinsecten en de overige rivierfauna tot een tiende van normaal teruggelopen. Eenmaal vernietigd, doet deze insectenbevolking, die zo essentieel is voor het in stand houden van de forel, er lang over om weer op peil te komen. Zelfs tegen het einde van de tweede zomer na de besproeiing waren er slechts schriele hoeveelheden waterinsecten en de rivier, die eens rijk aan bodemfauna was geweest, bevatte toen nauwelijks iets. In deze rivier was de vis met 80 % gereduceerd.

De vissen behoeven niet onmiddellijk dood te gaan. Neen, de uitgestelde sterfte kan grotere aantallen omvatten dan de onmiddellijke dood en, zo ontdekten de biologen van Montana, dit kan dan onopgemerkt blijven omdat de dood intreedt na het visseizoen. Een grote sterfte vond plaats onder de vis die in de herfst kuit schiet en omvatte forel en wijting. Dit is niet te verwonderen, want ten tijde van fysiologische spanning verbruikt elk organisme, of het nu een vis of een mens is, energie die aan het aanwezige vet in het lichaam wordt onttrokken. En derhalve wordt de volledige giftigheid van de DDT, die in de weefsels aanwezig is, in werking gesteld.

Het was derhalve meer dan duidelijk, dat besproeiing in een concentratie van een Engels pond DDT per 4.000 m² een ernstige bedreiging van de visstand in de bosriviertjes inhield. En wat meer zegt, de bestrijding van de knopworm was niet gelukt en grote gebieden stonden op de nominatie opnieuw besproeid te worden. Het 'Fish and Game Department' in Montana uitte ernstige bezwaren tegen verdere behandeling, en zei, dat het 'er niet aan dacht om de sportvisserij op te offeren aan campagnes van twijfelachtige noodzaak en nog twijfelachtiger succes.' Deze instantie verklaarde echter tevens, dat het met de 'Forest Service' zou blijven samenwerken om methoden te zoeken, die de nadelige gevolgen tot een minimum zouden kunnen terugbrengen.'

Maar kan zulk een samenwerking nu werkelijk de vis redden? Een ervaring uit Brits Columbia spreekt in dit verband boekdelen. Daar had al enige jaren de knopworm hevig huisgehouden. Autoriteiten op het gebied van de houtvesterij, die vreesden dat nog een seizoen van ontbladering een ernstig verlies aan bomen ten gevolge zou hebben, besloten in 1957 bestrijdingsmaatregelen toe te passen. Er werd druk met het 'Game Department' overleg gepleegd, want de ambtenaren van dit departement waren bevreesd voor de zalm. De 'Forest Biology Division' beloofde de besproeiingscampagne zo sterk mogelijk te beperken, als tenminste daardoor niet het beoogde resultaat zou worden beinvloed. Zulks om het risico voor de vis zo klein mogelijk te maken.

Niettegenstaande deze voorzorgsmaatregelen en ondanks het feit, dat inderdaad een oprechte poging werd gedaan om de visstand niet te hinderen, *werd in tenminste vier belangrijke rivieren bijna 100 percent van de zalm gedood.*

In een van de rivieren werden de jongen van een school van 40.000 volwassen Coho zalmen bijna geheel vernietigd. Hetzelfde geldt voor de jongere exemplaren van verscheidene duizenden blauwe forellen en andere soorten forel. De Coho zalm heeft een driejarige levenscyclus en de scholen zijn bijna uitsluitend uit vis van een enkele leeftijdsgroep samengesteld. Deze zalm heeft een sterk ontwikkeld instinct voor zijn eigen vaste plaats, net zoals trouwens alle andere zalm, en keert steeds terug naar de rivier waar hij is geboren. Dit betekent dus, dat elke drie jaar de scholen zalm in deze rivier afwezig zullen zijn, totdat een zorgvuldig beheer, bijvoorbeeld door kunstmatige voortplanting of andere soortgelijke maatregelen, in staat zal zijn deze commercieel belangrijke vissoort op de been te helpen.

Er zijn manieren om dit probleem op te lossen – om de bossen in stand te houden en ook de vis te sparen. Klakkeloos aannemen, dat wij onze waterwegen in rivieren des doods moeten veranderen, betekent dat wij ons overgeven aan wanhoop en défaitisme. We moeten meer gebruik maken van andere thans bekende methoden en wij moeten onze intelligentie en kennis inschakelen om een andere bestrijding te ontwikkelen. Er bestaan bekende gevallen, waar een natuurlijke parasiet de knopworm op effectievere manier bestreden heeft dan besproeiingen. Zulke natuurlijke bestrijdingsmiddelen moeten ten volle worden benut. Er bestaan ook mogelijkheden om minder giftige besproeiingsstoffen te gebruiken, of nog beter, micro-organismen te introduceren die ziekten onder de knopworm doen ontstaan zonder het gehele stramien van het bosleven te vernietigen. We zullen later zien wat er voor andere methoden zijn en wat zij beogen. Ondertussen moet men zich wel realiseren dat de chemische verdelging van in bossen levende insecten noch de enige manier van bestrijding is, noch de beste.

De dreiging van de bestrijdingsmiddelen voor de visstand kan in drie delen worden onderscheiden. Het ene, zoals we hebben gezien, houdt verband met de vis in de stromende rivieren van noordelijke bossen en het op zichzelf staande probleem van bosbespuiting. Het is praktisch uitsluitend beperkt tot de gevolgen van DDT. Een ander probleem bestrijkt een enorm gebied, dat gevarieerd en wijd verspreid is, want het heeft betrekking op verschillende soorten vis: baars, zonnebaars, crappies, zuigvis en andere, die allerlei stilstaande en stromende wateren in vele delen van het land bevolken. Het houdt tevens verband met het gehele gamma van insecticiden, dat op het ogenblik in de landbouw gebruikt wordt, hoewel enkele hoofdschuldigen zoals endrin, toxaphene, dieldrin en heptachloor aanwijsbaar zijn. En een ander probleem moet thans onder ogen worden gezien; het heeft betrekking op wat, zoals wij logischerwijze moeten aannemen, er in de toekomst zal gebeuren, want de studies, die de feiten zullen moeten blootleggen, zijn pas aangevangen. Deze studie houdt verband met de vis in de wadden, baaien en zeearmen.

Het was onvermijdelijk dat een ernstige vernietiging van de visstand zou volgen op het uitgebreide gebruik van de nieuwe organische bestrijdingsmiddelen. Vissen zijn uitzonderlijk gevoelig voor gechloreerde koolwaterstoffen, die het merendeel van de moderne insecticiden uitmaken. En als miljoenen tonnen giftige chemicaliën over de oppervlakte van het land worden uitgestrooid dan is het onvermijdelijk dat een deel hiervan terecht komt in de oneindige watercyclus die zich tussen land en zee beweegt.

Rapporten over sterfte onder de vis, die soms onheilspellende afmetingen heeft aangenomen, zijn nu zo algemeen geworden in de Verenigde Staten, dat de 'Public Health Service' een bureau heeft opgericht om dergelijke berichten van de verschillende staten te coördineren ten behoeve van maatregelen tegen watervervuiling.

Het is een probleem, dat veel mensen aangaat. Ongeveer 25 miljoen Amerikanen vinden vissen een belangrijke vorm van recreatie en nog eens 15 miljoen zijn af en toe eens hengelaar. Deze mensen betalen jaarlijks drie miljard dollar aan vergunningen, visgerei, boten, kampeeruitrustingen, benzine en hotels en pensions. Alles wat deze sport onmogelijk zou maken, zou ook van invloed zijn op een groot aantal economische belangen. De beroepsvisserij vertegenwoordigt ook zulk een belang, en wat van meer betekenis is, een voorname bron van voedsel. De zoetwater- en kustvisserij (exclusief de zeevisserij) brengt ongeveer drie miljard pond per jaar op. Zoals we zullen zien, vormt de invasie van bestrijdingsmiddelen in de rivieren, vijvers, beken en baaien een ernstige bedreiging voor de amateur- en commerciële visserij.

Voorbeelden van de vernietiging van vis door landbouwbesproeiingen en -bespuitingen kunnen overal worden aangetroffen. In Californië, bij voorbeeld, volgde de dood van ongeveer 60.000 vissen, voor het merendeel baars en zonnebaars, op een poging om een bladparasiet op rijst met dieldrin te verdelgen. In Louisiana waren er meer dan dertig gevallen van grote vissterfte in slechts een jaar tijds (1960) omdat de endrin in suikerrietvelden was gebruikt. In Pennsylvania is grote sterfte onder de vis voorgekomen door het gebruik van endrin in boomgaarden om de muizen tegen te gaan. Het gebruik van chloordaan ter verdelging van de sprinkhaan op de westelijke hoogvlakten heeft de dood van veel riviervis ten gevolge gehad.

Waarschijnlijk bestaat er geen op groter schaal uitgevoerde landbouwcampagne dan de besproeiing en bespuiting van honderdduizenden hectaren in het zuiden van de Verenigde Staten ter verdelging van de gloeimier. De meestal gebruikte heptachloor is slechts een beetje minder giftig voor vis dan DDT. Dieldrin, een ander gebruikt bestrijdingsmiddel, is welbekend om zijn uitzonderlijke gevaar voor alle waterleven. Slechts endrin en toxaphene vertegenwoordigen een nog groter gevaar voor vis.

Uit alle delen van het bestrijdingsgebied van de gloeimier, of ze nu met heptachloor of dieldrin behandeld waren, kwamen onrustbarende berichten over het waterleven. Enkele uittreksels mogen een idee geven van de rapporten van biologen, die de schade in onderzoek hadden: Uit Texas, 'Grote verliezen aan waterleven ondanks pogingen om de kanalen te beschermen', 'Dode vis . . . kwam in alle water voor, dat behandeld was', 'De vissterfte was groot en ging wel drie weken door'. Uit Alabama, 'Bijna alle volwassen vis werd gedood (in Wilcox county) binnen slechts enkele dagen na de behandeling', 'De vis in 's zomers opdrogende rivierbeddingen en kleine zijriviertjes bleek volledig uitgeroeid te zijn.' In Louisiana klaagden de kwekers over verliezen in hun vijvers. Langs een kanaal werden over een afstand van minder dan vierhonderd meter meer dan 500 dode vissen drijvend of liggend op de oever aangetroffen. In een ander district konden

150 dode zonnebaarzen worden geteld op iedere vier die in leven bleven. Vijf andere soorten bleken volledig uitgeroeid te zijn.

In Florida ontdekte men dat vis uit de vijvers van een behandeld gebied residuen heptachloor en een daarvan afgeleide chemische stof, heptachloor epoxide, bevatte. Onder deze vis bevonden zich zonnebaars en baars, die het geliefkoosde doel zijn van hengelaars en derhalve gewoonlijk wel een weg naar de eettafel vinden. Maar de chemicaliën, die zij bevatten, behoren tot de stoffen die de 'Food & Drug Administration' te gevaarlijk vindt voor menselijke consumptie, zelfs in uiterst kleine hoeveelheden.

De berichten over de sterfte onder vissen, kikkers en ander waterleven waren dermate overvloedig, dat de 'American Society of Ichthyologists and Herpetologists', een eerbiedwaardig wetenschappelijk instituut dat zich bezighoudt met de studie van vissen, reptielen en amfibieën, in 1958 een resolutie aannam om een beroep te doen op het Ministerie van Landbouw en de daarbij aangesloten staatsinstellingen, de 'uitstrooiing uit de lucht van heptachloor, dieldrin en soortgelijke vergiften te doen stopzetten voordat onherstelbare schade is aangericht.' De vereniging wees op de grote verscheidenheid aan vissoorten en ander leven, die het zuidoosten van de Verenigde Staten bewoont en die soorten bevat die nergens meer ter wereld voorkomen. 'Veel van deze dieren', waarschuwde de vereniging, 'bewonen slechts kleine gebieden en kunnen derhalve gemakkelijk volledig worden uitgeroeid.'

De vis uit de zuidelijke staten heeft ook ernstig geleden van de insecticiden, die tegen insecten op de katoen worden gebruikt. De zomer van 1950 was een seizoen van onheil in de katoengebieden van noordelijk Alabama. Vóór dit jaar was er slechts een beperkt gebruik gemaakt van organische insecticiden ter bestrijding van de katoenkever. Maar in 1950 waren er door een periode van zachte winters zoveel van deze katoenkevers, dat een aantal van wel 80 tot 95 % van de boeren, aangespoord door districtsvertegenwoordigers, overging tot het gebruik van insecticiden. De chemische stof, die bij de boeren het meest in trek was, was toxaphene, behorend tot de meest giftige stoffen voor vis.

Er was die zomer een veelvuldige en zware regenval. Deze spoelde de chemicaliën naar de rivieren en als dit was gebeurd, gebruikten de boeren nog meer. Gemiddeld kreeg elke duizend vierkante meter dat jaar 15 pond toxaphene. Sommige boeren gebruikten wel 50 pond per 1.000 vierkante meter; één boer, in zijn uitbundige ijver, gebruikte meer dan zestig pond per 1.000 vierkante meter.

De gevolgen hadden gemakkelijk voorspeld kunnen worden.

Wat er in Flint Creek gebeurde, waar de rivier door 75 kilometer Alabama katoenvelden stroomt alvorens in het Wheeler Reservoir uit te komen, is een typisch voorbeeld voor het hele gebied. Op 1 augustus daalden enorme regenbuien neer op de waterscheiding bij Flint Creek. In straaltjes, beekjes en tenslotte in stromen vloeide het water van het land naar de rivieren. De waterhoogte rees in Flint Creek 15 centimeter. De volgende morgen bleek dat er meer dan regen naar de rivieren was afgevloeid. De vissen zwommen doelloos in het rond, vlak bij de oppervlakte. Soms verhief er een zich uit het water en kwam op de oever terecht. Ze konden gemakkelijk worden gevangen; een boer pikte er verschillende op en bracht ze naar een kleine vijver, die door een bron werd gevoed. Daar, in het heldere water, herstelden deze paar vissen zich. Maar in de rivier dreven de hele dag dode vissen. En dit was nog slechts een voorspel, want elke regenbui spoelde meer insecticide naar de rivier, en weer werd dan vis gedood. De regenbuien van 10 augustus hadden zulk een grote vissterfte in de rivier tengevolge, dat er slechts weinigen over waren om het slachtoffer te worden van een nieuwe gifaanval op de rivier, die op 15 augustus plaats had. Maar het bewijs van de aanwezigheid der dodende chemicaliën werd geleverd door proefgoudvissen in kooien in de rivier uit te zetten; ze waren binnen een dag dood.

De ten dode gedoemde vis uit Flint Creek omvatte grote aantallen witte crappies, geliefkoosd bij de hengelaars. Dode baars en zonnebaars werden ook gevonden, speciaal in het Wheeler Reservoir, waar Flint Creek in uitkomt. Alle grote vis van deze wateren werd eveneens vernietigd: de karper, de buffelvis, de trommelvis, de elft en de meerval. Geen van deze vissen vertoonde ziekteverschijnselen, alleen stuiptrekkende bewegingen en een vreemde wijnrode kleur aan de kieuwen.

In de warme, beschutte vijvers van de viskwekerijen zijn de condities zeer waarschijnlijk gunstig voor visvergiftiging als er insecticiden in de nabijheid worden gebruikt. Zoals de voorbeelden aantonen, wordt het gif door de regen en de afvloeiing aangevoerd. Soms krijgen de vijvers niet alleen giftig afvloeiwater, maar ook nog een directe dosis van de piloten der besproeiingsvliegtuigen, die er niet aan denken de knop van hun spuitinstallatie om te draaien als ze over de vijvers vliegen. Zelfs zonder deze complicaties gebruikt de landbouw genoeg insecticiden om de vis bloot te stellen aan veel grotere concentraties dan nodig zijn om te doden. Met andere woorden, een aanzienlijke vermindering van het aantal gebruikte ponden zou nauwelijks de giftige situatie veranderen, want een behandeling van de vijver met meer dan een tiende pond per vierduizend vierkante meter wordt over het algemeen al gevaarlijk geacht. En als het gif eenmaal is doorgedrongen, raakt men het moeilijk weer kwijt. Een vijver, die met DDT was behandeld om ongewenste glansvissen te verdelgen, bleef door de herhaalde afvoer en aanvoer van water zo giftig, dat 94 percent van de zonnebaars, die er later in werd uitgezet, stierf. Klaarblijkelijk was de chemische stof in de modder van de vijver blijven zitten.

De omstandigheden zijn thans niet veel beter dan toen de moderne insecticiden voor het eerst in toepassing werden gebracht. De 'Wildlife Conservation Department' in Oklahoma stelde in 1961 vast, dat de meldingen van vissterfte in de vijvers en kleine meren van viskwekerijen met een gemiddelde van een per week binnenkwamen en dat deze meldingen in aantal toenamen. De omstandigheden die meestal debet waren aan deze verliezen in Oklahoma waren dezelfde als die, welke bij herhaling door de jaren heen bekend waren geworden: de toepassing van insecticiden op de oogst, hevige regens en de afvloeiing van gif naar de visvijvers.

In sommige delen van de wereld betekent de kunstmatige teelt van vis in grote vijvers een niet te verwaarlozen bron van voedsel. Op zulke plaatsen schept het gebruik van insecticiden zonder op de gevolgen voor de vis te letten, grote problemen. In Rhodesia bijvoorbeeld, zijn de jongen van een belangrijke, tot voedsel dienende vis, de Kafue brasem, door het blootstellen daarvan aan slechts een vijfentwintigste deel per miljoen DDT in ondiepe poelen, doodgegaan. Zelfs nog kleinere doses van veel andere insecticiden kunnen dodelijk zijn. De ondiepe wateren, waarin deze vis leeft, zijn geliefde muskietenbroedplaatsen. Het probleem van de muskietenbestrijding en de visbescherming tegelijkertijd is belangrijk voor het Centraal-Afrikaanse voedselpakket en het is klaarblijkelijk nog niet tot volle tevredenheid opgelost. De kwekers van bandeng in de Philippijnen, China, Vietnam, Thailand, Indonesië en India staan voor eenzelfde probleem. De bandeng wordt in ondiepe vijvers langs de kusten van deze landen tot ontwikkeling gebracht. Scholen jonge vis verschijnen plotseling in de kustwateren (niemand weet waar ze vandaan komen), worden opgeschept en in afgesloten poelen gebracht, waar ze hun groei kunnen voltooien.

Deze vis is zo belangrijk als bron van proteïne voor de rijstetende miljoenen van Zuidoost-Azië en India, dat het 'Pacific Science Congress' heeft aanbevolen een internationale poging te ondernemen om de thans nog onbekende broedgronden te vinden, teneinde het kweken van deze vis op grote schaal te bevorderen.

En toch hebben besproeiingen ernstige schade toegebracht aan de bestaande kweekplaatsen. In de Philippijnen heeft de bespuiting vanuit de lucht ter verdelging van de muskiet vijverbezitters zware verliezen berokkend. In een van deze kweekplaatsen, die 120.000 bandengs bevatte, stierf meer dan de helft van de vis nadat een besproeiingsvliegtuig was over gevlogen, niettegenstaande de kweker wanhopige pogingen had ondernomen om het gif te verdunnen door het vijverwater te verversen.

Een van de meest spectaculaire vissterften van de laatste jaren vond in 1961 plaats in de Colorado rivier bij Austin, Texas. Kort na de aanvang van de morgen, op zondag 15 januari, verscheen er dode vis in Austin in het nieuwe Town Lake en in de rivier tot over een afstand van ongeveer 7½ kilometer stroomafwaarts van het meer. De dag tevoren was er nog niet een gezien. Op de daarop volgende maandag kwamen er meldingen binnen van dode vissen op een plek, die 75 kilometer van het meer stroomafwaarts gelegen was. Toen werd het duidelijk dat een hoeveelheid giftige stof met het rivierwater stroomafwaarts vloeide. Op 21 januari werd dode vis aangetroffen bij La Grange, op een afstand van 150 kilometer stroomafwaarts en een week later deden de chemicaliën hun giftig werk op een afstand van 300 kilometer van Austin. Gedurende de laatste week van januari werden de sluizen bij de Intracoastal Waterway gesloten om de giftige wateren uit de Matagorda Baai te houden en hen in de golf van Mexico te lozen.

Ondertussen hadden de onderzoekende instanties in Austin een lucht waargenomen, die op die van de insecticiden chloordaan en toxaphene leek. Deze lucht was speciaal geprononceerd bij de uitmonding van een van de grote riolen. Om dit riool waren in het verleden reeds moeilijkheden geweest met industrieel afvalwater en toen beambten van de 'Game and Fish Commission' in Texas het riool van het meer af terug volgden, namen zij bij alle openingen tot aan de aanvoerpijp van een chemische fabriek een lucht waar, die leek op benzeenhexachloride. Onder de belangrijkste produkten van deze fabriek kunnen DDT, benzeenhexachloride, chloordaan en toxaphene worden genoemd, te zamen met kleinere hoeveelheden van andere insecticiden. De bedrijfsleider van de fabriek gaf toe, dat kort geleden hoeveelheden insecticiden in poedervorm door het riool waren afgevoerd en, hetgeen nog belangrijker is, hij erkende dat dit weggooien van gemorste en overgebleven insecticide gedurende de laatste 10 jaren geregeld had plaats gevonden.

Bij verder onderzoek vonden de visserijbeambten nog andere fabrieken, vanwaar de regen of normaal schoonmaakwater insecticiden naar het riool kon brengen. Het feit, dat de laatste schakel van de keten bleek te zijn, was echter de ontdekking dat enkele dagen voordat het water in meer en rivier dodelijk voor de vis was geworden, de gehele rioolinstallatie met vele miljoenen liters water onder hoge druk was doorgespoeld om het van vuil en residuen te ontdoen. Deze doorspoeling had ongetwijfeld insecticiden losgelaten, die in de hopen kiezel, zand en puin waren achtergebleven, en deze naar het meer en vandaar naar de rivier gebracht, waar chemische proeven dan ook de aanwezigheid ervan aantoonden.

De giftige massa, die de Colorado rivier afdreef, bracht de dood met zich mee. Op een afstand van 220 kilometer van het meer moet de sterfte onder de vis wel zowat compleet geweest zijn, want toen er zegens werden ingeschakeld om te kijken of er nog vis aan de dood was ontsnapt, werden ze leeg opgehaald. 27 verschillende soorten dode vis werden waargenomen, hetgeen overeen komt met een hoeveelheid van ongeveer 1.000 pond per 1½ kilometer rivier. Er was een speciaal soort grote karper bij, de voornaamste vis van de rivier. Er waren blauwe en grote meervallen, dikkop meervallen, vier soorten zonnebaars, glanskarpers, witvissen, forelbaarzen, karpers, harders, zuigvissen. Er was paling, beensnoek, karperzuigvis, elft en buffelvis. Er bevonden zich knapen onder, die wel de patriarchen der rivier moeten zijn geweest, vissen – die naar hun afmetingen te oordelen – een hoge ouderdom gehad moeten hebben: grote meervallen van meer dan 25 pond – sommige vissen van 60 pond zijn volgens de langs de rivier wonende mensen gevonden – en een reusachtige blauwe meerval, die officieel met een gewicht van 84 pond te boek staat.

De 'Game and Fish Commission' voorspelde dat zelfs zonder verdere verontreiniging de visverhoudingen in de rivier voor jaren veranderd zouden zijn. Sommige soorten – degenen, die aan de rand van hun natuurlijk bereik leefden – zouden wel eens nimmer terug kunnen keren en de anderen zouden dit slechts kunnen doen met behulp van uitgebreide uitzettingscampagnes door de staat.

Dit is wat van het visonheil in Austin bekend is, maar er moet vrijwel zeker nog een gevolg zijn. Het giftige rivierwater bezat nog een dodende macht nadat het meer dan 300 kilometer stroomafwaarts had afgelegd. Het werd als te gevaarlijk beschouwd om toegelaten te worden in de wateren van de Matagorda baai, waar oesterbedden zijn en de garnalenvisserij wordt beoefend en dus werd de hele giftige afvloeiing naar de open zee (Golf van Mexico) gevoerd. Wat zijn de gevolgen daar geweest? En hoe is het met de uitmonding van grote aantallen andere rivieren, die wellicht een even giftige verontreiniging hebben?

Op het ogenblik zijn onze antwoorden op deze vragen voor het grootste deel slechts gissingen, maar er bestaat een groeiende bezorgdheid over de rol, die de bestrijdingsmiddelen spelen in zeearmen, kwelders, baaien en andere kustwateren. Deze gebieden ontvangen niet alleen het verontreinigde afval van de rivieren, doch ze worden maar al te dikwijls direct bespoten om muggen en andere insecten tegen te gaan.

Nergens wordt de invloed van chemische verdelgingsmiddelen op kwelders, zeearmen en stille inhammen van de zee beter gedemonstreerd dan aan de oostkust van Florida, in het land van de Indian River. Daar werden in het voorjaar van 1955 ongeveer 800 hectare waddenland in St. Lucie County met dieldrin behandeld om te trachten de larven van de knijt kwijt te raken. De concentratie bedroeg een Engels pond actieve stof per vierduizend vierkante meter. Het gevolg voor het leven in en op het water was catastrofaal. Geleerden van het 'Entomology Research Center' van de 'State Board of Health' bekeken de aangerichte slachting en meldden dat de sterfte onder de vis 'vrijwel compleet was'. Overal lagen er dode vissen op het strand. Vanuit de lucht kon men zien hoe haaien op de kust afkwamen, aangetrokken door de hulpeloze en stervende vis in het water. Geen enkele soort werd gespaard. Onder de dode vis bevonden zich harder, snoek, mojarra en gambusia.

> De minimum sterfte over deze hele kuststreek genomen, met uitzondering van de kustlijn van de Indian River, bedroeg 20 à 30 ton vis of ongeveer 1.175.000 stuks van tenminste 30 verschillende soorten (deelden R. W. Harrington Jr. en W. L. Bidlingmayer van het onderzoekingsteam mede).
>
> Weekdieren schenen van het dieldrin geen last te hebben. Schaaldieren waren vrijwel over het gehele gebied uitgeroeid. De hele waterkrabbevolking was waarschijnlijk vernietigd en de wenkkrab, die bijna verdwenen was, overleefde de gevolgen slechts tijdelijk in stukken wad, die waarschijnlijk niet direct door de korrels getroffen waren.
>
> De grotere vissen gingen zeer snel ter ziele . . . Krabben vielen de zieltogende vis aan en vernietigden hem, maar de volgende dag waren ze zelf dood. Slakken voedden zich met visselijken. Na twee weken was er geen spoor meer te bekennen van de verstrooid liggende dode vis.

Hetzelfde droeve beeld werd afgeschilderd door wijlen Dr. Herbert R. Mills in zijn waarnemingen in Tampa Bay, aan de tegenoverliggende kust van Florida, waar de 'National Aubudon Society' een vogelreservaat voor zeevogels uit de omgeving onderhoudt, waaronder o.a. ook Whiskey Stump Key valt. Het reservaat werd helaas een pover toevluchtsoord nadat de plaatselijke gezondheidsautoriteiten een campagne ondernamen om de kweldermug te verdelgen. Opnieuw waren de vissen en de krabben de voornaamste slachtoffers. De wenkkrab, dat kleine en aardig uitziende schaaldiertje, dat in kudden over de modder- en zandvlakten trekt als grazend vee, kent geen verdedigingsmiddel tegen de besproeiingsapparatuur. Na herhaalde besproeiingen in de zomer- en wintermaanden (sommige gebieden werden wel zestien keer onder behandeling genomen) werd de toestand van de wenkkrab als volgt door Dr. Mills weergegeven: 'Een toenemende schaarste aan wenkkrabben was tegen die tijd waarneembaar geworden. Hadden er ongeveer 100.000 exemplaren bij de heersende getij- en weersomstandigheden moeten zijn, er waren er op 12 oktober nog geen honderd, die overal op het strand konden worden gezien, want ze waren allen ziek of stervend, trillend, stuiptrekkend en nauwelijks in staat om te kruipen. In de aangrenzende, niet-besproeide gebieden waren de wenkkrabben in ruime mate aanwezig.'

De plaats van de wenkkrab in de ecologie van de wereld, waarin hij thuishoort, is een noodzakelijke, die niet gemakkelijk door een andere soort wordt ingenomen. Het is een belangrijke voedselbron voor veel dieren. Wasbeertjes langs de kust eten ze. Hetzelfde doen de vogels-waddenbewoners, zoals de ratelral, kustvogels en zelfs zeevogels. In een van de New Jersey kwelders, die met DDT bespoten was, werd de normale lachmeeuwenbevolking binnen verscheidene weken met 85 % gereduceerd, waarschijnlijk omdat de vogels niet voldoende voedsel konden vinden na de bespuiting. De wenkkrabben zijn ook op een ander gebied belangrijk, want ze zijn nuttige aasdieren en brengen lucht in de modder van de kwelders door hun onophoudelijk gegraaf. Ook verschaffen zij grote hoeveelheden aas aan de vissers.

De wenkkrab is niet het enige schepsel van de wadden en zeearmen dat door de verdelgingsmiddelen bedreigd wordt; andere wezens, die van meer in 't oog springend belang voor de mens zijn, verkeren ook in gevaar. De beroemde blauwe krab van de Chesapeake Bay en andere gebieden langs de Atlantische kust is een goed voorbeeld. Deze krabben zijn zo sterk gevoelig voor insecticiden, dat elke besproeiing van kreken, sloten en vijvers in de getijwateren de meeste van de daar aanwezige dieren doodt. En niet alleen sterven daar de krabben, maar ook de andere, die vanuit zee de bespoten streek binnen zwemmen, komen in het achterblijvende gif om. En soms kan de vergiftiging indirect plaats hebben, zoals in de kwelders bij de Indian River, waar aaskrabben de stervende vis aanvielen, maar al spoedig zelf door het vergif omkwamen. Er is minder bekend over het gevaar voor de kreeft. Maar deze behoort tot dezelfde groep geleedpotigen als de blauwe krab, heeft over het algemeen dezelfde fysiologie en zal waarschijnlijk onder gelijke omstandigheden ook lijden. Dit moet ook gelden voor de St. Augustinus krab en andere schaaldieren, die directe economische betekenis voor de mens hebben als voedsel.

De binnenwateren, de baaien, de zeeëngten, de zeearmen, de wadden, zij vormen een ecologisch geheel van groot belang. Zij zijn zo innig en onverbrekelijk verbonden met het leven van veel vis, weekdieren en schaaldieren, dat als ze voor hen onbewoonbaar zouden worden, deze gerechten van onze tafels zouden verdwijnen.

Zelfs onder de vissen, die een grote verspreiding in de kustwateren hebben, zijn er vele afhankelijk van de beschermende gebieden vlak bij of achter de kust om als kinderkamer en voedselreservoir voor hun jongen te dienen. Kleine tarpon is overvloedig in het hele labyrinth van met mangroven omzoomde riviertjes en kanalen, die langs het zuidelijkste deel van de westkust van Florida lopen. Aan de Atlantische kust zijn het de zeeforel, de kwaakvis en de trommelvis, die op de zandplaten tussen de eilanden of 'banken' liggen. Deze eilanden liggen als een beschermende keten langs een groot deel van de kust ten zuiden van New York.

De jonge vissen worden, als ze uitgekomen zijn, in de tussenliggende wateren door het getij meegenomen. In de baaien en zeeëngten van Currituck, Pamlico, Bogue en andere streken vinden ze overvloedig voedsel en ze groeien er snel. Zonder deze natuurlijke kweekplaatsen van warm, beschermd en voedselrijk water zou de bevolking van deze en andere soorten niet kunnen worden gehandhaafd. En toch staan we toe dat er bestrijdingsmiddelen binnenkomen via de rivieren en via de directe besproeiing van aangrenzend moerasland. En de jongen van deze vis, zelfs nog meer dan de volwassen exemplaren, zijn bijzonder gevoelig voor chemische vergiftiging.

De garnaal is ook voor zijn jongen afhankelijk van de voedselgronden binnen de kust. Een overvloedig en wijd verspreide soort houdt de gehele beroepsvisserij van het zuidelijke deel van de Atlantische Oceaan en de Gulfstaten in stand. Hoewel het kuitschieten op zee gebeurt, komen de jongen naar de zeearmen als ze enkele weken oud zijn om opeenvolgende gedaantewisselingen te ondergaan. Ze blijven daar van mei of juni tot in de herfst en voeden zich met organische afval op de bodem. Gedurende de hele periode van binnen de kust leven is het welzijn van de garnaal en van de garnalenindustrie afhankelijk van de al dan niet gunstige omstandigheden in de zeearmen.

Zijn de verdelgingsmiddelen een bedreiging voor de garnalenvisserij en voor de marktaanvoer? Het antwoord op deze vraag kan worden gedistilleerd uit de recente laboratoriumexperimenten van het 'Bureau of Commercial Fisheries'. De insecticide-tolerantie van de jonge garnaal, die voor de consumptie is bestemd en die net het stadium van de larf is gepasseerd, is bijzonder laag en kan eerder in delen per miljard gemeten worden dan in de meer algemene standaardmeting van delen per miljoen. Bij voorbeeld, bij een proef werd de helft van alle garnalen gedood door dieldrin met een concentratie van slechts 15 delen per miljard. Andere chemicaliën bleken zelfs nog giftiger. Endrin, altijd een van de meest dodelijke bestrijdingsmiddelen, doodde de helft van de garnalen bij een concentratie van slechts een half deel per miljard.

Het gevaar voor oesters en strandgapers is veelsoortig. Ook hier zijn de jongere stadia het meest gevoelig. Deze schelpdieren wonen op de bodem van de baaien, wadden en riviermondingen van New England tot Texas en in de beschutte streken van de kust van de Stille Oceaan. Hoewel ze vastzitten als ze volwassen zijn, wordt er in zee kuitgeschoten, waar de jongen dan ook verschillende weken vrij kunnen leven. Op een goede dag in de zomer zal dan een fijn net, achter een boot gespannen, samen met ander los in zee hangend planten- en dierenleven, waaruit het plankton bestaat, de oneindig kleine, fragiel-als-glas-zijnde larven van de oesters en strandgapers ophalen. Deze doorzichtige larven zijn niet groter dan stofdeeltjes, zweven aan de oppervlakte van het water rond en voeden zich met het microscopische plantenleven van het plankton. Als de oogst van deze minuscule plantenvegetatie mislukt dan zullen de jonge schaaldiertjes doodgaan. En de verdelgingsmiddelen kunnen zeker grote kwantiteiten van dit plankton vernietigen. Sommige herbiciden, die gewoonlijk gebruikt worden op grasvelden, cultuurvelden, wegkanten en zelfs in de moerassen langs de kust, zijn bijzonder giftig voor het plankton, dat de larven van schaaldieren gebruiken als voedsel, sommige zelfs bij een concentratie van enkele delen per miljard.

De gevoelige larven zelf worden gedood door zeer kleine kwantiteiten van vele van de gewone insecticiden. Zelfs een blootstelling aan minder dan een dodelijke dosis kan uiteindelijk de dood van de larven tengevolge hebben, want het groeitempo wordt in ieder geval vertraagd. Dit verlengt de periode, dat de larven in de gevaarlijke wereld van het plankton moeten doorbrengen en dus vermindert het hun kans om volwassen te worden.

Voor de volwassen schaaldieren bestaat waarschijnlijk minder gevaar voor directe vergiftiging, tenminste door sommige verdelgingsmiddelen. Dit behoeft echter niet een geruststelling te betekenen. Oesters en strandgapers kunnen deze vergiften in hun spijsverteringsorganen en andere weefsels opslaan. Beide typen schaaldieren worden normaal in hun geheel opgegeten en dikwijls in rauwe toestand. Dr. Philip Butler van het 'Bureau of Commercial Fisheries' heeft een onheilspellende parallel getrokken tussen de situatie bij de roodborstlijsters en ons mensen. De roodborstlijsters stierven ook niet door de directe gevolgen van DTT bespuiting. Zij stierven omdat zij wormen hadden gegeten, die de verdelgingsmiddelen al in hun weefsels hadden . . .

Hoewel de plotselinge dood van duizenden vissen of schaaldieren in bepaalde rivieren of vijvers als een direct en zichtbaar gevolg van de insectenbestrijding al erg genoeg is, deze onzichtbare en voor een groot deel nog onbekende en niet te gissen gevolgen van de bestrijdingsmiddelen, die de zeearmen indirect bereiken door de afvoer van rivieren en stromen, kunnen uiteindelijk nog veel onrustbarender zijn. De hele toestand is nog omgeven met vragen, waarop op het ogenblik nog geen voldoende antwoorden zijn. We weten thans dat de verdelgingsmiddelen, die aanwezig zijn in het afvloeiingswater van velden en bossen, naar zee worden afgevoerd door vele en misschien wel door alle voornaamste rivieren. Maar we kennen de identiteit of de totale hoeveelheid van deze chemicaliën niet, noch afdoende proeven om hen in zeer verdunde staat in zeewater te identificeren. Hoewel we weten, dat de chemicaliën praktisch zeker een verandering hebben ondergaan gedurende de lange periode van overbrenging, weten we niet of de veranderde stof giftiger is dan de oorspronkelijke. Een ander, praktisch ononderzocht gebied is de kwestie van wisselwerking tussen chemicaliën, een kwestie, die speciaal dringend wordt op het ogenblik dat ze de zilte omgeving van de zee binnendringen, waar zo veel verschillende mineralen gemengd en verspreid worden. Op al deze vragen moet een juist antwoord komen en dat is alleen mogelijk door uitgebreide research. Helaas zijn de gelden die voor zulk een research beschikbaar zijn, jammerlijk gering.

De zoetwater- en zeevisserij zijn een bron van grote belangen, waarbij het welzijn van een groot aantal mensen is betrokken. Dat deze takken van nijverheid thans ernstig worden bedreigd door de chemicaliën, die in het water terecht komen, kan niet langer worden ontkend. Als er slechts een fractie van het geld, dat jaarlijks aan de ontwikkeling van nòg meer giftige besproeiingschemicaliën wordt besteed, ten goede zou kunnen komen aan constructieve research, dan zouden we methoden kunnen vinden om minder gevaarlijke stoffen aan te wenden en de vergiften uit onze wateren kunnen houden. Wanneer zal het grote publiek zich voldoende van de feiten bewust worden om dit te eisen?

10 In den blinde uit de hemelen

Na een bescheiden begin zijn opzet en volume van de besproeiing van akkers en bossen vanuit de lucht dermate toegenomen, dat men, zoals een Britse ecoloog onlangs zei, kan spreken van 'een verbazingwekkende dodelijke regen' op de oppervlakte der aarde. Onze houding ten aanzien van vergiften heeft op een onnaspeurlijke wijze verandering ondergaan. Vroeger werden vergiften in vaten met een doodskop erop bewaard; bij de weinig voorkomende gelegenheden dat ze gebruikt werden, werd er nauwlettend op toegezien dat ze alleen daar terecht kwamen waarvoor ze bestemd waren en nergens anders. Met de ontwikkeling van de nieuwe organische insecticiden en het surplus aan overtollige vliegtuigen na de tweede wereldoorlog, werd dit alles vergeten. Hoewel onze hedendaagse vergiften gevaarlijker zijn dan die van vroeger, zijn ze plotseling, op onverklaarbare wijze, iets geworden, dat in den blinde uit de hemel wordt uitgestrooid. Niet alleen het doel, insect of plant, maar alles in de omgeving van de chemische fallout – mens, dier of plant – zal de snode aanraking van het vergif voelen. Niet alleen bossen en akkers worden bespoten, maar ook steden en dorpen. Er zijn thans veel mensen die bange vermoedens koesteren ten aanzien van de verspreiding van dodende chemicaliën over honderdduizenden hectaren vanuit de lucht en twee massabesproeiingen uit de vijftiger jaren hebben er veel toe bijgedragen deze twijfel aan te wakkeren. Het waren de campagnes tegen de plakker in de noordoostelijke staten van Amerika en de gloeimier in het zuiden.

Geen van beide insecten hoort oorspronkelijk in Amerika thuis, maar beide zijn reeds geruime tijd in het land aanwezig zonder een toestand te veroorzaken, die drastische maatregelen rechtvaardigde. Toch werden er plotseling drastische maatregelen ondernomen op een manier van het-doel-heiligt-de-middelen, die reeds te lang de richtlijnen van de bestrijdingsafdelingen van het Amerikaanse Ministerie van Landbouw aangeeft.

De campagne tegen de plakker toont aan welk een onheil kan worden aangericht wanneer een roekeloze behandeling op grote schaal wordt toegepast in stede van een plaatselijke en bescheiden opgezette verdelging. De bestrijdingspoging van de gloeimier is een volmaakt voorbeeld van een campagne, die gebaseerd is op een belachelijke overdrijving van de noodzaak tot verdelging en een ondeskundige uitvoering zonder enige wetenschappelijke kennis, noch van de dosering van het vergif dat nodig is om het doel te bereiken, noch van de gevolgen voor ander leven. Geen van beide campagnes heeft zijn doel bereikt.

De plakker, die in Europa thuis hoort, is al bijna honderd jaar in de Verenigde Staten. In 1869 liet een Franse geleerde, Leopold Trouvelot, per ongeluk een paar van deze vlinders ontsnappen uit zijn laboratorium in Midford, Massachusetts, waar hij bezig was met proeven om hem met de zijdeworm te kruisen. Stukje bij beetje verspreidde de plakker zich over New England. De belangrijkste bemiddeling bij zijn voorspoedige verspreiding gaf de wind; het larve- of rupsstadium is bijzonder licht en kan tot grote hoogten en over aanzienlijke afstanden meegevoerd worden. Een andere verspreidingsmogelijkheid is het vervoer van planten, die eieren bij zich dragen, want dat is de vorm waarin de soort overwintert. De plakker, die als larf de bladeren van de eik en van ander hardhout aantast gedurende enkele weken in de lente, komt thans overal in de staten van New England voor. Hij is ook sporadisch in New Jersey te vinden, waar hij in 1911 werd ingevoerd met een transport sparren uit Nederland, en in Michigan, waar men niet weet waar hij vandaan is gekomen; maar de Adirondacks bergen hebben over het algemeen kans gezien zijn voortgang naar het westen tegen te houden, omdat ze bebost zijn met boomsoorten, die niet aantrekkelijk voor deze soort zijn.

De poging om de plakker tot de noordoostelijke hoek van de Verenigde Staten te beperken is op verschillende manieren gelukt en in de bijna honderd jaar van zijn verschijning in Amerika is de vrees, dat hij zou doordringen tot in de hardhout-bossen van de Appalachen, nimmer bewaarheid. Dertien parasieten en belagers werden uit het buitenland geïmporteerd en met succes in New England toegepast. Het Ministerie van Landbouw zelf schreef aan deze invoer het teruglopen van de veelvuldigheid en de vernielende kracht van de plakkerplaag toe. Deze natuurlijke bestrijding plus quarantainemaatregelen en plaatselijke besproeiing, bereikten wat het Ministerie in 1955 nog beschreef als 'een uitmuntende beperking van verspreiding en schade.'

En toch, slechts een jaar na deze voldoening tot uitdrukking te hebben gebracht, begon de 'Plant Pest Control Division' van dit Ministerie met een campagne, die algehele bespuiting van verschillende honderdduizenden hectaren per jaar beoogde, met de bedoeling de uiteindelijke 'uitroeiing van de plakker te bewerkstelligen. ('Uitroeiing' betekent de algehele en afdoende ondergang of eliminatie van een soort over zijn gehele verspreidingsgebied. Bij het falen van opeenvolgende campagnes heeft het Ministerie het echter nodig geoordeeld te spreken van tweede of derde 'uitroeiingen' van de zelfde soort in hetzelfde gebied.)

De totale chemische oorlog van het Ministerie tegen de plakker begon op grootscheepse schaal. In 1956 werd bijna vierhonderdduizend hectare in de staten Pennsylvania, New Jersey, Michigan en New York onder handen genomen. Er kwamen veel klachten binnen van mensen uit de besproeide gebieden. Natuurbeschermers werden ongeruster naarmate het onheil van de bespuiting van enorme gebieden zich begon af te tekenen. Toen in 1957 de plannen werden aangekondigd om ruim een miljoen hectare te gaan besproeien werd de oppositie nog sterker. Zowel de regeringsambtenaren als de landbouwautoriteiten van de verschillende staten haalden hun schouders op voor individuele protesten.

Het gebied van Long Island, dat in 1957 ook bij de besproeiing tegen de plakker was betrokken, bestaat hoofdzakelijk uit dichtbevolkte steden en voorsteden en uit enkele kuststreken met aangrenzende zoutige zeeweiden. Nassau County, Long Island, is de dichtstbevolkte streek van de staat New York, uitgezonderd de stad New York zelf. Het toppunt van absurditeit is wel dat 'men schermde met de dreiging van het gevaar voor groot New York' als rechtvaardiging voor de campagne. De plakker is een bosinsect en zeker geen bewoner van steden. Hij woont ook niet in weilanden, akkers, tuinen of moerassen. Desondanks strooiden de door het Amerikaanse Ministerie van Landbouw en het 'New York Department of Agriculture and Markets' in 1957 gehuurde vliegtuigen de voorgeschreven DDT-in-stookolie zonder enig onderscheid uit. Zij bespoten groentekwekerijen en veeboerderijen, visvijvers en kwelders. Ze besproeiden de 1.000 m^2 grote tuinen van de bewoners der voorsteden, doorweekten een huisvrouw, die een wanhopige poging deed om haar tuin te bedekken alvorens het dreunende vliegtuig haar zou hebben bereikt, strooiden het insecticide uit over kinderen, die aan het spelen waren en over de forenzen op het station. In Setauket dronk een mooi warmbloedpaard van een ton in een weiland, dat door de vliegtuigen bespoten was; tien uur later was het dood. Auto's kregen vlekken van het oliemengsel; bloemen en heesters werden vernield. Vogels, vissen, krabben en nuttige insecten werden gedood.

Een groep bewoners van Long Island onder leiding van de wereldberoemde ornitholoog Robert Cushman Murphy had in 1957 geprobeerd een gerechtelijk verbod te verkrijgen om de bespuiting tegen te gaan. Toen dit niet lukte, moesten de protesterende bewoners het voorgeschreven DDT-bad wel doorstaan, maar zij volhardden daarna in hun pogingen om een permanent verbod te krijgen. Maar aangezien de handeling reeds had plaats gevonden, was de rechtbank van oordeel dat de petitie 'betwistbaar' was. Het geval werd tot aan het Hooggerechtshof doorgevoerd, dat weigerde het te onderzoeken. Rechter William O. Douglas, die het er niet mee eens was, dat de zaak niet opnieuw in onderzoek kon worden genomen, meende dat 'de alarmklok, die vele experts en verantwoordelijke ambtenaren hebben geluid over de gevaren van DDT, het algemeen belang van deze zaak duidelijk heeft aangetoond.'

Het rechtsgeding dat de Long Island bewoners aanhangig wilden maken, deed in ieder geval goed werk door de publieke aandacht te richten op de groeiende tendens insecticiden in massa's toe te passen en op de macht en de neiging van de bestrijdingsinstanties om de veronderstelde onschendbaarheid van de eigendomsrechten van de burger te negeren.

De verontreiniging van melk en zuivelprodukten gedurende de periode, waarin tegen de plakker werd opgetreden, kwam voor vele mensen als een onplezierige verrassing. Hetgeen gebeurde op de 80 hectare grote boerderij van de familie Waller in het noorden van Westchester County, New York, was opzienbarend. Mevrouw Waller had speciaal aan de landbouwautoriteiten gevraagd haar domein niet te bespuiten, omdat het onmogelijk zou zijn de weilanden te mijden als het omringende bosland zou worden besproeid. Ze bood aan om haar land te laten onderzoeken op de aanwezigheid van de plakker en elke besmetting de kop in te drukken door plaatselijke behandeling. Hoewel ze de verzekering kreeg, dat geen boerderijen zouden worden bespoten, kreeg haar eigendom twee directe besproeiingen te verduren en werd bovendien nog twee keer bezocht door afdrijvende besproeiingsnevel. Melkmonsters, die 48 uur later werden genomen van de melk van Waller's volbloed Guernsey koeien, bevatten DDT in de verhouding van 14 delen per miljoen. Grasmonsters van de weilanden waar de koeien hadden gegraasd waren natuurlijk eveneens verontreinigd. Hoewel de gezondheidsdienst van dit gebied werd gewaarschuwd, werden er geen instructies gegeven om distributie van de melk te verbieden. Dit voorval is helaas een typisch voorbeeld van het gebrek aan consumentenbescherming, dat maar al te algemeen is. Hoewel de 'Food and Drug Administration' geen residuen van verdelgingsmiddelen in melk toestaat, zijn de beperkingen niet alleen onvoldoende vastgelegd, maar betreffen zij tevens uitsluitend het vervoer tussen de staten onderling. De autoriteiten van de staten en de provincies zijn niet verplicht de regeringsvoorschriften omtrent de toleranties van bestrijdingsmiddelen op te volgen, tenzij de plaatselijke wetten toevallig conform zijn aan de regeringsvoorschriften – en dat zijn ze zelden.

Groentekwekers leden ook. Sommige bladgroenten waren dermate verbrand en gevlekt, dat zij niet op de markt gebracht konden worden. Andere soorten bezaten grote residuen; een monster erwten, dat op het landbouwproefstation van Cornell's University werd geanalyseerd, bevatte 14 tot 20 delen per miljoen DDT. Het wettelijk toegestane maximum is 7 delen per miljoen. De kwekers moesten derhalve grote verliezen dragen of produkten verkopen die meer dan de wettelijk toegestane residuen bevatten. Sommigen vroegen en kregen schadevergoeding.

Met de stijging van het aantal DDT bespuitingen vanuit de lucht nam ook het aantal rechtszaken toe. Hieronder bevonden zich processen van bijenhouders uit verschillende delen van de staat New York. Al vóór de besproeiing van 1957 hadden de bijenhouders zware verliezen geleden door het gebruik van DDT in boomgaarden. 'Tot 1953 had ik alles wat van het Amerikaanse Ministerie van Landbouw afkomstig was, aangenomen als het evangelie', merkte een van hen bitter op. Maar in mei van dat jaar had deze man 800 kolonies verloren nadat de staat over een groot gebied besproeiingen had uitgevoerd. Het verlies was zo zwaar en zo uitgebreid, dat 14 andere bijenhouders zich bij hem aansloten en de staat New York voor een kwart miljoen dollar schadevergoeding aanspraken. Een andere bijenhouder, wiens 400 kolonies per ongeluk het doelwit werden van de besproeiingen in 1957, deelde mede, dat 100 % van de werkbijen (dat zijn de bijen die er op uittrekken om nectar en stuifmeel voor de korven te vergaren) gedood was in de beboste omgeving en tot aan 50 % in de landelijke streken, die niet zo intensief behandeld waren. 'Het is jammerlijk,' schreef hij, 'om in mei op een erf te wandelen en geen bij te horen zoemen.'

De campagnes tegen de plakker werden gekenmerkt door vele onverantwoordelijke daden. Daar de vliegtuigen moesten worden betaald op basis van het gebruikte aantal liters chemische stof in plaats van per besproeide hectare, werd er geen poging gedaan zuinig te zijn en vele landerijen werden niet eenmaal doch verschillende keren onder handen genomen. De contracten voor de besproeiingen vanuit de lucht werden in minstens één geval toegekend aan een firma buiten de staat, zonder plaatselijk adres, die niet had voldaan aan de wettelijke voorschriften zich bij de ambtenaren van de staat te doen registreren teneinde wettelijke aansprakelijkheid mogelijk te maken. In deze bijzonder glibberige situatie ondervonden de bewoners, die direct financieel verlies hadden geleden door de schade aan appelboomgaarden of bijenkorven, dat er niemand was om tegen de procederen.

Na de noodlottige besproeiing in 1957 werd de campagne abrupt en drastisch gekortwiekt, onder vage bewoordingen van 'waardebepaling' van vroeger werk en beproeving van andere insecticiden. In plaats van de 1,4 miljoen hectare, die in 1957 besproeid waren, werd de behandelde oppervlakte in 1958 teruggebracht tot 200.000 hectare en in 1959, 1960 en 1961 tot 40.000 hectare. Gedurende deze periode moeten de bestrijdingsinstanties het nieuws uit Long Island wel verontrustend hebben gevonden. De plakker was daar namelijk in grote getale teruggekeerd. De kostbare besproeiingscampagne, die het Ministerie, wat het vertrouwen en de goodwill van het publiek betreft, zwaar te staan was gekomen, de operatie, die tot doel had gehad de plakker voor altijd te doen verdwijnen, had in werkelijkheid niets opgeleverd.

Ondertussen hadden de mannen van de 'Plant Pest Control' tijdelijk de plakker vergeten, want ze hadden het te druk gehad met de voorbereiding van een nog uitgebreidere campagne in het zuiden. Het woord 'uitroeiing' verliet nog steeds zeer gemakkelijk de stencilmachines van het Ministerie; deze keer beloofden de perscommuniqués de uitroeiing van de gloeimier.

De gloeimier, zo genoemd naar de vurige gevolgen van zijn steek, schijnt de Verenigde Staten binnengekomen te zijn via Zuid-Amerika en de havenplaats Mobile, Alabama, waar hij kort na de eerste wereldoorlog werd aangetroffen. Omstreeks 1928 was hij in de buitenwijken van Mobile doorgedrongen en van daar werd zijn invasie voortgezet tot in de meeste zuidelijke staten.

Gedurende het grootste deel van de ongeveer veertig jaar dat hij in de Verenigde Staten is voorgekomen, schijnt de gloeimier weinig aandacht getrokken te hebben. De staten waar hij het meest voorkwam, vonden hem lastig, voornamelijk omdat hij grote nesten of mierenhopen bouwt van wel dertig centimeter hoog. Deze kunnen de landbouwmachines hinderen. Maar slechts twee staten registreerden deze beesten onder de 20 belangrijkste insectenplagen en dan nog onder aan de lijst. Geen enkele bezorgdheid van officiële of particuliere instanties scheen te bestaan over een eventuele schade aan oogst of vee.

Tegelijk met de ontwikkeling van de chemicaliën met een uitgebreide, dodelijke kracht, kwam er een plotselinge verandering in de houding van de autoriteiten ten aanzien van de gloeimier. In 1957 zette het Amerikaanse Ministerie van Landbouw een van zijn opmerkelijkste publiciteitscampagnes in zijn geschiedenis op touw. De gloeimier werd plotseling het middelpunt van een lawine van regeringscommuniqué's, films en artikelen, die hem voorstelden als een plunderaar van de landbouw en een moordenaar van vogel, vee en mens. Een machtige campagne werd aangekondigd, waarbij de regering in samenwerking met de geplaagde staten uiteindelijk ongeveer 8 miljoen hectare in negen zuidelijke staten onder handen zou nemen.

'De Amerikaanse fabrikanten van verdelgingsmiddelen schijnen een goudmijn van verkooppotentieel aangeboord te hebben, te oordelen naar het toenemende aantal bestrijdingscampagnes op grote schaal, die door het Ministerie van Landbouw ondernomen worden', schreef een vakblad opgewekt in 1958 toen de campagne tegen de gloeimier begon.

Nog nooit is er een bestrijdingscampagne ondernomen, die zo grondig en zo verdiend werd verafschuwd door iedereen behalve de begunstigden van dit 'verkooppotentieel'. Zij is een markant voorbeeld van een slecht-voorbereide, nog slechter uitgevoerde en bijzonder schadelijke proefneming in de massabestrijding van insecten, een proefneming, zo kostbaar aan dollars, zo veel dierenleven opofferend en zo grondig het publieke vertrouwen in het Ministerie van Landbouw vernietigend, dat het onbegrijpelijk is dat er nog steeds gelden voor beschikbaar zijn.

De steun van het Congres voor dit project werd oorspronkelijk verkregen door een voorstelling van zaken, die later werd tegengesproken. De gloeimier werd voorgesteld als een ernstige bedreiging voor de landbouw in het zuiden en bovendien zou hij de jongen van de op de grond nestelende vogels aanvallen. Zijn steek zou een ernstige bedreiging inhouden voor de gezondheid van de mens.

Hoe juist waren deze aantijgingen? De verklaringen van zegslieden van het Ministerie, die de gelden beschikbaar stelden, waren niet in overeenstemming met de publicaties van het Ministerie van Landbouw. Een bulletin uit 1957, genaamd 'Insecticide Recommendations . . . for the Control of Insects attacking crops and livestock' noemde de gloeimier niet eens – een eigenaardige omissie als het Ministerie tenminste in zijn eigen propaganda gelooft. Bovendien, haar encyclopedisch 'Yearbook' van 1952, dat aan insecten gewijd was, bevatte slechts een korte alinea over de gloeimier op een totale tekst van een half miljoen woorden.

Tegenover de ongedocumenteerde aantijging van het Ministerie dat de gloeimier gewassen vernietigt en vee aanvalt, staat de nauwkeurige studie van het Landbouwkundig Proefstation uit de staat, die de meeste ervaring met dit insect heeft opgedaan, de staat

Alabama. Volgens de geleerden van Alabama 'is schade aan planten over het algemeen zeldzaam.' Dr. F. S. Arant, een insectenkundige van het 'Alabama Polytechnic Institute' en in 1961 voorzitter van de 'Entomological Society of America', verklaart dat zijn instituut de laatste jaren 'geen enkele melding van schade aan planten door mieren heeft binnen gekregen. Er kon evenmin schade bij vee worden waargenomen.' Deze mannen, die de mieren zelf op akker en in laboratorium geobserveerd hebben, zeggen dat de gloeimieren zich voornamelijk voeden met een verscheidenheid aan andere insecten, waarvan er vele als schadelijk voor het belang van de mens worden aangemerkt. Er zijn gloeimieren waargenomen, die de larven van de katoensnuitkever opaten. Hun mierenhopen dienen om de grond te luchten en te draineren. Het rapport uit Alabama is aangevuld met onderzoekingen van de universiteit van Mississippi en is veel indrukwekkender dan de verklaringen van het Ministerie van Landbouw, die waarschijnlijk gebaseerd zijn op verouderde research of op gesprekken met boeren, die gemakkelijk de ene mier voor de andere aanzien. Sommige entomologen menen dat de eetgewoonten van de gloeimier zijn veranderd toen hij veelvuldiger ging voorkomen, zodat waarnemingen van enkele tientallen jaren geleden thans weinig waarde meer hebben.

De aantijging dat de mier een dreiging inhoudt voor de gezondheid en het leven behoeft wel enige verzachting. Onder de auspiciën van het Ministerie van Landbouw werd een reclamefilm gemaakt (om steun te krijgen voor de campagne), waarin afschrikwekkende scenes werden opgenomen over het steken van de gloeimier. Men moet toegeven, dat het pijnlijk is en men doet er het beste aan een steek te voorkomen, net zoals men gewoonlijk er voor oppast niet door een wesp of een bij gestoken te worden. Ernstige gevolgen kunnen soms wel eens bij gevoelige personen voorkomen, en de medische literatuur kent één mogelijk sterfgeval (doch dit is niet zeker) dat wordt toegeschreven aan het gif van de gloeimier. In tegenstelling hiermee, vermeldt het 'Office of Vital Statistics' een getal van 33 sterfgevallen alleen als gevolg van wespen- en bijensteken. Toch schijnt niemand ooit op het idee te zijn gekomen om deze insecten 'uit te roeien'. Ook hier is het plaatselijke bewijsmateriaal het meest overtuigend. Hoewel de gloeimier al veertig jaar in Alabama aanwezig is en er sterk geconcentreerd is, verklaart de gezondheidsdienst van de staat Alabama dat er 'in Alabama nooit een menselijk sterfgeval is gemeld, dat aan de beten van de ingevoerde gloeimier moest worden toegeschreven en hij beschouwt de medische gevallen die het gevolg van deze beten zijn geweest als "toeval".' Mierenhopen op grasvelden of speelplaatsen kunnen mogelijk steken bij kinderen teweegbrengen, maar dit is nauwelijks een excuus voor het doorweken van miljoenen hectaren met vergif. In deze gevallen kan gemakkelijk worden voorzien door de mierenhopen stuk voor stuk te behandelen.

Er werd ook zonder geldig bewijs beweerd dat er schade aan vogels kon worden toegebracht. Iemand die zeker in staat geacht mag worden een oordeel hierover uit te spreken is de leider van het 'Wildlife Research Unit' in Auburn, Alabama, Dr. Maurice F. Baker, die vele jaren ervaring in deze streek heeft. Maar Dr. Baker's opinie staat lijnrecht tegenover de aantijgingen van het Ministerie van Landbouw. Hij zegt: 'In het zuiden van Alabama en het noordwesten van Florida hebben wij uitnemende vogeljachtgebieden te zamen met grote aantallen van de ingevoerde gloeimier . . . in de bijna 40 jaar dat het zuiden van Alabama de gloeimier kent, heeft de wildbevolking een gestadige en belangrijke toename te zien gegeven. Als de gloeimier werkelijk een ernstige bedreiging voor het wild betekende, zouden deze condities niet kunnen bestaan.'

Wat er zou gebeuren met het wild als het insecticide tegen de mieren werd toegediend, was een andere kwestie. De chemicaliën die zouden worden gebruikt waren dieldrin en heptachloor, beide betrekkelijk nieuwe middelen. Met geen van beide was veel ervaring buiten het laboratorium opgedaan en niemand wist wat hun uitwerking zou zijn op in het wild levende vogels, vissen of zoogdieren als ze op grote schaal zouden worden toegepast. Het was echter bekend, dat de beide stoffen veel giftiger waren dan DDT, dat toen reeds een tiental jaren in gebruik was en dat vogels had gedood en heel veel vissen, zelfs al in een concentratie van ¼ Engels pond per 1.000 m². En de dosis dieldrin en heptachloor was zwaarder in de meeste gevallen; ½ pond voor dezelfde oppervlakte of ¾ pond als de witgerande snuitkever ook bestreden moest worden. Bij de uitwerking op vogels zou de voorgeschreven concentratie heptachloor equivalent zijn aan 8 pond DDT per hectare en bij dieldrin zelfs 48 pond!

Dringende protesten werden ingediend door vele instituten en verenigingen voor de instandhouding van de natuur, door ecologen en zelfs door entomologen. Ze deden een beroep op de toenmalige minister van Landbouw, Ezra Benson, om de campagne op te schorten totdat tenminste iets aan research was gedaan, er uitgemaakt was wat de gevolgen van heptachloor en dieldrin voor wilde dieren en huisdieren konden zijn en bovendien om een minimum hoeveelheid vast te stellen, die de mieren zou kunnen bestrijden. De protesten werden genegeerd en de campagne werd in 1958 ingezet. Vierhonderdduizend hectaren werden het eerste jaar in behandeling genomen. Het werd duidelijk, dat als er al iets aan research zou worden gedaan, dit in de vorm van een post mortem zou zijn.

Gedurende het verloop van de campagne begonnen de feiten zich op te stapelen uit de onderzoekingen, die door de biologen van regerings- en staatsinstituten en door verscheidene universiteiten werden ondernomen. De onderzoekingen onthulden verliezen, die in de verschillende behandelde gebieden van geringe tot volledige vernietiging uiteenliepen. Pluimvee, vee en huisdieren werden eveneens gedood. Het Ministerie van Landbouw bestempelde alle bewijzen van schade als overdreven en misleidend.

De feiten hoopten zich echter nog steeds op. In Hardin County, Texas, bijvoorbeeld, zijn de opossums, de gordeldieren en een overvloedige hoeveelheid wasberen totaal verdwenen nadat de chemische stof was neergelaten. Zelfs de tweede herfst na de behandeling waren deze dieren nog schaars. De enkele wasberen, die toen nog in het gebied werden gevonden, hadden residuen van de chemische stof in hun weefsels.

Dode vogels in de behandelde streken hadden het gif ingeslikt of op andere wijze geabsorbeerd, een feit dat bleek uit de chemische analyse van hun weefsels (de enige vogel, waarvan er nog aantallen leefden, was de gewone mus, die ook in andere gebieden was gebleken betrekkelijk immuun te zijn). In een streek van Alabama, die in 1959 werd behandeld, werd de helft van de vogels gedood. De soorten die op de grond of veelal in de lage vegetatie leven, leden een verlies van 100 %. Zelfs een vol jaar na de behandeling ontstond er in het voorjaar sterfte onder de zangvogels en een uitgebreid, mooi nestel-territoir lag ongebruikt en stil. In Texas werden dode epauletspreeuwen, dickcissel gorzen en leeuweriken bij de nesten gevonden en veel andere nesten waren leeg. Toen exemplaren van de dode vogels uit Texas, Louisiana, Alabama, Georgia en Florida bij het 'Fish and Wildlife Service' onderzocht waren, bleek meer dan 90 % residuen dieldrin of een vorm van heptachloor te bevatten in concentraties tot 38 delen per miljoen.

Houtsnippen, die in Louisiana overwinteren, maar in het noorden broeden, dragen nu de besmetting van de gloeimier-vergiften in hun lichamen. De bron van deze besmetting is niet moeilijk te raden. Houtsnippen voeden zich voornamelijk met wormen, die ze met hun lange snavels uit de grond halen. Wormen, die de besproeiing in Louisiana doorstaan hadden, bleken 6 tot 10 maanden na de behandeling van het gebied wel 20 delen per miljoen heptachloor in hun weefsels te hebben. Een jaar later was het 10 delen per miljoen. De gevolgen van de net-niet-dodelijke vergiftiging van de houtsnip kunnen thans worden afgelezen uit de uitgesproken teruggang van het aantal jongen, hetgeen het eerst in het broedseizoen na de besproeiingen tegen de gloeimier werd waargenomen.

Het allernaarste nieuws voor de sportlieden uit het zuiden betrof de kwartel. Deze vogel, die op de grond nestelt en naar voedsel zoekt, was in de behandelde streken zo goed als geëlimineerd. In Alabama, bijvoorbeeld, hebben biologen van de 'Alabama Cooperative Wildlife Research Unit' een onderzoek naar de kwartelbevolking ingesteld in een gebied met een oppervlakte van ruim 1.400 hectare, dat binnen korte tijd bespoten zou worden. Dertien vluchten, te zamen 121 kwartels, leefden in deze streek. Twee weken na de behandeling konden er nog slechts dode kwartels worden opgeraapt. Alle vogels, die naar het 'Fish and Wildlife Service' opgestuurd waren voor onderzoek, bleken insecticiden bij zich te hebben in hoeveelheden, die groot genoeg waren om de dood te veroorzaken. De bevindingen van Alabama werden in Texas herhaald, waar in een gebied van 1.000 hectare, dat met heptachloor was behandeld, alle kwartels verdwenen. Tegelijk met de kwartels ging 90 % van de zangvogels dood. Ook hier bracht het onderzoek aan het licht, dat er heptachloor aanwezig was in de weefsels van de dode vogels.

Behalve aan de kwartels werd ook aan de wilde kalkoenen ernstige schade toegebracht door de gloeimiercampagne. Hoewel er 80 kalkoenen waren geteld in een deel van Wilcox County, Alabama, voordat er heptachloor was gebruikt, kon er in de zomer na de behandeling niet een meer gevonden worden, dat wil zeggen, met uitzondering van enkele onuitgekomen eieren en een dode vogel. De wilde kalkoenen zullen wel het lot gedeeld hebben van hun meer huiselijke broeders, want de kalkoenen op de boerderijen in de streek, die met chemicaliën was behandeld, kregen ook weinig jongen. Er waren weinig eieren, die uitkwamen en er waren bijna geen jongen, die bleven leven. Dit was niet het geval op naburige boerderijen, waar niet gespoten was.

Het lot van de kalkoenen stond beslist niet alleen. Een van de bekendste en alom erkende biologen van Amerika, Dr. Clarence Cottam, bezocht verschillende boeren, wier land onder behandeling was geweest. Behalve dat zij opgemerkt hadden, dat 'alle vogeltjes uit de bomen' blijkbaar verdwenen waren nadat het land was behandeld, vertelden de meesten dat zij vee, pluimvee en huisdieren hadden verloren. Een man was nog 'woedend op die bestrijdingsmensen', zei Dr. Cottam, 'toen hij vertelde, dat hij 19 koeien had moeten begraven of laten weghalen, die door het vergif gestorven waren en hij wist dat er nog drie of vier andere koeien waren dood gegaan tengevolge van deze behandeling. Er waren kalveren gestorven, die sinds hun geboorte nog geen ander voedsel hadden gehad dan melk.'

De mensen, die door Dr. Cottam ondervraagd werden, konden maar niet begrijpen wat er gebeurd was in de maanden na de besproeiing. Een vrouw vertelde hem, dat ze verschillende kippen op eieren had gezet nadat haar land met het vergif bedekt was en 'ze kon niet begrijpen dat er maar weinig eieren uitkwamen en dat de jongen niet lang leefden'. Een andere boer 'fokte varkens en negen maanden na het uitstrooien van het vergif waren er nog geen biggen. De worpen bestonden uit doodgeboren biggen of de diertjes stierven vlak na de geboorte.' Een gelijksoortig rapport kwam van een andere boer, die vertelde dat van de 37 worpen, die wel 250 biggen hadden kunnen opleveren, er slechts 31 biggen in leven bleven. Dezelfde man had ook geen kuikens meer kunnen krijgen nadat zijn land was bespoten.

Het Ministerie van Landbouw ontkende categorisch dat de verliezen van vee betrekking hadden op de gloeimiercampagne. Een veearts uit Bainbridge, Georgia, Dr. Otis L. Poitevint, die geconsulteerd was bij de behandeling van vele zieke dieren, somde zijn redenen, dat de sterfgevallen aan het insecticide moesten worden toegeschreven, als volgt op: In een periode van twee weken tot enkele maanden nadat het vergif tegen de gloeimier was uitgestrooid, begonnen runderen, geiten, paarden, kippen en ander gevogelte te lijden aan een meestal dodelijke aandoening van het zenuwstelsel. De ziekte trof alleen dieren, die in aanraking kwamen met verontreinigd voedsel of water. Dieren op stal kregen de ziekte niet. Deze situatie deed zich alleen voor in de gebieden, die tegen de gloeimier behandeld waren. Laboratoriumonderzoeken op ziekten bleven negatief. De symptomen, die door Dr. Poitevint en andere veeartsen waren waargenomen, werden in gezaghcbbende organen beschreven als zijnde vergiftiging door dieldrin of heptachloor.

Dr. Poitevint beschreef ook een interessant geval van een kalf van 2 maanden oud, dat symptomen vertoonde van heptachloorvergiftiging. Het dier werd uitgebreid in het laboratorium onderzocht. Het enige feit van betekenis dat kon worden ontdekt was, dat er 79 delen per miljoen heptachloor in zijn vet aanwezig waren. Maar het was vijf maanden geleden dat het vergif was aangebracht. Had het kalf het direct door het grazen binnen gekregen of indirect door de moedermelk of misschien zelfs voor zijn geboorte? 'Als het van de melk is gekomen', vroeg Dr. Poitevint, 'waarom zijn er dan geen speciale voorzorgsmaatregelen genomen om onze kinderen te beschermen, die melk van de plaatselijke zuivelinrichtingen drinken?'

Dr. Poitevint's rapport brengt een veelbetekenend probleem ten aanzien van de melkverontreiniging naar voren. Het gebied van de gloeimiercampagne bestaat hoofdzakelijk uit weilanden en akkers. Wat gebeurt er met de melkkoeien, die op dat land grazen? Het gras van de behandelde weilanden zal onvermijdelijk residuen heptachloor in de een of andere vorm bevatten en als deze residuen door de koeien worden gegeten, zal er vergif in de melk komen. Deze directe overbrenging van gif in melk is proefondervindelijk in 1955 voor heptachloor vastgesteld, al lang voordat de bestrijdingscampagnes werden aangevangen en werd later ook bevestigd ten aanzien van dieldrin, dat ook in de gloeimiercampagne werd gebruikt.

De jaarverslagen van het Ministerie van Landbouw bevatten thans een waarschuwing, dat heptachloor en dieldrin onder de chemicaliën gerekend moeten worden, die – indien aanwezig in voedingsplanten – ongewenst zijn voor melkvee of vee, dat voor de slacht is bestemd. Toch stellen de afdelingen in dit Ministerie die belast zijn met de bestrijdingscampagnes, nog steeds voor, heptachloor en dieldrin over grote gebieden weiland in het zuiden uit te strooien. Wie beschermt de consument en controleert of er geen residuen dieldrin of heptachloor in de melk voorkomen? Het Amerikaanse Ministerie van Landbouw zou ongetwijfeld antwoorden, dat de boeren wordt aangeraden de melkkoeien 30 tot 90 dagen uit de weilanden te houden. Gezien de kleine afmetingen van de meeste boerderijen en de grootscheepse opzet van de campagnes – veel van deze chemicaliën worden per vliegtuig uitgestrooid – is het bijzonder twijfelachtig of deze aanbeveling kon worden opgevolgd. Bovendien is de voorgeschreven periode niet voldoende met het oog op de hardnekkigheid van de residuen.

Hoewel de 'Food and Drug Administration' de wenkbrauwen fronst bij het horen van de aanwezigheid van enig bestrijdingsmiddel in melk, kan zij in deze niet veel doen. In de meeste staten waar de gloeimiercampagne plaats vond, is de zuivelindustrie klein en haar produkten komen niet over de grenzen van die staten. Bescherming van de melkvoorziening tegen een regeringscampagne wordt derhalve aan de staten zelve overgelaten. Inlichtingen, ingewonnen bij de gezondheidsambtenaren of andere daartoe aangewezen instanties van Alabama, Louisiana en Texas, leerden dat er geen proeven waren genomen en dat het dus eenvoudig niet bekend was of de melk door insecticiden verontreinigd was of niet.

Ondertussen werd, als mosterd na de maaltijd, enige research ondernomen naar de bijzondere aard van heptachloor. Misschien is het juister om te zeggen, dat iemand de reeds gepubliceerde onderzoekingen eens opzocht, want het fundamentele beginsel dat de regeringsinstanties ietwat laat tot actie bracht, was al enkele jaren tevoren ontdekt en zou derhalve vanaf het allereerste begin van de campagne van invloed moeten zijn geweest. Dit beginsel houdt in, dat heptachloor, na een korte periode in de weefsels van dieren of planten of in de grond aanwezig te zijn geweest, een belangrijk giftiger vorm aanneemt, die heptachloor-epoxide wordt genoemd. Het epoxide wordt populair beschreven als 'een oxidatieproces', dat ontstaat door verwering. Het feit, dat deze omzetting kon plaats hebben, was reeds sedert 1952 bekend toen de 'Food & Drug Administration' ontdekte, dat vrouwelijke ratten, die 30 delen per miljoen heptachloor hadden gekregen, slechts twee weken later 165 delen per miljoen van het giftiger epoxide bij zich hadden.

Deze feiten konden eindelijk in 1959 aan de obscuriteit van de biologische literatuur worden onttrokken, daar de 'Food and Drug Administration' tot handelen overging, hetgeen tot gevolg had, dat elk residu van heptachloor of heptachloor-epoxide uit voedsel moest verdwijnen. Deze maatregelen zetten tenminste een voorlopige domper op de campagne; hoewel het Ministerie van Landbouw doorging met jaarlijks gelden aan te vragen voor de bestrijding van de gloeimier, werden de plaatselijke landbouwinstituten huiverig om de boeren te adviseren chemicaliën te gebruiken, die waarschijnlijk hun oogst wettelijk onverkoopbaar zouden maken.

Om kort te gaan, het Ministerie van Landbouw was aan zijn campagne begonnen zonder zelfs een elementair onderzoek in te stellen naar wat reeds over de chemische stof, die zou worden gebruikt, bekend was – of als het wel gebeurd was, dan zijn de uitkomsten genegeerd. Het moet tevens hebben nagelaten om enig onderzoek in te stellen naar de minimum hoeveelheid van de stof, die voldoende zou zijn voor het beoogde doel. Na drie jaar van zware doseringen, werd de verhouding voor de toepassing van heptachloor in 1959 teruggebracht van ½ tot ongeveer een derde pond per 1.000 m^2; later tot een achtste pond, verdeeld over twee behandelingen van ieder een zestiende pond met drie tot zes maanden tussenruimte. Een ambtenaar van het Ministerie vertelde, dat 'een intensief verbeteringsprogram ten aanzien van de aangewende methoden' aantoonde, dat de lagere dosering goed werkte. Als dit vóór de aanvang van de campagne bij de juiste instanties bekend was geweest, dan zou grote schade zijn voorkomen en zou aan de belastingbetalers een flinke som gelds bespaard zijn gebleven.

In 1959 bood het Ministerie van Landbouw aan, wellicht om een groeiend onbehagen onder de boeren tegen te gaan, de chemicaliën gratis aan landeigenaren uit Texas te leveren, mits zij een stuk wilden tekenen, waarbij alle regerings-, staats- en gemeentelijke instanties gevrijwaard werden tegen betaling van enigerlei schadevergoeding. In hetzelfde jaar weigerde de staat Alabama, boos en ongerust over de aangerichte schade, om nog langer gelden voor het project toe te wijzen. Een van de ambtenaren van deze staat karakteriseerde de hele campagne als 'slecht geadviseerd, haastig opgezet, pover voorbereid en een schreeuwend bewijs van zich niet storen aan de verantwoordelijkheden van andere openbare en particuliere instanties.' Ondanks het gebrek aan gelden van de staat Alabama, bleef toch nog regeringsgeld binnenkomen en in 1961 werd opnieuw een kleine toewijzing van de staat aangevraagd. Ondertussen waren de boeren uit Louisiana terughoudend geworden, want het was gebleken dat het gebruik van chemicaliën, gericht tegen de gloeimier, een krachtige opleving van de insecten, die het suikerriet aantasten, te zien had gegeven. Bovendien was het duidelijk, dat de campagne niets had uitgericht. De toestand werd kort en bondig in de lente van 1962 door de directeur van het insectenkundig onderzoek van het 'Agricultural Experiment Station' van de universiteit van Louisiana samengevat. Dr. L. D. Newson zei: 'De gloeimier-uitroeiingscampagne, die door regerings- en staatsinstituten is uitgevoerd, is tot op heden een mislukking gebleken. Er zijn thans meer besmette hectaren in Louisiana dan toen de campagne begon.'

Een ommezwaai naar gezondere en conservatieve methoden schijnt thans te hebben ingezet. Florida, dat gemeld had, dat 'er meer gloeimieren in Florida aanwezig waren dan toen de campagne begon', meldde, dat elke gedachte aan een groots opgezette uitroeiingscampagne was opgegeven en dat in plaats daarvan de aandacht zou worden gevestigd op plaatselijke bestrijding.

Er zijn reeds vele jaren effectieve en goedkope methoden van plaatselijke bestrijding bekend. De gewoonte van de gloeimier om mierenhopen te bouwen, maakt de chemische behandeling van deze bouwsels al heel gemakkelijk. De kosten van zulk een behandeling komen op ongeveer ¼ dollar per 1.000 vierkante meter. Daar waar de mierenhopen talrijk zijn en gemechaniseerde methoden gewenst zijn, is speciaal door het landbouwkundig proefstation van Mississippi een klein soort ploeg ontworpen, die eerst de grond gelijk maakt en daarna de chemische stof direct op de mierenhoop aanbrengt. Deze methode waarborgt 90 tot 95 percent kans op verdelging van de mieren. De kosten ervan bedragen nog geen 6 dollarcent per 1.000 m^2. De grootscheepse bestrijdingscampagne van het Ministerie heeft in tegenstelling hiermee ongeveer een kleine dollar per 1.000 m^2 gekost. Het is de kostbaarste, de schadelijkste en de minst effectieve campagne van alle tijden geweest.

11 Zelfs de Borgia's te erg

De contaminatie van onze wereld is niet alleen een kwestie van massabesproeiingen. Voor de meesten onder ons is dit zelfs minder belangrijk dan de omvangrijke blootstelling op kleine schaal waaraan we dag in dag uit, jaar in jaar uit, worden onderworpen. Zoals uiteindelijk de hardste steen wordt uitgehold door een constant gedruppel van water, zo zal dit contact met gevaarlijke chemicaliën van de wieg tot het graf tenslotte noodlottig blijken. Elke steeds weer herhaalde blootstelling aan het gif, in welk een kleine hoeveelheid ook, zal medewerken om de progressieve opbouw van chemicaliën in ons lichaam te helpen plaatsvinden en hierdoor een cumulatieve vergiftiging teweeg te brengen. Waarschijnlijk ontkomt niemand aan het contact met deze zich verbreidende verontreiniging, tenzij hij zich bevindt in een praktisch niet-bestaande geïsoleerde positie.

In slaap gewiegd door het 'koopje' en door de verleidelijke propaganda, is de gemiddelde burger zich zelden bewust van de dodelijke stoffen, waarmee hij zichzelf omringt; waarschijnlijk beseft hij niet eens, dat hij ze gebruikt. De eeuw van het vergif heeft reeds in zo sterke mate vaste voet verkregen, dat iedereen zo maar een winkel binnen kan lopen en daar, zonder naar iets gevraagd te worden, stoffen kan kopen, die veel dodelijker zijn dan het geneesmiddel, waarvoor hij in de apotheek een recept moet kunnen laten zien. Een onderzoek van enkele minuten in een supermarket is genoeg om de kloekmoedigste klant te doen schrikken, tenminste als hij enige elementaire kennis heeft van de chemicaliën die voor hem liggen uitgestald.

Als er een grote doodskop boven de insecticide-afdeling had gehangen, dan zou de klant die afdeling wellicht met de schroom, die bij doodverwekkende stoffen past, binnentreden. Maar in plaats van die doodskop is de uitstalling gezellig en stimulerend en met het gemengd zuur en de olijven aan de overkant en de badzeep en wasartikelen ernaast, liggen de rijen insecticiden er tentoongesteld. Binnen het bereik van onderzoekende kinderhanden liggen chemicaliën in *glazen* potjes. Als zo'n potje uit de kinderhand op de grond valt of door onvoorzichtigheid van de volwassenen kapot gaat, kan iedereen, die in de buurt staat, worden bestoven met dezelfde chemische stoffen, die de bespuitingsmensen stuiptrekkingen bezorgden. Deze gevaren volgen de klant natuurlijk naar zijn huis. Een spuitbus tegen mot, die o.a. DDD bevat, draagt bijvoorbeeld in hele kleine lettertjes de waarschuwing, dat de inhoud onder druk staat en dat de bus kan springen als hij aan hitte of open vuur wordt blootgesteld. Een normaal insecticide voor huishoudelijk gebruik, zelfs voor keukengebruik, is chloordaan. Toch heeft de hoofdfarmacoloog van de 'Food and Drug Administration' verklaard, dat het gevaar van in een met chloordaan behandeld huis te leven 'zeer groot' is. Andere huishoudelijke preparaten bevatten zelfs het nog giftiger dieldrin.

Het gebruik van vergiften in de keuken wordt aantrekkelijk en gemakkelijk gemaakt. Keukenkastpapier, wit of gekleurd ter aanpassing aan het kleurenschema in de keuken, kan geïmpregneerd zijn met insecticide, niet alleen aan één kant, maar aan beide zijden. Fabrikanten bieden ons doe-het-zelf brochures aan over het doden van insecten. Met één druk op de knop kan men een nevel dieldrin in de meest onbereikbare hoeken en gaten van kasten, zolders en kelders spuiten.

Als we geplaagd worden door muggen, grasmijten of andere insecten, dan hebben we ontelbare lotions, crèmes en 'sprays' te onzer beschikking om er onze kleren en onze huid mee te behandelen. Hoewel we gewaarschuwd worden, dat sommige van deze middelen vernis, verf en synthetische stoffen aantasten, worden we geacht aan te nemen, dat de menselijke huid tegen alle chemicaliën bestand is. Om ons te verzekeren tegen elke aanwezigheid van welke insecten ook heeft een exclusieve New Yorkse winkel met een zak-insecticidespuitje geadverteerd, dat gemakkelijk in een tasje kan worden meegedragen of dat aan het strand, op de 'golf' of bij het vissen kan worden meegenomen.

We kunnen onze vloeren met een wassoort inwrijven, die gegarandeerd elk insect dood dat erover loopt. We kunnen met lindaan geïmpregneerde stroken in onze kleerkasten en kleerzakken hangen of in onze bureauladen neerleggen, zodat we een half jaar gevrijwaard worden tegen motschade. De advertenties melden in het geheel niet dat lindaan een gevaarlijke stof is. Evenmin waarschuwen de advertenties voor een electronisch instrument, hetwelk lindaannevel verspreidt, dat lindaan gevaarlijk is – neen, er wordt ons verteld, dat het veilig en reukloos is. Maar de waarheid is dat de 'American Medical Association' lindaan-vaporisatoren zo gevaarlijk vindt, dat zij een uitgebreide waarschuwing in haar *Journal* opnam.

Het Ministerie van Landbouw raadt ons in zijn 'Home and Garden Bulletin' aan om onze kleren met olie-oplossingen van DDT, dieldrin, chloordaan en verschillende andere mottendodende stoffen te behandelen. Als een teveel aan behandeling witte resten insecticide op onze kleren ten gevolge heeft, moeten we deze er gewoon afborstelen, zegt het Ministerie, maar vergeet erbij ons te waarschuwen waar we en hoe we het moeten afborstelen. En als we dit alles dan gedaan hebben, mogen we onze dag besluiten met te gaan slapen onder een motvrije deken, die met dieldrin is geïmpregneerd.

Tuinieren is thans haast niet meer denkbaar zonder supervergiften. Elke ijzerwinkel, firma voor tuinbenodigdheden en supermarket heeft rijen insecticiden liggen voor elke denkbare situatie in uw tuin. Degenen die verzuimen gebruik te maken van deze veelheid aan dodelijke besproeiingsmiddelen, worden geacht nalatig te zijn, want bijna elke tuinbouwpagina van de dagbladen en de meerderheid van de tijdschriften, die aan het tuinieren zijn gewijd, nemen als vanzelfsprekend aan, dat ze gebruikt worden.

Zelfs de vlugwerkende organische fosforhoudende insecticiden worden zo uitgebreid op grasvelden en sierplanten toegepast, dat het 'Florida State Board of Health' het noodzakelijk oordeelde het gewone gebruik van verdelgingsmiddelen in woonwijken door een ieder, die niet eerst een vergunning had aangevraagd en die niet aan zekere voorwaarden voldeed, te verbieden. Een aantal sterfgevallen door parathion was aan deze maatregel in Florida voorafgegaan.

Er wordt echter weinig gedaan om de tuinman of de huiseigenaar te waarschuwen, dat hij met bijzonder gevaarlijke stoffen omgaat. Integendeel, een voortdurende stroom nieuwe instrumenten maakt het gemakkelijker voor hem om het vergif op grasveld en in tuin aan te brengen – en dus ook het aantal contactmogelijkheden op te voeren. Men kan zich bijvoorbeeld een flesvormig aanhangsel voor de tuinslang aanschaffen, waarmee men dan zulke bijzonder giftige chemicaliën als chloordaan of dieldrin in de tuin aanbrengt terwijl men deze spuit. Dit instrument is niet slechts een gevaar voor de persoon die het gebruikt, het is ook een publiek gevaar. De 'New York Times' heeft het nodig geoordeeld op zijn tuinbouwpagina een waarschuwing te doen uitgaan, dat het gif door terugheveling in de waterleiding terecht kan komen, indien niet gezorgd wordt voor speciale beschermende instrumenten. Het aantal van deze instrumenten, dat in gebruik is, en de schaarste aan soortgelijke waarschuwingen in aanmerking genomen, moeten we ons dan nu nog erover verwonderen dat onze waterleiding verontreinigd is?

Als voorbeeld van wat de tuinman zelf kan overkomen, mogen wij wijzen op het geval van een dokter – een enthousiaste tuinman in zijn vrije tijd – die eerst DDT en toen malathion in zijn border en op zijn grasveld ging gebruiken. Hij gebruikte deze stoffen wekelijks. Soms bracht hij de chemicaliën met een handspuit aan, soms ook door zo'n toevoegsel aan zijn tuinslang. Daarbij werden zijn huid en zijn kleren dikwijls van de giftige nevel doordrenkt. Na ongeveer een jaar werd hij plotseling ziek en werd in een ziekenhuis opgenomen. Het onderzoek van een stukje lichaamsvet toonde aan, dat er 23 delen per miljoen DDT in aanwezig waren. Er bestond grote schade aan het zenuwstelsel, die de artsen als blijvend beschouwden. Na verloop van tijd begon hij gewicht te verliezen, leed aan buitengewone vermoeidheid en ondervond een vreemde slapte van de spieren, een typisch gevolg van malathion. Al deze hardnekkige gevolgen waren ernstig genoeg om zijn dokterspraktijk te bemoeilijken.

Behalve de eens zo onschuldig lijkende toevoeging aan de tuinslang, zijn er ook grasmaaiers uitgerust met instrumenten om verdelgingsmiddelen aan het gras toe te dienen, aanhangsels, die een nevel verspreiden terwijl men het gras aan het rollen is. Aldus worden de reeds gevaarlijke benzinedampen gemengd met de zeer kleine deeltjes insecticide, die de waarschijnlijk zich van geen kwaad bewuste tuineigenaar heeft uitgekozen, en hij brengt hiermede het niveau van de luchtverontreiniging boven zijn grond hoger dan die in verscheidene grote steden.

Toch wordt er weinig gedaan tegen de gevaren van het tuinieren met vergiften of tegen het gebruik van insecticiden in huis; als er al waarschuwingen voorkomen op etiketten en verpakkingen, dan zijn deze zo weggemoffeld en gedrukt in zulke kleine lettertjes, dat er maar weinig mensen zullen zijn die de moeite nemen om hen te lezen, laat staan te begrijpen. Korte tijd geleden probeerde een industrie eens uit te vinden hoe weinigen het er waren. Het onderzoek toonde aan, dat minder dan vijftien mensen van de honderd, die insecticide aerosols en spuitbussen gebruikten, zich bewust waren van de waarschuwingen, die op de verpakkingen stonden.

De ongeschreven wet in de buitenwijken schrijft thans voor, dat handjesgras ten koste van alles moet worden verwijderd. Zakken vol chemicaliën, die de grasvelden van deze verachtelijke vegetatie moeten ontdoen, zijn haast een statussymbool geworden. Deze chemische onkruiddoders worden onder merknamen verkocht, die hun werkelijke indentiteit of aard niet prijsgeven. Om te weten te komen, dat ze chloordaan of dieldrin bevatten, moet men een bijzonder klein lettertype kunnen lezen, dat op het minst in het oog lopende deel van de zak is aangebracht. De brochures, die men in elke ijzerwinkel of zaak voor tuinartikelen kan krijgen, zeggen zelden iets over het werkelijke gevaar dat gepaard gaat met het omgaan met of het toepassen van deze stoffen. Integendeel, een typische illustratie laat een gelukkige familie zien, vader en zoon, die samen met een glimlach op het gelaat het insecticide op het grasveld aanbrengen, terwijl kleinere kinderen met een hond over het gras rollen.

De vraag of er chemische residuen aanwezig zijn in het voedsel dat we nuttigen, is het onderwerp van vurige en verhitte debatten. De aanwezigheid ervan wordt hetzij gebagatelliseerd door de chemische industrie of wordt kortweg ontkend. Tegelijkertijd is er een sterke tendens aanwezig om iedereen, die eist dat zijn voedsel vrij is van insectengif, voor een fanatiekeling of een naturalist uit te maken. Wat zijn de ware feiten in deze nevel van tegenstrijdigheden?

Het is medisch vastgesteld dat, zoals ons gezonde verstand ons al had gezegd, de mensen die vóór het tijdperk van de DDT leefden en stierven (ongeveer 1942) geen sporen DDT of gelijksoortige stoffen in hun weefsels hadden. Zoals in hoofdstuk 3 is uiteengezet hebben monsters lichaamsvet, die tussen 1954 en 1956 van een uiteenlopende groep mensen waren afgenomen, 5,3 tot 7,4 delen per miljoen DDT aangetoond. Er bestaan bewijzen, dat het gemiddelde niveau sedertdien nog belangrijk is toegenomen en personen, die door beroep of anderszins extra blootstaan aan insecticiden, hebben uiteraard nog meer bij zich.

Het moet worden aangenomen, dat over het algemeen bij mensen, die niet op een bijzondere wijze aan insecticiden worden blootgesteld, DDT, dat met het voedsel is binnengekomen, in het lichaamsvet aanwezig is. Teneinde dit te bewijzen heeft een wetenschappelijke groep van de Amerikaanse 'Public Health Service' monsters genomen van maaltijden in restaurants en cantines. *Alle onderzochte maaltijden bevatten DDT*. Hieruit moesten de onderzoekers wel concluderen, 'dat er praktisch geen voedsel bestaat dat geheel vrij is van DDT'.

De hoeveelheden in de maaltijden kunnen verrassend groot zijn. In een ander onderzoek door het 'Public Health Service' bewees de analyse van gevangenismaaltijden, dat sommig voedsel, zoals gedroogd fruit, 69,6 delen per miljoen en brood liefst 100,9 delen per miljoen DDT bevatten!

In het eten van het gemiddelde huishouden in Amerika bevatten vlees en alle produkten, die van dierlijk vet worden gemaakt, de grootste residuen gechloreerde koolwaterstoffen. Dat komt omdat deze chemicaliën in vet oplosbaar zijn. Residuen in groente en fruit kunnen iets minder groot zijn. Wassen biedt weinig soelaas – het enige redmiddel is alle buitenste bladeren van groente zoals sla en koolsoorten af te plukken en weg gooien, fruit te schillen en geen enkele buitenkant, zoals bolsters e.d. te gebruiken. Koken helpt niet om de residuen te vernietigen.

Melk is een van de weinige soorten voedingsmiddelen, waarin de 'Food and Drug Administration' geen residuen van insecticiden toestaat. In werkelijkheid worden er echter residuen gevonden, wanneer er ook maar steekproeven worden genomen. Ze zijn het grootst in boter en andere zuivelprodukten. Een bepaalde steekproef in 1960, waarbij 46 van deze produkten werden onderzocht, toonde aan, dat een derde residuen bevatte, een situatie die door de 'Food and Drug Administration' als 'verre van bemoedigend' werd aangeduid.

Om voedsel te vinden, dat vrij van DDT is, moet men blijkbaar naar een verafgelegen en primitief land gaan, dat de voorrechten van de beschaving nog niet kent. Zulk een land blijkt nog wel te bestaan; het is een soort grensgebied waar de naderende schaduw van insecticiden reeds aan de horizon kan worden waargenomen: de poolstreken van Alaska. Toen wetenschappelijke onderzoekers het Eskimo-eten testten, bleek dat vrij van insecticiden te zijn. Verse en gedroogde vis, vet, olie, het vlees van bevers, witte dolfijn, kariboes, elanden, rendieren, ijsberen en walrussen, veenbessen, andere soorten bessen en wilde rabarber zijn tot nog toe ontkomen aan de besmetting. Er was slechts één uitzondering: twee meeuwuilen van 'Point Hope' bevatten kleine DDT resten, wellicht opgedaan tijdens de trek.

Toen sommige Eskimo's zelf aan een onderzoek werden onderworpen, bleken zeer kleine DDT residuen aanwezig te zijn (0 tot 1,9 delen per miljoen). De reden hiervan is duidelijk. De vetmonsters werden afgenomen van mensen, die hun dorp hadden verlaten om in het Amerikaanse 'Public Health Service Hospital' in Anchorage te worden opgenomen. Daar waren de gewoonten der beschaving van kracht en de maaltijden in het ziekenhuis bleken evenveel DDT residuen te bevatten als die in de dichtstbevolkte steden van Amerika. Voor hun korte verblijf in de beschaving werden de Eskimo's beloond met een lichte vergiftiging.

Het feit, dat elke maaltijd die wij nuttigen een hoeveelheid gechloreerde koolwaterstoffen bevat is het onvermijdelijke gevolg van de alom voorkomende besproeiing en bespuiting van de gewassen met deze vergiften. Als de boer zeer nauwkeurig de instructies op de verpakkingen opvolgt, zal zijn gebruik van landbouwchemicaliën geen residuen opleveren, die groter zijn dan door de 'Food and Drug' worden toegestaan. Nog afgezien van de vraag of deze wettelijke residuen 'veilig' zijn of niet, blijft het welbekende feit, dat de boeren maar al te dikwijls de voorgeschreven doses overschrijden, de stoffen te dicht vóór het oogsten toepassen, meer insecticiden dan één soort tegelijk gebruiken en ook op andere manieren fouten maken, omdat ze, zoals de meest mensen, de kleine lettertjes over het hoofd zien.

Zelfs de chemische industrie erkent, dat er herhaaldelijk misbruik wordt gemaakt van insecticiden en geeft toe, dat de boeren eigenlijk zouden moeten worden heropgevoed. Een van de voornaamste chemische vakbladen verklaarde kort geleden, dat 'veel gebruikers er niet van doordrongen waren, dat zij de insecticidetoleranties zouden overschrijden als ze grotere doses gebruikten dan was aangeraden. Een lukraak gebruik van insecticiden op veel gewassen is dikwijls gebaseerd op de nukken en grillen van de boeren.'

De archieven van de 'Food and Drug Administration' bevatten rapporten over een verontrustend aantal van deze overtredingen. Enkele voorbeelden mogen dienen om het veronachtzamen van de gebruiksaanwijzingen te illustreren: een kweker van sla, die niet één maar acht verschillende insecticiden op zijn gewas aanbracht en dit korte tijd vóór de pluk; een exporteur, die het dodelijke parathion in een dosis, die vijf keer groter was dan het aanbevolen maximum op selderie had gespoten; kwekers die op sla endrin gebruikten – het giftigste van alle gechloreerde koolwaterstoffen – hoewel hiervan geen residuen aanwezig mogen zijn – spinazie, die een week voor het snijden met DDT werd besproeid.

Er zijn ook gevallen van toeval of onopzettelijke besmetting. Grote hoeveelheden ongebrande koffie in jute zakken werden besmet toen ze vervoerd werden met schepen, die ook een lading insecticide vervoerden. Goederen in loodsen opgeslagen, zijn aan herhaalde aerosol behandelingen blootgesteld geweest; de DDT, lindaan en andere insecticiden kunnen door de verpakking heendringen en in meetbare hoeveelheden in het verpakte voedsel voorkomen. Hoe langer het eten opgeslagen blijft, des te groter het gevaar voor besmetting.

Op de vraag: 'Maar beschermt de Amerikaanse regering ons niet tegen zulke dingen?' moet men helaas antwoorden: 'Slechts zeer onvoldoende.' De maatregelen van de 'Food and Drug' op het gebied van consumentenbescherming tegen verdelgingsmiddelen worden ernstig bemoeilijkt door twee zaken. In de eerste plaats heeft deze instantie slechts iets te zeggen over voedsel, dat tussen de staten onderling wordt vervoerd; voedsel dat groeit en aan de man wordt gebracht binnen een staat, valt buiten haar bevoegdheid, hoe ernstig de overtreding ook moge zijn. In de tweede plaats, en dit is wel het ergste, zijn er slechts weinig inspecteurs, die controle kunnen uitoefenen – slechts een kleine 600 man voor dit vele en gevarieerde werk. Volgens een ambtenaar van de 'Food and Drug Administration' kan slechts een oneindig klein deel van de gewassen – veel minder dan 1 % – met de aanwezige faciliteiten onderzocht worden en dit is onvoldoende om er enige statistische betekenis aan te hechten. Voor zover het voedsel betreft, dat binnen een staat wordt gekweekt en in de handel gebracht, is de toestand nog erger, want de meeste staten hebben een betreurenswaardig onvoldoende wetgeving op dit gebied.

Aan het systeem, waarmede de 'Food and Drug Administration' tot de maximum toelaatbare percentages van contaminatie komt, die 'toleranties' worden genoemd, kleven onmiskenbare fouten. Onder de huidige omstandigheden geeft dit systeem slechts zekerheid op papier en vestigt de ongerechtvaardigde indruk, dat veilige percentages worden aangehouden. Wat de veiligheid betreft van zelfs maar een tikkeltje vergif in ons eten – een weinig hier, een beetje daar – er zijn veel mensen, die, met gegronde redenen omkleed, argumenten te berde brengen, dat geen enkele hoeveelheid vergif in ons eten veilig of gewenst is. Bij het vaststellen van een tolerantie-niveau, kijkt de 'Food and Drug Administration' naar proeven op laboratoriumdieren en beslist zo over een maximum toelaatbaar percentage, dat veel kleiner is dan nodig om vergiftigingsverschijnselen bij het proefdier te verwekken. Dit systeem, dat zogenaamd zekerheid moet verschaffen, negeert een aantal belangrijke feiten. Een laboratoriumdier, dat onder controleerbare en hoogst kunstmatige condities leeft en dat een bepaalde hoeveelheid van een specifieke chemische stof binnenkrijgt, verschilt wel heel erg van een menselijk wezen, welks blootstelling aan verdelgingsmiddelen niet alleen zeer veelvuldig is, maar bovendien nog onbekend, onmeetbaar en oncontroleerbaar. Zelfs als 7 delen per miljoen DDT in zijn slaatjes nog 'veilig' geacht zouden mogen worden, dan nog bevat zijn maaltijd andere gerechten, elk op hun beurt met toegestane toleranties. Bovendien zijn de verdelgingsmiddelen in zijn eten, zoals we hebben gezien, slechts een deel, mogelijk zelfs een heel klein deel, van zijn totale blootstelling aan vergif. Deze opeenhoping van chemicaliën uit verschillende bronnen creëert een totale besmetting, die niet kan worden gemeten. Derhalve is het onzin te praten over de 'veiligheid' van een bepaalde hoeveelheid insecticiden.

Er zijn nog andere fouten. Soms zijn er toleranties vastgesteld tegen beter weten van de wetenschappelijke medewerkers van de 'Food and Drug Administration' in, zoals in het geval dat in hoofdstuk 14 wordt uiteengezet, of ze zijn vastgesteld op basis van onvoldoende kennis van de desbetreffende chemische stof. Betere inlichtingen hebben later tot reductie of zelfs terugtrekking van de toleranties geleid, maar dit gebeurde nadat het publiek maanden of jaren was blootgesteld aan een later als gevaarlijk bevestigd percentage. Dit gebeurde toen er voor heptachloor een tolerantie was vastgesteld, die later moest worden herroepen. Voor sommige chemicaliën bestaat er geen praktische methode van analyse buiten het laboratorium, voordat de stof voor gebruik wordt geregistreerd. Deze moeilijkheid stond het werk ten aanzien van het 'veenbes chemicalie', aminotriazol, ernstig in de weg. Er waren ook geen analytische methoden voor fungiciden bekend, fungiciden, die regelmatig gebruikt worden voor de behandeling van zaden, die, als ze niet vóór het einde der zaaiperiode zijn opgemaakt, maar al te dikwijls hun weg vinden naar het menselijke voedsel.

In werkelijkheid is dus het vaststellen van toleranties het goedvinden van de vergiftiging van menselijk voedsel met gevaarlijke chemicaliën, opdat de boer en de voedselverwerkende industrie goedkoper kunnen produceren. Bovendien wordt de consument gestraft met het betalen van belasting om een instituut in het leven te houden, dat er op moet letten, dat hij geen dodelijke dosis binnenkrijgt. Maar om het werk goed te verrichten zou dat instituut gelden behoeven, die geen enkele regering het zou durven toewijzen, als men tenminste de tegenwoordige hoeveelheid en de giftigheid van de landbouwchemicaliën in aanmerking neemt. Dus uiteindelijk betaalt de consument zijn belasting en krijgt toch zijn portie vergif.

Is er een oplossing? De allereerste noodzaak is het opheffen van elke tolerantie op gechloreerde koolwaterstoffen, organische fosforhoudende stoffen en andere zeer giftige chemicaliën. Er zullen onmiddellijk tegenwerpingen komen, dat dit een ondraaglijke last op de schouders der boeren legt. Maar als het mogelijk is – zoals thans waarschijnlijk het doel is – chemicaliën te gebruiken op een manier, dat er slechts een residu van 7 delen per miljoen (tolerantie voor DDT) of 1 deel per miljoen (parathion) of zelfs 0,1 deel per miljoen (dieldrin) op de meeste groente en fruit achterblijft, waarom is het dan niet mogelijk om met iets meer zorg de aanwezigheid van enig residu helemaal te voorkomen? Dit wordt in werkelijkheid al geëist voor heptachloor, endrin en dieldrin op sommige gewassen, waarom niet op alle voedsel?

Maar dit zou geen complete of afdoende oplossing zijn, want

een tolerantie van nul op papier heeft weinig waarde. We hebben gezien, dat op het ogenblik 99 % van de exporteurs, die tussen de staten onderling vervoeren, door de mazen van het net heenglipt. Een nauwlettend toeziende en strijdlustige 'Food and Drug Administration' is een tweede noodzakelijkheid.

Het huidige systeem van eerst opzettelijk ons voedsel vergiftigen en dan de gevolgen reglementeren, doet te duidelijk denken aan het verhaal van Lewis Carroll over de 'White Knight', die een plan bedacht 'om zijn bakkebaarden groen te verven en daarna zo'n grote waaier te gebruiken, dat niemand ze kon zien.' Het uiteindelijke antwoord op het probleem moet zijn: gebruikt minder giftige chemicaliën, zodat het gevaar voor het publiek dat ze worden misbruikt, belangrijk wordt teruggebracht. Zulke chemicaliën bestaan: pyrethrum, rotenon, ryania en andere stoffen, die uit planten worden gewonnen. Kort geleden is er een synthetisch vervangingsmiddel voor pyrethrum ontwikkeld, zodat aan een ernstig tekort kan worden ontkomen. Voorlichting aan het publiek ten aanzien van de chemicaliën, die zo maar te koop worden aangeboden, is een droeve noodzaak. De gemiddelde koper wordt totaal uit het veld geslagen bij het zien van de uitstallingen insecticiden, fungiciden en onkruidverdelgers en hij heeft geen enkel middel om de dodelijke van de betrekkelijk veilige bestrijders te onderscheiden.

Tegelijk met de ommezwaai naar minder gevaarlijke landbouwbestrijdingsmiddelen moeten wij nijver zoeken naar mogelijkheden om niet-chemische methoden te baat te nemen. Agrarisch gebruik van insectenziekten, die door bacteriën worden verwekt en die specifiek op enkele typen insecten werken, wordt reeds in Californië beproefd en uitgebreidere proeven met deze methode staan op stapel. Er is een groot aantal andere mogelijkheden om doeltreffende insectenbestrijding te verwezenlijken door het gebruik van methoden, die geen residuen op voedsel achterlaten (zie hoofdstuk 17). Zolang er geen ommezwaai op grote schaal naar deze soort methoden heeft plaats gehad, kunnen we weinig verbetering verwachten van een situatie, die naar normale, gezonde maatstaven gemeten, ontoelaatbaar is. Zoals de zaken thans staan, staan we er niet veel beter voor dan de gasten van de Borgia's.

12 De tol die de mens betaalt

Met het oplopen van het getij der chemicaliën, die geboren zijn in de Eeuw der Industrialisatie, en met hun overspoeling van onze omgeving is een drastische verandering gekomen in de aard van de ernstigste problemen van de gezondheidszorg. Het is nog slechts gisteren, dat de mens zich bezorgd maakte over de gesel, die pokken, cholera en pest over de naties konden doen striemen. Nu is ons grootste probleem niet meer de ziekteorganismen, die eens alom tegenwoordig waren; hygiëne, betere levensomstandigheden en nieuwe geneesmiddelen veroorloven ons, besmettelijke ziekten zeer goed in toom te houden. Neen, vandaag worden we geconfronteerd met een ander soort onheil, dat zich in onze omgeving ophoudt – een onheil, dat we zelf hebben geïntroduceerd tegelijk met de evolutie van onze moderne wijze van leven.

De nieuwe problemen voor de gezondheidszorg zijn veelvuldig – zij zijn ontstaan door straling in iedere vorm, geboren uit de nimmer eindigende stroom chemicaliën, waarvan de verdelgingsmiddelen deel uitmaken, chemicaliën, die thans bezit nemen van de wereld, waarin wij leven, die direct en indirect, ieder apart en alle tezamen, op ons inwerken. Hun aanwezigheid werpt een schaduw vooruit, die er niet minder onheilspellend om is dat hij vormloos en onzichtbaar is. Hij is niet minder beangstigend omdat onmogelijk de gevolgen kunnen worden voorspeld van een levenslange blootstelling aan een chemische en fysische inwerking, die geen deel uitmaakt van de biologische ervaring van de mensheid.

'Wij leven allemaal in een dreigende angst, dat ons milieu zodanig beïnvloed zal worden, dat de mens, gelijk de dinosaurus, op den duur zal uitsterven', zegt Dr. David Price van de Amerikaanse 'Public Health Service'. 'En wat deze gedachte nog onrustbarender maakt, is de wetenschap dat ons lot wel eens zou kunnen worden bezegeld twintig of meer jaren voordat de symptomen zichtbaar worden.'

Hoe passen de verdelgingsmiddelen in het beeld van de ziekten, die in onze omgeving voorkomen? Wij hebben reeds gezien, dat de bestrijdingsmiddelen de grond, het water en ons voedsel contamineren, dat ze de macht hebben om onze wateren van vis te ontdoen en onze tuinen en bossen doods en zonder vogels te maken. De mens is echter, hoe men ook mag proberen het tegendeel te bewijzen, een deel van de natuur. Zou hij aan een verontreiniging kunnen ontkomen, die zo intensief over de wereld is verspreid?

Wij weten, dat zelfs een enkele blootstelling aan deze chemicaliën, als de hoeveelheid maar groot genoeg is, reeds acute vergiftiging ten gevolge kan hebben. Maar dit is niet het grootste probleem. De plotselinge ziekte of dood van boeren, spuiters, piloten en anderen, die aan bepaalde hoeveelheden bestrijdingsmiddelen zijn blootgesteld, zijn tragisch en zouden niet mogen voorkomen. Maar bij de mensheid in het algemeen moeten we meer bezorgd zijn voor de uitgestelde gevolgen van het opnemen van kleine hoeveelheden verdelgingsmiddelen, die onzichtbaar onze wereld verontreinigen.

Verantwoordelijke ambtenaren van de gezondheidsdiensten hebben erop gewezen dat de biologische gevolgen van chemicaliën over een lange periode cumulatief werken en dat het gevaar voor het individu afhangt van de som van alle blootstellingen gedurende zijn hele leven. Juist om deze redenen wordt het gevaar gemakkelijk genegeerd. Het behoort tot de menselijke natuur om van ons af te schudden wat ons als een vage dreiging voor toekomstig ongeluk toeschijnt. 'De mens is natuurlijk het diepst onder de indruk van ziekten, die zich duidelijk manifesteren', zegt een wijze huisarts, Dr. René Dubos, 'en toch sluipen zijn gevaarlijkste vijanden onopvallend nader.'

Voor elk van ons, net zoals voor de roodborstlijsters uit Michigan en de zalm uit Miramichi, is dit een kwestie van ecologie, van wederzijdse betrekkingen, van onderlinge afhankelijkheid. We vergiftigen de kokerjuffers in een rivier en de zalm gaat achteruit en sterft. We vergiftigen de muggen in een meer en het gif trekt van schakel tot schakel in de voedselketen en al spoedig worden de vogels aan de rand van het meer het slachtoffer. Wc spuiten onze iepen en in de daarop volgende lenten klinkt er geen lijstergezang, niet omdat we de lijsters rechtstreeks bespoten, maar omdat het gif voorttrekt, stap voor stap, door de nu bekende iepenblad-worm-lijster-keten. Dit zijn bewezen, opgetekende en waarneembare zaken, die deel uitmaken van de zichtbare wereld om ons heen. Ze geven het stramien van het leven – of de dood – weer, dat de wetenschapsmensen kennen als ecologie.

Maar er bestaat ook een ecologie binnen in onze lichamen. In deze onzichtbare wereld hebben kleine oorzaken grote gevolgen; bovendien schijnt het gevolg dikwijls niets te maken te hebben met de oorzaak, omdat het optreedt in een deel van het lichaam, dat ver verwijderd ligt van het gebied waar de oorspronkelijke schade werd toegebracht. 'Een verandering op een enkel punt, zelfs in een molecuul, kan door het gehele systeem zijn uitwerking hebben en wijzigingen teweeg brengen in organen en weefsels die er ogenschijnlijk niets mee te maken hebben', zegt een recent rapport uit de medische research. Als men met de mysterieuze en prachtige functionering van het menselijk lichaam te maken heeft, ziet men, dat oorzaak en gevolg zelden eenvoudige en gemakkelijk aanwijsbare zaken zijn. Ze kunnen ver van elkaar afliggen, zowel wat afstand als tijd betreft. Om de oorzaak van ziekte en dood te vinden, is men afhankelijk van een geduldig samenvoegen van schijnbaar onbelangrijke en niet verwante feiten, die te voorschijn komen uit een onmetelijke research op uiteenlopend gebied.

We zijn gewend te kijken naar het in het oog lopende en onmiddellijke gevolg en al het andere te negeren. Tenzij het ogenblikkelijk verschijnt in een vorm, die niet genegeerd kan worden, ontkennen wij het bestaan van onheil. Zelfs researchmensen lijden aan de onvolmaaktheid van het onderkennen van het begin van letsel. Het gebrek aan exacte methoden om letsel aan te tonen voordat de symptomen zichtbaar worden, is een van de grootste onopgeloste problemen in de geneeskunde.

Er zijn wellicht mensen, die tegenwerpingen maken en zeggen: 'Ik heb dikwijls dieldrin op mijn grasveld aangebracht, maar ik heb nooit de stuiptrekkingen gekregen van de spuiters van de 'World Health Organization', dus heeft het mij geen kwaad gedaan.' Zo eenvoudig is het beslist niet. Ondanks het uitblijven van plotselinge en dramatische symptomen, krijgt iemand die met deze chemicaliën omgaat, beslist giftige stoffen in zijn lichaam. Het opslaan van gechloreerde koolwaterstoffen in het lichaam gebeurt cumulatief, zoals we hebben gezien, en vangt reeds aan bij een heel klein beetje van het gif. De giftige stoffen zetten zich in alle vetbevattende weefsels van het lichaam af. Als deze vetreserves worden aangesproken, kan het gif snel toeslaan. Een medisch tijdschrift uit Nieuw Zeeland gaf onlangs een voorbeeld hiervan. Een man, die wegens zijn dikte onder doktersbehandeling was, vertoonde plotseling symptomen van vergiftiging. Onderzoek van zijn lichaamsvet toonde aan, dat het dieldrin bevatte, dat in zijn stofwisseling werd opgenomen toen hij magerder werd. Hetzelfde zou kunnen voorkomen als iemand door ziekte gewicht verliest.

Maar de gevolgen van de aanwezigheid van giftige stoffen in het lichaam kunnen ook minder voor de hand liggend zijn. Enige jaren geleden waarschuwde het 'Journal' van de 'American Medical Association' tegen de gevaren van de aanwezigheid van insecticiden in vethoudende weefsels en wees erop, dat geneesmiddelen of chemicaliën die cumulatief werken met grotere voorzichtigheid moeten worden gebruikt dan die, welke niet de tendens vertonen om in de weefsels te worden opgeslagen. De vethoudende weefsels – waarschuwde men – zijn niet slechts een plek om vet op te slaan (hetgeen ongeveer 18 % van het lichaamsgewicht uitmaakt), maar hebben tevens veel belangrijke functies die met het aanwezige gif in conflict kunnen komen. Bovendien wordt vet gedistribueerd over organen en weefsels van het gehele lichaam en is zelfs een bestanddeel van celweefsels. Het is derhalve belangrijk om te onthouden, dat de insecticiden die in vet oplosbaar zijn, opgeslagen worden in individuele cellen, waar ze met de meest vitale en noodzakelijke functies van oxidatie en het ontstaan van de energie in conflict kunnen komen. Dit belangrijke aspect van het probleem zal in het volgende hoofdstuk behandeld worden.

Een van de belangrijkste gevaren van de gechloreerde koolwaterstof insecticiden is de inwerking op de lever. De lever is het eigenaardigste orgaan van het lichaam. Er bestaat geen veelzijdiger orgaan met zoveel onmisbare functies. Hij verricht zoveel vitale functies, dat zelfs de geringste schade de ernstigste gevolgen kan hebben. Hij produceert niet alleen een gal voor de vetvertering, maar door zijn plaats in het lichaam en de speciale circulatiesystemen die er samenkomen, ontvangt de lever het bloed direct uit de spijsvertering en speelt hij een rol bij de omzetting van alle voornaamste voedingsmiddelen. Hij slaat suiker op in de vorm van glycogeen en geeft het in nauwkeurig afgemeten hoeveelheden weer als glucose af om de bloedsuiker op een juist niveau te houden. Hij maakt proteïne met inbegrip van enige essentiële elementen van het bloedplasma. Hij zorgt dat het cholesterol in het bloedplasma in de juiste concentratie blijft en maakt de mannelijke en vrouwelijke hormonen inactief als ze een te hoog peil bereiken. Hij is een opslagplaats van vele vitaminen, waarvan sommigen op hun beurt medewerken aan de goede functionering van de lever zelf.

Zonder een normaal functionerende lever zou het lichaam zonder wapenen zijn – zonder verdediging tegen de grote verscheidenheid aan vergiften, die er binnendringen. Sommige van deze vergiften zijn normale bijprodukten van de spijsvertering, en de lever maakt ze snel en effectief onschadelijk door de stikstof er aan te onttrekken. Maar vergiften, die niet normaal in het lichaam voorkomen, kunnen ook inactief gemaakt worden. De 'ongevaarlijke' insecticiden malathion en de methoxychloorverbindingen zijn minder giftig dan hun familie omdat er een lever enzym is, dat hun moleculen zodanig verandert dat hun mogelijkheid om schade aan te richten, wordt verminderd. Op dezelfde manier rekent de lever af met de meeste giftige stoffen, waaraan we worden blootgesteld.

Onze afweer tegen binnenkomende vergiften of tegen vergiften, die binnen ons lichaam ontstaan, wordt thans verzwakt en verkleind. Een lever, die beschadigd is door chemische verdelgingsmiddelen is niet alleen niet in staat om ons tegen gif te beschermen, maar de gehele omvang van zijn diverse werkzaamheden kan worden aangetast. De gevolgen zijn niet alleen vèrstrekkend, maar bovendien kan niet altijd de ware oorzaak worden vastgesteld, omdat deze gevolgen zo verschillend kunnen zijn en niet altijd direct optreden.

Het is in dit verband interessant om te zien hoe sterk sedert de vijftiger jaren het aantal leverontstekingen is toegenomen, een toename, die nog steeds doorgaat. Er wordt ook gezegd, dat cirrose, d.i. verschrompeling van de weefsels van de lever, aan het toenemen is. Hoewel ik moet toegeven, dat het in het geval van mensen moeilijker is dan bij laboratoriumdieren om te bewijzen, dat uit oorzaak A gevolg B te voorschijn komt, mijn gewone gezonde verstand zegt reeds, dat er een samenhang moet zijn tussen de enorme toename van leverziekten en de aanwezigheid van levergiften in ons milieu. Of de gechloreerde koolwaterstoffen de belangrijkste oorzaak zijn of niet, doet niets af aan het feit, dat het nauwelijks verstandig geacht kan worden om ons bloot te stellen aan vergiften, die bewezen hebben de lever te kunnen beschadigen en deze waarschijnlijk minder resistent tegen ziekten te maken.

De beide voornaamste typen insecticiden, de gechloreerde koolwaterstoffen en de organische fosfaten, tasten het zenuwstelsel aan, zij het op enigszins verschillende manier. Dit is bewezen door een oneindig aantal proeven op dieren en door observatie van menselijke wezens. Wat het DDT betreft, het eerste nieuwe organische insecticide, dat op grote schaal in gebruik werd genomen, dit werkt in de eerste plaats op het centrale zenuwstelsel van de mens; men neemt aan, dat de kleine hersenen en dat deel van de hersenschors, waaruit de motorische (bewegings)functies van de spieren worden geregeld, voornamelijk worden aangetast. Een abnormaal gevoel van jeuk, prikkeling of branderigheid, zowel als trillingen of zelfs stuiptrekkingen, volgen op het blootstellen aan belangrijke hoeveelheden, zegt een handboek over vergiftigingen. Onze eerste kennis van de symptomen van acute vergiftiging door DDT werd door verschillende Britse onderzoekers geleverd. Zij stelden zich met opzet bloot aan de DDT om de gevolgen te leren kennen. Twee geleerden van de 'British Royal Navy Physiological Laboratory' lokten de opname van DDT door de huid uit door in aanraking te komen met muren, die waren behandeld met een in water oplosbare verf, die 2 % DDT bevatte en die bedekt waren met een dun laagje olie. Het directe gevolg op het zenuwstelsel blijkt uit hun uitvoerige beschrijving van de symptomen: 'De vermoeidheid, het gevoel van zwaarte en de pijnlijke ledematen waren direct waarneembaar . . . (er was) een sterke geïrriteerdheid . . . een sterke afkeer van iedere soort werk . . . een gevoel alsof men niet in staat was om aan de eenvoudigste geestelijke taak te beginnen. De pijn in de gewrichten was soms zeer hevig.'

Een andere Britse onderzoeker, die DDT in een acetonoplossing op de huid aanbracht, meldde zware en pijnlijke ledematen, spierslapte en 'ogenblikken van uiterst nerveuze spanning.' Hij nam vakantie en voelde zich beter, maar toen hij op zijn werk terugkwam, ging zijn conditie weer achteruit. Hij bleef toen drie weken in bed, voelde zich ellendig door een voortdurende pijn in zijn ledematen, leed aan slapeloosheid, nerveuze spanningen en soms aan een acuut gevoel van angst. Soms deden zich trillingen over het gehele lichaam voor, trillingen van het soort, dat ons thans maar al te goed bekend is door het aanschouwen van vogels, die door DDT zijn vergiftigd. De onderzoeker moest 10 weken van zijn werk wegblijven en na een jaar, toen zijn geval werd behandeld in een Brits medisch tijdschrift, was hij nog niet helemaal hersteld.

(Ondanks dit bewijs zijn er nog verschillende Amerikaanse onderzoekers, die met DDT experimenteren op vrijwilligers en die de klachten hoofdpijn en 'pijn in alle botten' afwijzen als 'klaarblijkelijk van psychoneurotische oorsprong.')

Er zijn nu gevallen bekend, waarbij èn de symptomen èn het gehele verloop van de ziekte op insecticidevergiftiging wijzen. Het is een typisch kenmerk dat zo'n slachtoffer, als hij blootgesteld geweest is aan insecticiden, bij een behandeling, waarbij alle insecticiden uit zijn omgeving worden verbannen, belangrijk minder vergiftigingssymptomen vertoonde, maar – en dit is veelbetekend – dat deze onmiddellijk terugkwamen bij een hernieuwd contact met de chemicaliën. Dit soort bewijs – niets meer of niets minder – vormt de basis van een groot aantal soorten medische therapie bij veel andere kwalen. Waarom zou het niet als een waarschuwing kunnen dienen? Het is niet langer verstandig om een 'berekend risico' te nemen en ons milieu te doordrenken met bestrijdingsmiddelen.

Waarom krijgt niet iedereen, die met insecticiden omgaat of ze gebruikt, dezelfde symptomen? Hier komt de kwestie van individuele gevoeligheid naar voren. Er bestaan aanwijzingen dat vrouwen vatbaarder zijn dan mannen, zeer jonge personen gevoeliger dan volwassenen, dat degenen die een zittend leven binnenshuis leiden eveneens gevoeliger zijn dan degenen die zwaar werk buitenshuis verrichten of veel in de buitenlucht verkeren. Er zijn nog meer verschillen, die niet minder reëel zijn, al zijn ze minder in het oog vallend. Wat de ene mens allergisch maakt voor stof of stuifmeel, gevoelig voor vergif of vatbaar voor een infectie en de ander niet, is nog steeds een medisch mysterie, waarvoor op dit ogenblik nog geen verklaring bestaat. Het probleem bestaat evenwel en het omvat een belangrijk deel van de bevolking. Sommige doktoren schatten dat een derde of meer van hun patiënten tekenen vertonen van de een of andere vorm van gevoeligheid en dat het aantal stijgende is. En ongelukkigerwijs kan een vatbaarheid plotseling optreden bij iemand, die voorheen niet vatbaar was. Er zijn inderdaad medici die geloven, dat het blootstellen aan giften bij tussenpozen juist zulk een gevoeligheid in de hand werkt. Als dit waar is, dan kan het een verklaring zijn voor het feit, waarom sommige onderzoekingen op mensen, die vanwege hun beroep bij voortduring blootgesteld werden aan insecticiden, weinig bewijs opleverden voor vergiftiging. Door het steeds voortdurende blootstellen aan deze chemicaliën bleven deze mensen ongevoelig voor vergiftiging – zoals een dokter voor allergische ziekten zijn patiënt ongevoelig houdt door herhaalde kleine injecties van de allergische kwaal te geven.

Het gehele probleem van vergiftiging door bestrijdingsmiddelen wordt in sterke mate gecompliceerd door het feit, dat een mens, in tegenstelling tot een laboratoriumdier, dat onder nauwkeurig gecontroleerde condities leeft, nooit aan één chemische stof wordt blootgesteld. Tussen de belangrijkste groepen insecticiden en tussen deze en andere chemicaliën bestaan wisselwerkingen, die ernstige risico's inhouden. Of ze nu in de grond of in het water komen of in het bloed van de mens worden opgenomen, deze chemicaliën blijven niet op zichzelf staan; er vinden mysterieuze en onzichtbare veranderingen plaats, waarbij de een de macht van de ander om schade aan te brengen wijzigt.

Er bestaat zelfs een wisselwerking tussen de twee belangrijkste groepen insecticiden, waarvan meestal wordt aangenomen dat ze geheel verschillend in hun uitwerking zijn. Het vermogen van de organische fosfaten, de vergiftigers van het zenuwbeschermende enzym cholinesterase, kan groter worden als het lichaam eerst is blootgesteld geweest aan een van de gechloreerde koolwaterstoffen, die de lever beschadigen. Dit komt omdat, als de functies van de lever niet meer normaal zijn, het niveau van de cholinesterase tot beneden normaal terugloopt. De gevolgen van het organische fosfaat kunnen dan voldoende zijn om acute symptomen te voorschijn te brengen. En zoals we reeds hebben gezien, kunnen verschillende organische fosfaten samen wisselwerkingen oproepen die hun giftigheid tot het honderdvoudige doen toenemen. Of wel de organische fosfaten kunnen inwerken op verschillende geneesmiddelen of bedwelmende middelen, of op synthetische stoffen, gebruikt bij de voedselbereiding – wie zal zeggen op welke van de talrijke, door mensenhand gemaakte stoffen, die op het ogenblik in onze wereld worden gebruikt?

De invloed van een chemische stof, waarvan men denkt dat hij ongevaarlijk is, kan drastisch worden gewijzigd door de uitwerking van een andere; een van de beste voorbeelden hiervan is een lid van de DDT familie, de methoxychloorverbindingen. (In werkelijkheid schijnt een methoxychloorverbinding niet zo vrij te zijn van gevaarlijke eigenschappen als men over het algemeen aanneemt, want recente proeven op dieren hebben aangetoond dat er iets gebeurt met de baarmoeder en dat er een remmende werking plaats vindt bij enkele invloedrijke hormonen van de hypophyse, hetgeen ons er aan herinnert, dat deze chemicaliën een grote biologische uitwerking hebben. Andere proeven tonen aan, dat methoxychloorverbindingen het vermogen bezitten de nieren te beschadigen.) Omdat ze niet in grote hoeveelheden in het lichaam worden opgeslagen, als ze alléén binnendringen, wordt ons wijs gemaakt dat het een 'veilige' chemische stof is. Maar dit behoeft niet juist te zijn. Als de lever reeds is beschadigd door een andere stof, dan wordt methoxychloor tot het honderdvoudige in het lichaam opgeslagen en dan zullen dezelfde gevolgen als die van DDT-vergiftiging ontstaan met een langdurige uitwerking op het zenuwstelsel. Toch kan de leverbeschadiging, die dit tot gevolg heeft, zo klein zijn, dat deze niet is opgemerkt. Deze beschadiging kan zijn ontstaan door een menigte doodgewone situaties, het gebruik van een ander soort insecticide, het gebruik van een vlekkenwater, dat tetrachloorkoolstof bevatte, of het innemen van zogenaamde zenuwstillende middelen, waarvan sommige (niet alle) tot de groep van de gechloreerde koolwaterstoffen behoren en het vermogen hebben om de lever te beschadigen.

Schade aan het zenuwstelsel beperkt zich niet tot acute vergiftiging; er kan ook een uitgesteld gevolg uit de blootstelling ontstaan. Langdurige schade aan de hersenen of de zenuwen is gemeld als gevolg van methoxychloorverbindingen en andere stoffen. Dieldrin kan, behalve de onmiddellijk optredende gevolgen, een uitwerking hebben die varieert van 'geheugenverlies, slapeloosheid en nachtmerries tot waanzin.' Lindaan wordt, volgens medische bevindingen, in belangrijke hoeveelheden in de hersenen en de leverweefsels opgeslagen en kan 'diepgaande en langdurige gevolgen in het centrale zenuwstelsel' doen ontstaan. Toch wordt deze chemische stof, een vorm van benzeen hexachloride, veel gebruikt in vaporisatoren, spuitbussen die een flinke nevel vluchtige insecticide in huizen, kantoren of restaurants sproeien.

De organische fosfaten, die meestal alleen worden gezien in verband met hun hevige uitwerking in gevallen van acute vergiftiging, hebben ook het vermogen om blijvend fysieke schade aan te richten aan 't zenuwstelsel en, zoals de meest recente bevindingen aantonen, geestelijk letsel te veroorzaken. Verschillende gevallen van uitgestelde verlamming zijn gevolgd op het gebruik van een of meer van deze insecticiden. Een vreemde gebeurtenis in de Verenigde Staten gedurende het tijdperk van het drankverbod in de dertiger jaren was een voorspel van de dingen, die zouden komen. Deze gebeurtenis werd niet door een insecticide veroorzaakt, maar door een stof, die chemisch tot dezelfde groep als de organische fosfaathoudende insecticiden behoort. Gedurende deze periode werden sommige stoffen wel gebruikt als vervangingsmiddel voor alcohol, daar ze buiten het drankverbod vielen. Een van deze stoffen was Jamaica-gember. Maar het Amerikaanse Pharmacopee produkt was duur en beunhazen kregen het idee om een vervanging voor Jamaica-gember te maken. Ze slaagden daarin zo goed, dat hun nagemaakte produkt beantwoordde aan de daarbij passende chemische tests en zodoende de regeringschemici om de tuin leidde. Om hun 'nagemaakte' gember de vereiste smaak te geven, had men er een chemische stof aan toegevoegd, die bekend staat onder de naam triorthocresyl fosfaat. Deze stof vernietigt het beschermende enzym cholinesterase, net zoals parathion. Als gevolg van het drinken van dit dranksmokkelaarsprodukt kregen ongeveer 15.000 mensen een verlamming van de beenspieren, die een permanente kreupelheid naliet en die nu 'gemberverlamming' wordt genoemd. De verlamming ging vergezeld van een vernietiging van de zenuw-scheden en van een degeneratie van de cellen van het voorste deel van het ruggemerg.

Ongeveer twintig jaar later kwamen verschillende andere organische fosfaten als insecticiden in zwang en al spoedig begonnen er gevallen van verlamming te ontstaan, die leken op de gemberverlamming. Een geval vond plaats bij een arbeider van een broeikas in Duitsland, die enkele maanden na een lichte vergiftiging die telkens optrad na het gebruik van parathion, verlamd raakte. Toen kregen drie arbeiders uit een chemische fabriek acute vergiftiging nadat ze aan insecticiden van deze groep waren blootgesteld. Ze herstelden na behandeld te zijn, maar tien dagen later voelden twee van hen spierslapte in de benen. Dit duurde wel 10 maanden bij de een; de ander, een jonge vrouwelijke chemicus, werd ernstiger getroffen. Ze was aan beide benen verlamd en had moeilijkheden bij het gebruik van handen en armen. Twee jaar later, toen haar geval bekend werd gemaakt in een medisch tijdschrift, kon ze nog niet lopen.

Het insecticide, dat voor deze gevallen verantwoordelijk was, is uit de handel genomen, maar sommige van de hedendaagse bestrijdingsmiddelen kunnen een gelijksoortige schade aanbrengen. Malathion (zeer geliefd bij tuinlieden) heeft bij proeven op kippen ernstige spierverlammingen doen ontstaan. Dit ging gepaard (net zoals bij de gemberverlamming) met vernietiging van de scheden van de heupzenuwen en ruggemergzenuwen.

Als ze al overleefd worden, kunnen deze gevolgen van organische fosforvergiftiging een voorspel voor erger betekenen. Door de ernstige schade, die ze aan het zenuwstelsel aanbrengen, was het misschien onvermijdelijk, dat deze insecticiden in verband werden gebracht met krankzinnigheid. De ontbrekende schakel werd gevonden door onderzoekers van de universiteit van Melbourne en het Prince Henry ziekenhuis in Melbourne, die verslag uitbrachtten over 16 gevallen van krankzinnigheid. Alle zestien hadden langdurig blootgestaan aan organische fosforhoudende insecticiden. Drie van hen waren wetenschapsmensen, die belast waren geweest met het onderzoek naar de doeltreffendheid van besproeiingsmiddelen; acht werkten in broeikassen en vijf waren boerenarbeiders. Hun symptomen varieerden van een gebrekkig geheugen tot schizofrenie en neerslachtigheid. Allen waren gezond voordat de chemicaliën, waar ze mee omgingen, als een boemerang gingen werken.

Zoals we hebben gezien, vindt men dergelijke situaties hier en daar vermeld in de medische literatuur, soms zijn er gechloreerde koolwaterstoffen mee gemoeid, soms organische fosfaten. Verstandsverbijstering, waanvoorstellingen, geheugenverlies, waanzin – het is een grote prijs voor de tijdelijke vernietiging van enkele insecten, maar het is een tol, die steeds weer geëist zal worden zolang we doorgaan met chemicaliën te gebruiken, die een rechtstreekse uitwerking op het zenuwstelsel hebben.

13 Door een nauw venster

De bioloog George Wald vergeleek eens zijn studie over een bijzonder gespecialiseerd onderwerp, het zichtbare pigment van het oog, met 'een zeer nauw venster, waardoor men op een afstand slechts een streep licht ziet. Als men naderbij komt, wordt het beeld groter, totdat men tenslotte door ditzelfde nauwe venster in het heelal kijkt.'

Hetzelfde gebeurt wanneer wij eerst ons oog instellen op de individuele cellen van het lichaam, daarna op de kleine structuur binnen de cellen en tenslotte op de uiteindelijke reacties van de moleculen in deze structuur. Alleen als we dat doen, kunnen we de ernstigste en vèrstrekkende gevolgen begrijpen van het lukraak aanbrengen van vreemde chemicaliën in ons binnenste. De medische research heeft zich betrekkelijk recent pas gericht op het functioneren van de individuele cellen, die energie produceren, welke onmisbaar voor het leven is. Het eigenaardige energieproducerende mechanisme van het lichaam is niet alleen de basis voor gezondheid, maar voor het hele leven zelf; het steekt zelfs de meest vitale organen naar de kroon als het om belangrijkheid gaat, want zonder het vlotte en doeltreffende functioneren van het energie-afgevend oxidatieproces kan geen enkele lichaamsfunctie worden uitgevoerd. Toch is de aard van vele chemicaliën, die tegen insecten, knaagdieren en onkruid gebruikt worden, zodanig, dat ze dit proces rechtstreeks aantasten en het prachtig werkende mechanisme uiteenrukken.

De research die tot onze tegenwoordige kennis van de cellulaire oxidatie heeft geleid, is een van de indrukwekkendste verworvenheden in de hele biologie en biochemie. De lijst medewerkers aan deze arbeid bevat de namen van veel Nobelprijswinnaars. Stap voor stap is dit werk gedurende de laatste vijfentwintig jaar voortgezet en het heeft uit zelfs nog vroegere arbeid geput om sommige grondstenen te leggen. Zelfs op het ogenblik is het nog niet geheel in alle details voltooid. En eerst de laatste tien jaar zijn alle verschillende delen van het researchprogramma samengevoegd tot één geheel, zodat de biologische oxidatie een deel van de praktische kennis van de biologen kon worden. Nog belangrijker is het feit, dat medici, die hun opleiding vóór 1950 kregen, weinig gelegenheid hebben gehad zich de bijzondere importantie van dit proces en de gevaren van disruptie ervan te realiseren.

Het essentiële werk van de energieproduktie geschiedt niet in een gespecialiseerd orgaan, maar vindt plaats in elke cel van het lichaam. Een levende cel, evenals een vlam, verbrandt brandstof om de energie te produceren, waarvan het leven afhankelijk is. Deze analogie is meer poëtisch dan exact, want de cel bewerkstelligt zijn 'verbranding' met de bescheiden hitte van de normale lichaamstemperatuur. Toch leveren deze miljarden zachtjes brandende vuren de levensenergie. Als ze zouden ophouden te branden, dan 'zou geen hart kunnen slaan, geen plant de zwaartekracht kunnen tarten en naar de zon groeien, geen amoebe kunnen zwemmen, geen gewaarwording zich langs een zenuw kunnen voortspoeden, geen gedachte kunnen ontspringen aan het menselijke vernuft,' zei de chemicus Eugene Rabinowitch.

De transformatie van de stof tot energie in de cel is een steedsvoortdurend proces, een van de hernieuwingscycli der natuur, een perpetuum mobile. Deeltje voor deeltje, molecuul voor molecuul wordt koolhydraten-brandstof in de vorm van glucose in dit perpetuum mobile gevoerd; in zijn cyclische gang ondergaat het verbrandingsmolecuul een versplintering en een serie zeer kleine chemische veranderingen. Deze veranderingen vinden op een ordelijke manier plaats, stap voor stap, en iedere stap wordt beheerst door een enzym met zo'n gespecialiseerde functie, dat het deze functie en geen andere verricht. Bij iedere stap wordt energie geproduceerd, afvalprodukten (kooldioxide en water) worden afgegeven en de veranderde verbrandingsmolecuul komt in haar volgende stadium. Wanneer het draaiende rad eenmaal rond is geweest, is de verbrandingsmolecuul verworden tot een vorm, die het gemakkelijk maakt zich te verbinden met een nieuwe binnenkomende molecuul en de cyclus kan opnieuw beginnen.

Dit proces, waarbij de cellen als een chemische fabriek functioneren, is een van de wonderen van de levende wereld. Het feit, dat alle functionerende deeltjes oneindig klein zijn, maakt het wonder nog groter. Enkele uitzonderingen daargelaten, zijn de cellen zelf reeds klein en kunnen slechts met behulp van een microscoop worden waargenomen. En het grootste deel van het oxidatieproces geschiedt op een nog kleiner podium, in minuscule deeltjes in het celprotoplasma, die mitochondria worden genoemd. Hoewel deze reeds meer dan 60 jaar bekend zijn, werden ze vroeger beschouwd als onderdelen van de cel, die onbekende en waarschijnlijk onbelangrijke functies hadden. Pas omstreeks 1950 werd de studie van de mitochondria een opwindend en vruchtbaar veld voor research; plotseling kregen zij zoveel aandacht, dat er binnen een periode van vijf jaar 1.000 rapporten over dit onderwerp verschenen.

Ook hier ziet men vol ontzag naar het vernuft en het geduld waarmee het mysterie van de mitochondria is opgelost. Stel u voor een deeltje zo klein, dat u het zelfs door de microscoop, die 300 maal vergroot, nauwelijks kunt waarnemen. Stel u dan de kundigheid voor, die nodig is om dit deeltje te isoleren, te bestuderen, zijn samenstellingen te analyseren en daarna nog de bijzonder ingewikkelde functies ervan vast te stellen. Toch is dit met behulp van de electronenmicroscoop en de technieken van de biochemicus gelukt.

Thans is bekend, dat de mitochondria kleine pakketjes met enzymen zijn; een gevarieerd assortiment, dat alle enzymen bevat, die nodig zijn voor de oxidatiecyclus en die op nauwkeurige en ordelijke wijze aan de wanden en in afdelingen zijn ondergebracht. De mitochondria zijn de 'krachtstations', waarin de meeste energieproducerende reacties plaatsvinden. Nadat de eerste, voorbereidende stappen ter oxidatie in het celplasma zijn gedaan, wordt de verbrandingsmolecuul in de mitochondria gebracht. Hier wordt de oxidatie voltooid en komen grote hoeveelheden energie vrij.

De eeuwig draaiende wielen van het oxidatieproces binnen de mitochondria zouden voor niets bewegen als het niet was om een boven alles belangrijk resultaat te bereiken. De energie, die bij elk stadium van de oxidatiecyclus wordt geproduceerd, komt vrij in een vorm, die de biochemici gewoonlijk ATP (adenosine trifosfaat) noemen; het is een molecuul, dat drie fosfaatgroeperingen bevat. De rol van het ATP bij de levering van energie bestaat hierin, dat het een van zijn fosfaatgroepen in andere stoffen kan omzetten, samen met de energie van zijn verbonden electronen, die met grote snelheid heen en weer schieten. Zo wordt in een spiercel energie voor de samentrekking van die spier gewonnen wanneer een eindstandige fosfaatgroep naar de samentrekkende spier wordt overgebracht. Dus vindt er een andere cyclus plaats – een cyclus binnen een cyclus – een molecuul ATP geeft een van zijn fosfaatgroepen af en houdt er slechts twee over, die een tweefosfatige molecuul vormen, ADP. Maar als de cyclus verder gaat, wordt er weer een andere fosfaatgroep aan de andere twee gekoppeld en het ATP is hersteld. Er is een analogie met de accumulator: ATP vertegenwoordigt de opgeladen en ADP de leeggelopen accu.

ATP is het algemene circulatiemiddel van de energie en wordt in alle organismen, van microben tot mens, aangetroffen. Het levert mechanische energie aan de spiercellen en elektrische energie aan de zenuwcellen. De spermacel, de bevruchte eicel, klaar voor de enorme uitbarsting van activiteiten, die haar in een kikker of een vogel of een mensenkind zullen doen veranderen, de cel die een hormoon moet maken, al deze cellen krijgen ATP geleverd. Iets van de ATP-energie wordt in het mitochondrion gebruikt, maar het meeste wordt onmiddellijk naar de cel gevoerd om de kracht voor andere activiteiten te leveren. De plaats van de mitochondria binnen zekere cellen geeft reeds hun functie aan, want ze zijn zo geplaatst, dat de energie juist daar kan worden afgegeven waar ze nodig is. In de spiercellen zijn ze te vinden rondom de samentrekkende vezels; in zenuwcellen bevinden ze zich daar waar de ene cel bij de andere samenkomt en verschaffen de energie om de impulsen over te brengen; in spermacellen zijn ze geconcentreerd op het punt waar de stuwende staart aan het hoofd is gekoppeld.

Het opladen van de accu, waarbij ADP en een vrije fosfaatgroep zich samenvoegen om de stof ATP te herstellen, is aan het oxidatieproces gekoppeld; de tussenliggende schakel wordt gekoppelde fosforilase genoemd. Als de combinatie ontkoppeld raakt, is er een middel verloren gegaan om bruikbare energie te verkrijgen. De ademhaling gaat voort, maar er wordt geen energie geproduceerd. De cel is als een snelwerkende motor geworden, die wel hitte verbruikt maar geen kracht afgeeft. Dan kan de spier niet samentrekken en de impuls kan niet over de paden der zenuwen snellen. Dan kan het sperma niet zijn bestemming bereiken; het bevruchte eitje kan zijn ingewikkelde delingen en voortbrengingsfuncties niet volvoeren. De gevolgen van een storing zouden inderdaad rampzalig zijn voor welk organisme ook, voor embryo en volwassene; op de duur zou het tot de dood van de weefsels of zelfs van het organisme kunnen leiden.

Hoe kan zo'n ontkoppeling optreden? Straling is een storingselement en de dood van cellen, die aan straling hebben blootgestaan, wordt door sommigen aldus verklaard. Ongelukkigerwijs hebben veel chemicaliën ook de macht om de oxidatie los te maken van de energieproduktie en de insecticiden en onkruidverdelgers zijn ruim op de lijst vertegenwoordigd. De fenolachtigen hebben, zoals is aangetoond, een sterke uitwerking op de spijsvertering en veroorzaken een fatale verhoging van de temperatuur; dit komt door het effect van de 'sneldraaiende motor'. De dinitrofenolen en pentachloorfenolen zijn voorbeelden van deze groep, die algemeen wordt gebruikt als herbiciden. Een ander storingselement onder de herbiciden is het 2,4-D. Onder de gechloreerde koolwaterstoffen heeft DDT bewezen een storingselement te zijn en vermoedelijk zullen verdere studies nog andere in deze groep aanwijzen.

Maar ontkoppeling is niet de enige manier om de kleine vuurtjes in sommige of alle miljarden lichaamsdelen te doven. We hebben gezien, dat elke stap in het oxidatieproces gericht is op en voortgebracht wordt door een specifiek enzym. Als enkele van deze enzymen – of slechts een enkel exemplaar – worden vernietigd of hun werking verzwakt, dan komt de oxidatiecyclus binnen de cel tot stilstand. Het doet er niet toe welk enzym dat is. Het oxidatieproces beweegt zich in een cyclus, die draait als een wiel. Als we een koevoet tussen de spaken van een wiel steken, maakt het ook niet uit op welke plek we dat doen; het wiel zal ophouden te draaien. Op dezelfde manier zal het oxidatieproces gaan stilstaan als we op een willekeurig punt in de cyclus een enzym vernietigen. Dan is er geen verdere energieproduktie.

De koevoet die tussen de wielen van het oxidatieproces wordt gestoken, kan bestaan uit een willekeurige stof uit de groep chemicaliën, die gewoonlijk als verdelgers worden gebruikt. DDT, methoxychloorverbindingen, malathion, fenothiazine en verschillende dinitro-verbindingen bevinden zich onder de talrijke verdelgers, die remmend werken op een of meer enzymen, die bij de oxidatiecyclus zijn betrokken. Ze verschijnen hier dus als stoffen, die in staat zijn om het gehele proces van de energieproduktie te doen stilstaan en de cellen de bruikbare zuurstof te onthouden. Dit is een letsel met zeer gevaarlijke gevolgen, waarvan er slechts enkele hier kunnen worden genoemd.

Alleen door systematisch zuurstof aan normale cellen te onthouden, hebben onderzoekers van deze normale cellen kankercellen gemaakt, zoals we in het volgende hoofdstuk zullen zien. Een indicatie van andere drastische gevolgen van het onthouden van zuurstof aan een cel is voortgekomen uit proeven op zich ontwikkelende embryos van dieren. Bij onvoldoende zuurstof worden de geordende processen, waarbij de weefsels zich ontvouwen en de organen zich ontwikkelen, uiteengerukt; misvormingen en andere abnormaliteiten komen dan voor. Waarschijnlijk zal het menselijke embryo, dat gebrek aan zuurstof heeft, ook aangeboren misvormingen krijgen.

Er zijn tekenen van een toename van dit onheil, hoewel weinig mensen ver genoeg kunnen kijken om alle oorzaken te bevatten. Als een van de meer onplezierige voortekenen des tijds, vatte het 'Office of Vital Statistics' in 1961 het plan op om een nationale classificatie van misvormde geboorten op te zetten en legde daarbij uit, dat de statistieken, die daarvan het gevolg zouden zijn, de benodigde feiten zouden verschaffen over het aantal misvormingen bij de geboorte en de omstandigheden, waaronder deze voorkwamen. Deze onderzoekingen zullen ongetwijfeld grotendeels op straling gericht zijn, maar men moet niet over het hoofd zien, dat veel chemicaliën de compagnons van straling zijn en precies dezelfde gevolgen hebben. Sommige gebreken en misvormingen bij de kinderen van morgen, die onverbiddelijk door het 'Office of Vital Statistics' worden tegemoetgezien, zullen bijna zeker door deze chemicaliën, die overal in ons milieu en zelfs in ons lichaam doordringen, veroorzaakt worden.

Het is zeer waarschijnlijk, dat sommige bevindingen omtrent het teruglopen van de voortplanting ook verband houden met de interferentie van het biologische oxidatieproces en de daaruit voortvloeiende uitputting van de overbelangrijke ATP accu's. Het eitje moet zelfs al vóór de bevruchting royaal van ATP voorzien zijn, als het wacht op de enorme krachtsinspanning, de grote afgifte van energie, die nodig zullen zijn zodra het sperma is binnengedrongen en de bevruchting heeft plaats gehad. Of de spermacel het eitje zal bereiken en er zal binnendringen, hangt af van zijn eigen voorraad ATP, die is vrijgekomen in de mitochondria, die in dikke lagen om de cel heenligt. Zodra de bevruchting heeft plaats gehad en de celdeling is begonnen, zal de energielevering in de vorm van ATP voor een groot deel bepalen of de ontwikkeling van het embryo tot aan het laatste stadium voortgang zal vinden. Embryologen, die de voor hen meest geschikte studie-onderwerpen, de eitjes van kikkers en zeeëgels, bestudeerden, hebben gevonden, dat als het ATP-gehalte beneden een bepaald niveau wordt gehouden, het eitje er eenvoudig mee ophoudt zich te delen en spoedig daarop sterft.

Het is geen onmogelijke stap van het laboratorium van de embryologen naar de appelboom, waar het nest van de roodborstlijster blauwgroene, doch koude, eieren bevatte en waar de vuurtjes, die leven beloofden en enkele dagen brandden, thans zijn uitgedoofd. Of naar de top van een reusachtige sparreboom in Florida, waar een flinke hoop twijgen en takjes in een onordelijke ordelijkheid drie grote, witte eieren bevatten, die koud en levenloos zijn. Waarom kwamen de eieren van de roodborstlijsters en de arend niet uit? Kwam de ontwikkeling van deze eieren, net zoals de eitjes van de laboratorium-kikvorsen, tot stilstand omdat ze niet genoeg van het algemene energie-betaalmiddel – ATP – hadden om hun ontwikkeling voortgang te doen vinden? En werd het gebrek aan ATP veroorzaakt omdat er in het lichaam van de vogelouders en in de eieren genoeg insecticide voorhanden was om de kleine eeuwig-draaiende wieltjes van het oxidatieproces, waarop de energielevering berust, te doen stoppen?

Het is helemaal niet meer nodig om te gissen of er insecticiden in de eieren van vogels aanwezig zijn. De eieren lenen zich vanzelfsprekend gemakkelijker tot dit soort onderzoek dan het ovarium van zoogdieren. Grote residuen DDT en andere koolwaterstoffen zijn altijd in de vogeleieren aangetroffen als de vogels aan deze chemicaliën waren blootgesteld, of dat nu in het laboratorium of in de natuur was gebeurd. En de concentraties waren groot. Fazanteneieren bij een proef in Californië bevatten tot 349 delen per miljoen DDT. In Michigan werd aangetoond, dat nog niet gelegde eieren van roodborstlijsters, die aan DDT-vergiftiging waren gestorven, grote concentraties (tot 200 delen per miljoen) bevatten. Andere eieren werden uit verlaten nesten genomen – de ouders waren door het gif getroffen – en deze bevatten ook DDT. Kippen, die vergiftigd waren door aldrin, dat op een naburige boerderij werd gebruikt, hebben het gif op hun eieren overgebracht; kippen, die bij wijze van proef DDT hadden gekregen, legden eieren, die wel 65 delen per miljoen DDT bevatten.

Wetende dat DDT en andere (wellicht alle) gechloreerde koolwaterstoffen de energie-producerende cyclus doen stoppen doordat een specifiek enzym buiten werking wordt gesteld of het energie-producerende mechanisme wordt ontkoppeld, kan men ook niet verwachten dat een ei, dat zo vol residuen zit, het gehele ontwikkelingsproces kan vervolmaken, het oneindige aantal celdelingen, het voortbrengen van weefsels en organen, de samenvoeging van vitale substanties, die uiteindelijk een levend wezen maken, voltooien. Dit alles vereist hoeveelheden ATP, die alleen het draaiende stofwisselingswiel kan voortbrengen.

Er is geen reden om aan te nemen, dat deze ontzettende gevolgen zich alleen tot vogels beperken. ATP is het universele circulatiemiddel van de energie en de stofwisselingscycli, die het doen ontstaan, werken voor hetzelfde doel in vogels en bacteriën, mensen en muizen. Het aanwezig zijn van insecticiden in de kiemcellen van elke soort moet ons derhalve verontrusten, want het kan gelijksoortige gevolgen hebben bij menselijke wezens.

En er bestaan aanwijzingen, dat deze chemicaliën aanwezig zijn in de weefsels, die zich bezighouden met het maken van kiemcellen, en in de cellen zelf. Een accumulatie van insecticiden is ontdekt in de geslachtsorganen van een groot aantal vogels en zoogdieren – bij fazanten, muizen en marmotten in het laboratorium, bij roodborstlijsters in een gebied, dat tegen de iepziekte met insecticide bespoten was en bij herten, die door de wouden van het westen zwierven, welke besproeid waren tegen de sparreknoprups. Bij een van de roodborstlijsters was de concentratie DDT in de testes groter dan in enig ander deel van het lichaam. Fazanten vertoonden ook buitengewoon grote hoeveelheden in de testes, wel 1.500 delen per miljoen.

Waarschijnlijk als gevolg van deze opeenhoping in de geslachtsorganen is atrophie van de testes bij proefzoogdieren waargenomen. Jonge ratten, die aan methoxychloorverbindingen waren blootgesteld, bezaten zeer kleine testes. Toen jonge hanen DDT gekregen hadden, maakten de testes slechts 18 % van hun normale groei door; de kammen en lellen, die wat hun groei betreft afhankelijk zijn van het hormoon uit de testes, bereikten slechts een derde van de normale grootte.

Ook de spermatozoïden zelf kunnen worden aangetast door het verlies van ATP. Experimenten tonen aan, dat de beweeglijkheid van het mannelijke sperma verminderd wordt door dinitrofenol, hetgeen een verkeerde uitwerking heeft op het energie-koppelende mechanisme, met een onvermijdelijk daarop volgend verlies aan energie. Hetzelfde zou waarschijnlijk van andere chemicaliën kunnen worden gezegd als de zaak werd onderzocht. Enige aanwijzing ten aanzien van een mogelijk gevolg voor menselijke wezens kan worden aangetroffen in de medische rapporten over oligospermia, of de teruglopende produktie van spermatozoa bij mensen, die per vliegtuig DDT over de gewassen aanbrengen.

Voor de mensheid als geheel is het bezit van onze erfelijke eigenschappen oneindig waardevoller dan het individuele leven, het is de schakel tussen heden en verleden. Door de miljoenen jaren der evolutie heen, hebben onze genen ons niet alleen gemaakt tot wat wij zijn, maar zij bepalen in hun kleinheid ook de toekomst, of deze nu een belofte of een dreiging inhoudt. De erfelijkheidsverslechtering door stoffen, die door mensenhand worden gemaakt, is de grote dreiging van onze tijd, 'het laatste en grootste gevaar voor onze beschaving'.

Wederom is er een parallel te trekken tussen chemicaliën en straling, die exact en onontkoombaar is.

De levende cel, die aan straling onderhevig is, doet verschillende soorten letsel op: de mogelijkheid van deling kan worden vernietigd, de cel kan een verandering van de chromosomenstructuur ondergaan, of de genen, de dragers van erfelijkheidseigenschappen, kunnen plotselinge veranderingen vertonen, die we mutaties noemen en die hen in staat stellen om nieuwe eigenschappen in volgende generaties te doen ontstaan. Als hij erg gevoelig is, kan de cel ook sterven of hij kan uiteindelijk, na verloop van tijd, die in jaren moet worden gemeten, kwaadaardig worden.

Al deze gevolgen van straling zijn in laboratoriumproeven door een grote groep chemicaliën, die bekend staan als stralingsnabootsers, gedupliceerd. Veel chemicaliën, die als verdelgingsmiddelen worden gebruikt, herbiciden zowel als insecticiden, behoren tot deze groep stoffen, die schade aan de chromosomen kunnen aanbrengen, normale celdeling in de weg kunnen staan of mutaties kunnen veroorzaken. Dit letsel aan de erfelijkheidsdragers is van een aard, die ziekte kan doen ontstaan bij de persoon of het dier, dat aan de chemicaliën is blootgesteld of dat de gevolgen kan tonen bij de volgende generaties.

Nog slechts enkele tientallen jaren geleden wist niemand iets van de gevolgen van straling of chemicaliën af. In die dagen was het atoom nog onsplijtbaar en er waren nog maar weinig chemicaliën, die straling konden nabootsen, in de proefbuizen van de chemici uitgevonden. Toen vond in 1927 een professor in de zoölogie aan een universiteit in Texas, Dr. H. J. Muller, dat als een organisme aan röntgenstralen werd blootgesteld, het mutaties in opeenvolgende generaties kon teweegbrengen. Met deze ontdekking werd een nieuw groot veld van wetenschappelijke en medische kennis opengelegd. Muller ontving de Nobelprijs voor geneeskunde voor deze ontdekking en op het ogenblik weet ieder niet-wetenschapsmens helaas – door zijn bekendheid met 'fall-out' – wat de mogelijke gevolgen van straling kunnen zijn.

Een gelijksoortige ontdekking – hoewel er niet zo'n ophef van werd gemaakt – werd in de eerste veertiger jaren gedaan door Charlotte Auerbach en William Robson aan de universiteit van Edinburgh. Toen zij met mosterdgas werkten, ontdekten zij, dat dit chemische gas blijvende abnormaliteiten bij de chromosomen veroorzaakte, die niet konden worden onderscheiden van die welke door straling teweeg werden gebracht. Bij proeven op de fruitvlieg, hetzelfde organisme dat Muller oorspronkelijk met zijn röntgenwerk had gebruikt, bleek dat ook mosterdgas mutaties veroorzaakte. Hiermede was de eerste chemische mutagen ontdekt.

Mosterdgas als mutagen is thans slechts een naam uit de lange lijst van chemicaliën die, zoals we thans weten, genetische eigenschappen in planten en dieren kunnen doen veranderen. Om te begrijpen hoe chemicaliën het verloop van erfelijkheid kunnen beinvloeden, moeten we eerst kijken naar het levensdrama zoals dat in de levende cel wordt opgevoerd.

De cellen, die de onderdelen zijn van de weefsels en organen van het lichaam, moeten het vermogen bezitten om in aantal toe te nemen als het lichaam wil groeien en als de levensstroom van generatie op generatie wil blijven vloeien. Dit wordt tot stand gebracht door mitose of kerndeling. In een cel, die op het punt staat zich te delen, vinden belangrijke wijzigingen plaats, eerst binnenin de kern, maar uiteindelijk omvatten deze wijzigingen de gehele cel. Binnen de kern bewegen en delen de chromosomen zich op een mysterieuze manier en stellen zich op in een vast patroon, dat dient om de beslissende factoren van erfelijkheid, genen, aan de dochtercellen door te geven. Eerst nemen zij de vorm van langgerekte draden aan, waaraan de genen worden vastgeregen als kralen aan een snoer. Daarna deelt iedere chromosoom zich in de lengterichting en de genen delen zich ook. Als de cel zich in tweeën deelt, gaat elke helft naar een van de dochtercellen. Op deze manier zal iedere nieuwe cel een complete inhoud chromosomen hebben met alle genetische voorwaarden erbij. Op deze manier wordt de volkomenheid van het ras en de soort bewaard; op deze wijze zal de soort dezelfde soort voortbrengen.

Een speciale manier van celdeling komt voor in de opstelling van de kiemcellen. Daar het aantal chromosomen voor een bepaalde soort constant is, moeten het eitje en het sperma, die zich verbinden om een nieuwe generatie van de soort te produceren, bij hun samenkomen slechts de helft van het bij de soort behorende aantal chromosomen medebrengen. Dit wordt met een buitengewone precisie bereikt door een wijziging in het gedrag van de chromosomen, die plaats heeft bij een van de delingen die deze cellen veroorzaken. Dan splitsen de chromosomen zich niet, maar er komt een hele chromosoom van elk paar in elke dochtercel. Op dit toneel van het leven is alles gelijk. Celdeling gebeurt bij alle aardse leven; mens noch amoebe, de reuzachtige mammoetboom noch de eenvoudige gistcel kan lang bestaan zonder het voortduren van het proces van celdelingen. Alles wat derhalve mitose in de weg staat, betekent een ernstige dreiging voor het welzijn van het aangetaste organisme en zijn afstammelingen.

'De voornaamste kenmerken van de organisatie der cellen, met inbegrip van bijvoorbeeld mitose, moeten veel ouder zijn dan 500 miljoen jaren – misschien wel 1.000 miljoen jaren', schreven George Gaylord Simpson en zijn collega's Pittendrigh en Tiffany in hun veel omvattend boek 'Life'. 'In deze betekenis is leven, hoewel bepaald fragiel en ingewikkeld, ongelooflijk duurzaam, duurzamer dan bergen. Deze duurzaamheid is geheel afhankelijk van de bijna onvoorstelbare nauwkeurigheid waarmede de erfelijke eigenschappen van generatie op generatie worden gecopieerd.'

Maar in alle duizend miljoen jaren, die deze schrijvers onder ogen hebben gezien, heeft er geen zo rechtstreekse en krachtige bedreiging van deze 'onvoorstelbare nauwkeurigheid' plaats gehad als de twintigste eeuwse dreiging van opgewekte straling en door de mens gemaakte en verspreide chemicaliën. Sir Macfarlane Burnet, een eminente Australische arts en Nobelprijs-winnaar, vindt het 'een van de belangrijkste medische kenmerken' van onze tijd, dat 'als gevolg van meer en meer chemische stoffen, die buiten de biologische ervaring liggen, de normale bescherming, die mutagens buiten de inwendige organen hield, steeds veelvuldiger wordt doorbroken.'

De studie van de menselijke chromosomen staat in zijn kinderschoenen en dus is het eerst zeer kort geleden mogelijk geworden om de invloed van verschillende van buiten komende factoren erop te bestuderen. Vóór 1956 was het onmogelijk om precies het aantal chromosomen van de menselijke cel – 46 – vast te stellen en hen zo nauwkeurig waar te nemen, dat de aanwezigheid of de afwezigheid van hele chromosomen of zelfs gedeelten ervan ontdekt kon worden. Het hele begrip van genetisch letsel door iets uit ons milieu is eveneens betrekkelijk nieuw en wordt zelden begrepen, behalve dan door de genetici, wier advies niet dikwijls wordt ingeroepen. Het gevaar van straling in verschillende vormen is thans redelijk bekend – hoewel ook op onverwachte plaatsen ontkend. Dr. Muller heeft dikwijls de 'weerstand' betreurd, die er bestaat tegen het 'aannemen van genetische principes door zovelen, niet alleen door regeringsinstituten, die richtlijnen uitvaardigden, doch ook door mensen uit de medische beroepen'. Het feit, dat chemicaliën eenzelfde rol als straling kunnen spelen is nog nauwelijks tot het publiek doorgedrongen, doch ook niet tot de geest van de meeste medische of wetenschappelijke werkers. Om deze redenen is de rol van de chemicaliën voor algemeen gebruik (meer dan die in laboratoriumproeven) nog niet precies vastgesteld. Het is buitengewoon belangrijk, dat dit gebeurt.

Sir Macfarlane staat niet alleen in zijn oordeel over het mogelijke gevaar. Ook Dr. Peter Alexander, een grote Britse autoriteit, heeft gezegd dat de stralingnabootsende chemicaliën 'wel eens een groter gevaar konden betekenen dan straling zelf'. Dr. Muller, die dankzij tientallen jaren werk op dit gebied een groot inzicht in de genetica heeft verkregen, waarschuwt dat verschillende chemicaliën (met inbegrip van groepen verdelgers) 'de mutatie-frequentie net zo hard als bij straling kan doen stijgen . . . Op het ogenblik weten wij veel te weinig af van de omvang van het blootstellen van onze genen aan zulke mutagene invloeden door moderne omstandigheden, waarbij wij maar al te dikwijls aan ongewone chemicaliën worden blootgesteld.'

De alom verbreide veronachtzaming van het probleem der chemische mutagens is wellicht te wijten aan het feit, dat de eerst ontdekte alleen van wetenschappelijk belang waren. Mosterdgas wordt uiteindelijk niet vanuit de lucht over hele bevolkingsgroepen gesproeid; het gebruik daarvan rust in de handen van ervaren biologen of artsen, die het aanwenden bij de kankertherapie. (Er is onlangs een geval bekend geworden van een patiënt, die chromosoomletsel had opgelopen bij deze behandeling.) Maar insecticiden en onkruiddoders *worden* in nauw contact gebracht met grote aantallen mensen.

Ondanks de bijzonder geringe aandacht, die aan deze kwestie is besteed, is het toch mogelijk geweest specifieke inlichtingen over een aantal van deze bestrijdingsmiddelen te vergaren en deze inlichtingen tonen aan, dat de vitale processen van de cel worden gehinderd in graden, die variëren van licht chromosoomletsel tot mutatie der genen en met gevolgen, die uiteindelijk tot de tragiek van misvorming kunnen leiden.

Muskieten, die verscheidene generaties achter elkaar aan DDT werden blootgesteld, zijn in vreemde, half mannelijke, half vrouwelijke, wezens veranderd, die hermafrodieten genoemd worden.

Planten, die met verschillende fenolen waren behandeld, vertoonden een volkomen vernieling van de chromosomen, veranderingen in de genen, een verrassend aantal mutaties, 'onherroepelijke erfelijke veranderingen'. Mutaties kwamen ook voor bij de fruitvlieg, het klassieke voorwerp van genetische proeven, toen die aan fenol was blootgesteld; deze vliegen vertoonden mutaties die fataal genoemd konden worden nadat ze aan een van de gewone herbiciden of aan urethaan waren blootgesteld geweest. Urethaan behoort tot de groep chemicaliën die carbamaten genoemd worden en waaruit een steeds toenemend aantal insecticiden en andere landbouwchemicaliën voorkomt. Twee van deze carbamaten worden reeds gebruikt om te voorkomen, dat opgeslagen aardappelen gaan uitlopen – juist om hun bewezen eigenschap, dat ze celdeling kunnen tegengaan. Een van de twee, maleïnezuuranhydride, wordt als een krachtige mutagens beschouwd.

Planten, die met benzeenhexachloride (BHC) of lindaan werden behandeld, werden monsterachtig misvormd en kregen tumorachtige gezwellen aan de wortels. Hun cellen groeiden buitensporig en waren opgezwollen door de chromosomen, die in aantal verdubbeld waren. Deze verdubbeling ging bij de voortdurende delingen door totdat nog meer celdeling technisch onmogelijk werd.

Het herbicide 2,4-D heeft ook tumorachtige gezwellen bij behandelde planten opgeleverd. De chromosomen werden kort en dik en hoopten zich opeen. Celdeling wordt ernstig vertraagd. Het effect is over het algemeen praktisch gelijk aan dat van röntgenstraling, zegt men.

Dit zijn slechts enkele voorbeelden; er zouden er meer kunnen worden gegeven. Tot op heden is er geen uitgebreide studie gemaakt van de mutagene gevolgen van verdelgingsmiddelen. De feiten, die hierboven werden weergegeven, zijn zijdelingse bevindingen uit de research van celfysiologie of genetica. Wat op het ogenblik zeer noodzakelijk is, is een rechtstreekse aanval op dit probleem.

Sommige geleerden, die bereid zijn om toe te geven dat er mogelijke gevolgen voor de mens zijn bij stralingsgevaar, vragen zich niettemin af of mutagene chemicaliën hetzelfde gevolg kunnen hebben. Ze halen de grote doordringende kracht van straling aan en twijfelen er aan of de chemicaliën de kiemcellen kunnen bereiken. Opnieuw worden we gehinderd door het feit, dat er weinig rechtstreekse onderzoekingen zijn gedaan bij de mens. Maar het vinden van grote residuen DDT in de geslachtsklieren en kiemcellen van vogels en zoogdieren vormt een steekhoudend bewijs, dat de gechloreerde koolwaterstoffen niet alleen wijd en zijd in het lichaam verspreid worden, doch ook in aanraking komen met genetische organismen. Professor David E. Davis heeft onlangs aan de universiteit van Pennsylvania ontdekt dat een krachtige chemische stof, die celdeling voorkomt en beperkt wordt toegepast bij de kankertherapie, ook gebruikt kan worden om steriliteit bij vogels te veroorzaken. Net niet dodelijke concentraties van deze stof doen de celdeling in de geslachtsklieren ophouden. Professor Davis heeft enig succes geboekt met proeven in de natuur. Er is derhalve weinig grond voor de hoop of zelfs de gedachte, dat de geslachtsklieren van welk organisme dan ook tegen de chemicaliën in hun omgeving beschermd worden.

Recente medische bevindingen op het gebied van abnormaliteiten der chromosomen zijn van buitengewoon belang en bijzondere betekenis. In 1959 ontdekten enkele Britse en Franse researchteams, dat hun onafhankelijke studies op een gemeenschappelijke conclusie wezen: dat sommige menselijke ziekten veroorzaakt werden door een verstoring van het normale aantal chromosomen. Bij verschillende ziekten en onregelmatigheden, die door deze onderzoekers werden bestudeerd, was het aantal daarvan niet normaal. Als voorbeeld moge dienen, dat het thans bekend is, dat het typische 'mongolisme' betekent, dat er een extra chromosoom aanwezig is. Soms komt het voor, dat deze extra chromosoom aan een ander verbonden is, zodat het aantal toch normaal 46 is. In de regel is de extra chromosoom echter separaat, en wordt het aantal dus 47. Bij zulke mensen moet de oorzaak van de misvorming worden gezocht bij de generatie vóór zijn geboorte.

Een andere techniek schijnt voor te komen bij een aantal patiënten, in Amerika zowel als in Engeland, die lijden aan een chronische vorm van leukemie. Men heeft gevonden dat zij een voortdurende onregelmatigheid van de chromosomen in sommige bloedcellen hebben. De abnormaliteit bestaat uit het verlies van een deel van een chromosoom. Bij deze patiënten hebben de huidcellen de normale vereiste hoeveelheid aan chromosomen. Dit bewijst, dat de fout in de chromosomen niet plaats had gevonden bij de kiemcellen, die het begin van deze mensen waren geweest, maar een schade toegebracht had aan bepaalde cellen (in dit geval de voorlopers van de bloedcellen), die geschiedde gedurende het leven van die mensen. Het verlies van een deel van een chromosoom kan wellicht deze cellen hun 'instructies' voor een normaal gedrag ontnomen hebben.

De lijst van gebreken, die met een stoornis in de chromosomen in verband kunnen worden gebracht, is sedert dit gebied is betreden, met rasse schreden uitgebreid, zelfs tot buiten de grenzen van de medische research. Een ervan, die bekend staat als het ziektebeeld van Klinefelter, houdt in dat een van de geslachtschromosomen is gedupliceerd. Het individu is mannelijk, maar omdat het twee X chromosomen heeft (die dus XXY in plaats van XY, het normale vereiste voor mannen, maken) is het ietwat abnormaal. Een bijzondere lengte en geestelijke gebreken vergezellen dikwijls de steriliteit, die mede hierdoor veroorzaakt wordt. Hier tegenover staat, dat een individu dat slechts één geslachtschromosoom ontvangt (en dus XO in plaats van hetzij XX of XY wordt) in werkelijkheid vrouwelijk is, maar toch vele secundaire vrouwelijke geslachtskenmerken mist. Dit gaat vergezeld van verschillende lichamelijke (en soms geestelijke) afwijkingen, want het X chromosoom draagt natuurlijk de genen, die verantwoordelijk zijn voor verschillende kenmerken. Het bovenstaande wordt het ziektebeeld van Turner genoemd. Beide gevallen zijn in de medische literatuur behandeld lang voordat de ware oorzaak bekend was.

Er wordt een enorme hoeveelheid werk over dit onderwerp verricht door geleerden uit vele landen. Een groep aan de universiteit van Wisconsin, onder leiding van Dr. Klaus Patau, heeft zich geconcentreerd op een aantal aangeboren afwijkingen, die meestal van achterlijkheid vergezeld gaan en die schijnen te worden veroorzaakt door het verdubbelen van slechts een deel van een chromosoom, alsof er ergens in de formatie van een van de kiemcellen een chromosoom is gebroken, waarvan de stukken niet goed opnieuw zijn geherdistribueerd. Zulk een ongelukje zal waarschijnlijk de normale ontwikkeling van het embryo in de weg staan.

Voor zover wij thans weten is het vóórkomen van een geheel extra chromosomencomplex gewoonlijk dodelijk en het embryo zal dit dan ook niet overleven. Er zijn slechts drie van deze gevallen bekend, die wel overleefd kunnen worden; een ervan is natuurlijk de kwestie van de mongolide kinderen. De aanwezigheid van een extra fragment chromosoom is echter niet noodzakelijkerwijs fataal, hoewel zij wel bijzonder schadelijk is en volgens de onderzoekers uit Wisconsin verantwoordelijk is voor een groot deel van de tot dusverre onverklaarde gevallen, waarin een kind met verschillende gebreken wordt geboren, gewoonlijk gepaard aan achterlijkheid.

Dit is zulk een nieuw studieterrein, dat tot op heden de geleerden zich meer hebben bezig gehouden met het indentificeren van de abnormaliteiten der chromosomen, die verband houden met ziekte en misvorming dan met het gissen naar de oorzaken. Het zou dwaas zijn om aan te nemen, dat één enkele stof verantwoordelijk is voor de schade aan chromosomen of voor hun vreemde gedrag tijdens de celdeling. Maar kunnen we ons veroorloven het feit te negeren, dat we op het ogenblik ons milieu volstoppen met chemicaliën, die de mogelijkheid in zich houden om rechtstreeks de chromosomen aan te vallen en hen zo aan te tasten dat er zulke omstandigheden worden geschapen? Is dit geen te hoge prijs voor een aardappel, die niet is uitgelopen of een terras zonder muggen?

Als we willen, kunnen we deze dreiging voor onze erfelijke eigenschappen verminderen, een bezit dat tot ons is gekomen in een periode van ongeveer 2 miljard jaren van evolutie en selectie van levend protoplasma, een bezit dat slechts op dit ogenblik van ons is voordat wij het doorgeven aan de latere generaties. We doen nog maar weinig om de integriteit ervan te bewaren. Hoewel fabrikanten van chemicaliën wettelijk verplicht zijn om hun produkt op vergiftigde eigenschappen te testen, zijn ze niet genoodzaakt om die proeven te nemen, die op een verantwoorde wijze genetische gevolgen aanwijzen en dus doen zij dit niet.

14 Een op de vier

De strijd die alles wat leeft tegen kanker voert is zo lang geleden begonnen, dat de oorsprong ervan niet meer na te gaan is. Maar deze strijd moet zijn begonnen in een natuurlijke omgeving, waarin alle leven, dat de aarde bevolkte, aan goede of kwade invloeden van de zon en de wind en de eeuwenoude natuur der aarde onderworpen was. Sommige elementen uit die omgeving betekenden gevaar, waaraan het leven zich moest aanpassen, wilde het niet ten onder gaan. De ultraviolette straling van het zonlicht kon kwaadaadige ziekten veroorzaken. Hetzelfde gold voor de straling van bepaalde rotsen of voor het arsenicum, dat uit de grond of van de rotsen afvloeide en voedsel of drinkwater verontreinigde.

Het aardse milieu bevatte deze vijandige elementen zelfs voordat er leven was; toch ontstond er leven en na miljoenen jaren was er leven in zeer grote aantallen en schier eindeloze verscheidenheid. Na de miljoenen jaren van langzaam voortglijdende tijd in de natuur, heeft alles wat leeft zich aangepast aan de vernietigende kracht, want de minst plooibare vormen van leven werden vernietigd en alleen de meest resistente bleven bestaan. Deze natuurlijke kankerverwekkende stoffen kunnen nog steeds ziekten voortbrengen; maar er zijn slechts weinige van deze stoffen en deze behoren tot die oude reeks van krachten, waaraan het leven vanaf zijn ontstaan is gewend.

Met de komst van de mens begon de toestand te veranderen, want alleen de mens kan kanker-verwekkende stoffen produceren. Deze stoffen worden in de medische terminologie carcinogenen genoemd. Enkele door mensenhand gemaakte carcinogenen zijn reeds eeuwen in onze omgeving geweest. Een voorbeeld is roet, dat aromatische koolwaterstoffen bevat. Met de opkomst van het industriële tijdperk werd de wereld een plaats van voortdurende, steeds in snelheid toenemende verandering. In plaats van de natuurlijke omgeving kwam er al spoedig een kunstmatige, die was samengesteld uit nieuwe chemische en natuurkundige stoffen, waarvan vele een sterk ontwikkelde capaciteit hadden om biologische veranderingen teweeg te brengen. Tegen deze carcinogenen, die de mens zelf had gecreëerd, kon hij zich niet beschermen, want net zoals zijn wezen zich biologisch langzaam had ontwikkeld, past het zich ook eerst langzaam aan nieuwe omstandigheden aan. Als gevolg hiervan konden deze krachtig werkende stoffen ook gemakkelijk de onvoldoende verdediging van het lichaam doorbreken.

Kanker heeft een lange geschiedenis, maar onze wetenschap over deze ziekte-verwekkende stoffen heeft zich slechts langzaam ontwikkeld. Het eerste bewustzijn dat stoffen van buitenaf of stoffen, die in onze omgeving aanwezig zijn, wel eens kwaadaardige ziekten zouden kunnen veroorzaken, kwam op bij een Londense arts, nu bijna 2 eeuwen geleden. In 1775 verklaarde Sir Percival Pott, dat keelkanker, die zo algemeen bij schoorsteenvegers voorkwam, veroorzaakt moest zijn door het roet, dat in hun lichaam was verzameld. Hij kon het 'bewijs', dat wij heden ten dage na zulk een bewering zouden eisen, niet leveren, maar moderne researchmethoden hebben nu de gevaarlijke chemische stof uit roet geïsoleerd en de juistheid van zijn veronderstelling aangetoond.

Tot meer dan een eeuw na Pott's ontdekking schijnt men weinig aandacht te hebben geschonken aan het feit, dat bepaalde chemicaliën in de menselijke omgeving, door herhaalde aanraking met de huid, door inademing of inslikken, kanker konden veroorzaken. Men had weliswaar opgemerkt dat huidkanker veel voorkwam bij arbeiders, die aan arsenicumdampen in de kopersmelterijen en tingieterijen van Cornwall en Wales waren blootgesteld. En het was bekend, dat de arbeiders uit de cobaltmijnen in Saksen en de uraniummijnen bij Joachimsthal in Bohemen dikwijls aan longziekten leden, die later kanker bleken te zijn. Maar dit waren verschijnselen uit de tijd vóór de industrialisatie, vóór de opbloei van de fabrieken, waarvan de produkten tot de omgeving van praktisch ieder levend wezen zouden doordringen.

Ziekten, die met de industrialisatie in verband werden gebracht, werden het eerst onderkend gedurende het einde van de 19e eeuw. Ongeveer ten tijde dat Pasteur bewees, dat microben de oorzaak waren van vele besmettelijke ziekten, ontdekten anderen de chemische origine van kanker – huidkanker bij de arbeiders van de nieuwe bruinkoolindustrie in Saksen en bij de leisteenindustrie in Schotland, tezamen met andere kankersoorten, die werden veroorzaakt door een beroepshalve blootstelling aan teer en pek. Tegen het einde der 19e eeuw was er een half dozijn oorzaken van industriële carcinogenen bekend; de 20ste eeuw zou ontelbare nieuwe kankerverwekkende chemicaliën creëren en deze in nauw contact brengen met de gehele bevolking. In de kleine twee eeuwen die sedert het werk van Pott zijn verstreken, is de toestand in onze omgeving sterk veranderd. Het blootstellen aan gevaarlijke chemicaliën geschiedt niet alleen meer beroepshalve; ze hebben het milieu van mens en kind veroverd, zelfs die van nog ongeboren kinderen. Het behoeft derhalve niet te verwonderen, dat wij op het ogenblik een alarmerende toename te zien krijgen van kwaadaardige ziekten.

De toename is niet alleen maar een kwestie van een subjectieve indruk. Het maandelijkse verslag van het 'Office of Vital Statistics' van juli 1959, merkt op dat kwaadaardige gezwellen, met inbegrip van die van de lymfatische en bloedfabricerende weefsels, 15 % uitmaken van de sterfgevallen van 1958, vergeleken met slechts 4 % in 1900. Het Amerikaanse Kankerinstituut schat dat, te oordelen naar het voorkomen van de ziekte op dit ogenblik, op den duur 45 miljoen Amerikanen kanker zullen krijgen. Dit betekent, dat deze ziekte in elke twee van de drie families zal voorkomen.

De toestand is, wat de kinderen betreft, nog verontrustender. Een kwart eeuw geleden werd kanker bij kinderen beschouwd als een medische zeldzaamheid. *Op het ogenblik sterven er meer Amerikaanse schoolkinderen aan kanker dan aan enige andere ziekte.* De toestand is zo ernstig geworden, dat in Boston het eerste ziekenhuis in de Verenigde Staten is opgericht, dat uitsluitend kinderen met kanker opneemt. Twaalf percent van alle sterfgevallen bij kinderen tussen de leeftijd van 1 en 14 jaar wordt door kanker veroorzaakt. Grote aantallen kwaadaardige tumors worden klinisch bij kinderen onder de vijf jaar ontdekt, maar het is een nog griezeliger feit, dat een belangrijk deel daarvan reeds bij of voor de geboorte aanwezig was. Dr. W. C. Hueper van het 'National Cancer Institute', een autoriteit op het gebied van kanker, heeft erop gewezen, dat aangeboren kanker en kanker bij kleine kinderen kan worden teruggebracht tot de invloed van kankerverwekkende stoffen, waaraan de moeder gedurende de zwangerschap is blootgesteld geweest en die de placenta zijn binnengedrongen om daar op de snelgroeiende foetus in te werken. Proeven hebben aangetoond, dat hoe jonger het dier is als het wordt blootgesteld aan een kankerverwekkende stof, des te zekerder het is, dat inderdaad kanker veroorzaakt wordt. Dr. Francis Ray van de universiteit van Florida heeft gewaarschuwd, dat 'we kanker bij onze kinderen kunnen veroorzaken door chemicaliën aan het voedsel toe te voegen . . . Wij zullen misschien wel een generatie of twee niet weten wat de gevolgen zullen zijn.'

Het probleem, waarmee we ons hier zullen bezighouden is of enkele van de chemicaliën, die we gebruiken bij onze pogingen om de natuur in bedwang te houden, een directe of indirecte rol spelen bij het veroorzaken van kanker. Er zijn bewijzen, verkregen uit proeven op dieren, dat vijf of misschien zelfs zes verdelgingsmiddelen definitief als carcinogenen moeten worden aangemerkt. De lijst wordt beduidend langer als we er de chemicaliën aan toevoegen, waarvan sommige artsen vermoeden, dat ze leukemie bij mensen teweegbrengen. Dit zijn slechts aanwijzingen, omdat we nu eenmaal geen proeven op mensen nemen, maar ze zijn niettemin indrukwekkend. Nog meer bestrijdingsmiddelen kunnen aan de lijst worden toegevoegd als we de chemicaliën erbij rekenen, waarvan de uitwerking op levende weefsels of cellen wordt beschouwd als een indirecte oorzaak van kwaadaardige ziekten.

Een van de eerste bestrijdingsmiddelen, die in verband met kanker werden gebracht, is arsenicum, dat in natrium arsenaat voorkomt en als onkruidverdelger wordt gebruikt en in calcium arsenaat en verschillende andere samenstellingen als insecticide. De band tussen arsenicum en kanker in mens en dier is historisch. Een indrukwekkend voorbeeld van de gevolgen van blootstelling aan arsenicum wordt aangehaald door Dr. Hueper in zijn 'Occupational Tumors', een klassieke monografie over dit onderwerp. De stad Reichenstein in Silezië is al bijna duizend jaar lang de plaats geweest waar goud- en zilvererts gedolven werd en enkele honderden jaren lang ook arsenicumerts. Door de eeuwen heen hoopte zich arsenicumafval op in de nabijheid van de mijnschachten en kwam terecht in de riviertjes, die van de bergen stroomden. Ook het ondergrondse water werd verontreinigd en er kwam arsenicum in het drinkwater. Eeuwen lang leden de inwoners van deze streek aan wat werd genoemd de 'Reichenstein ziekte', een chronische arsenicumvergiftiging, die vergezeld ging van leverstoornissen en stoornissen aan de huid, de spijsvertering en het zenuwstelsel. Kwaadaardige tumors vergezelden veelal de ziekte. De Reichenstein ziekte is thans slechts van historisch belang, want er werden vijfentwintig jaar geleden nieuwe waterleidingen aangelegd, waaruit het arsenicum voor het grootste deel kon worden verbannen. In de provincie Córdoba in Argentinië is chronische arsenicumvergiftiging, vergezeld van kankerachtige huidaandoeningen, echter endemisch, ten gevolge van de verontreiniging van het drinkwater, dat van rotsformaties komt, die arsenicum bevatten.

Het zou niet moeilijk zijn om condities te scheppen, die gelijk zijn aan die in Reichenstein en Córdoba, door een langdurig gebruik van arsenicumhoudende insecticiden. In de Verenigde Staten kunnen de van arsenicum doordrenkte gronden van de tabak plantages, van vele boomgaarden in het noordwesten en van de bosbessencultures in het oosten gemakkelijk contaminatie van de waterleiding teweeg brengen.

Een door arsenicum vergiftigde omgeving heeft niet alleen invloed op de mens, doch ook op de dieren. Een interessant rapport verscheen dienaangaande in 1936 in Duitsland. In de streek rond Freiburg, Saksen, verbreidden de zilver- en loodsmelterijen arsenicumdampen in de lucht; deze kwamen over het omliggende bouwland en zetten zich vast op de vegetatie. Volgens Dr. Hueper vertoonden paarden, koeien, geiten en varkens, die zich natuurlijk met deze vegetatie voedden, haaruitval en verdikkingen van de huid. De herten uit de in de buurt liggende bossen hadden soms abnormale pigmentplekken en uitwassen op de huid, die als de voorlopers van kanker konden worden beschouwd. Een vertoonde een letsel, dat beslist kankerachtig genoemd kon worden. Huisdieren en dieren in het wild werden beide aangetast door 'ingewandontsteking, maagzweren en leverontsteking.' Schapen, die vlak bij de smelterijen werden gehouden, ontwikkelden kanker aan de neusholte en bij hun dood werd arsenicum aangetroffen in de hersenen, in de lever en in tumors. In dezelfde streek kwam ook 'een buitengewone sterfte voor bij insecten, speciaal bij bijen. Na een regenbui, die de arsenicumstof van de bladeren afspoelde en deed afvloeien in het water van beken en poelen, stierven vele vissen.'

Een voorbeeld van een carcinogene stof, die tot de groep van de nieuwe organische bestrijdingsmiddelen behoort, is een chemisch produkt, dat algemeen tegen mijt en teken wordt gebruikt. Het gebruik van dit produkt verschaft ons uitgebreide bewijzen, dat, niettegenstaande de zogenaamde veiligheidsmaatregelen die de wet voorschrijft, het publiek vele jaren lang aan een bekend carcinogeen kan worden blootgesteld voordat de langzaam malende molens der wet de toestand onder de duim hebben. Het verhaal is ook interessant van een ander standpunt uit gezien, want het bewijst dat wat vandaag als 'veilig' door het publiek moet worden aangenomen, morgen bijzonder gevaarlijk kan zijn.

Toen deze chemische stof in 1955 werd geïntroduceerd, vroeg de fabrikant een vaststelling van een tolerantie aan, die de aanwezigheid van kleine residuen op gewassen, die zouden zijn bespoten, zou toestaan. Zoals door de wet is voorgeschreven, had hij het nieuwe chemische produkt op dieren in zijn laboratorium beproefd en hij legde de resultaten hiervan bij zijn aanvraag over. De geleerden van de 'Food and Drug Administration' interpreteerden de proeven echter zodanig, dat een mogelijke kankerverwekkende tendens aanwezig kon zijn en adviseerden derhalve een 'nultolerantie' vast te stellen, hetgeen betekent, dat er wettelijk geen residuen zouden mogen voorkomen op gewassen, die de grenzen der individuele staten zouden overschrijden. Maar de fabrikant had het recht om in beroep te gaan en het geval werd derhalve opnieuw door een speciale commissie bezien. De beslissing van de commissie hield een compromis in: een tolerantie van 1 deel per miljoen zou mogen worden toegestaan en het produkt zou twee jaar lang in de handel mogen blijven, gedurende welke tijd verdere laboratoriumproeven zouden moeten uitmaken of het produkt inderdaad kankerverwekkende eigenschappen had.

Hoewel de commissie dit niet met zoveel woorden zei, kwam het erop neer, dat het publiek als marmotten moest dienen en het verdachte carcinogeen samen met de laboratoriumhonden en -ratten moest testen. Maar laboratoriumdieren tonen spoediger gevolgen dan de mens en na twee jaar was het duidelijk, dat deze mijtverdelger inderdaad kankerverwekkend kon zijn. Zelfs toen, in 1957, kon de 'Food and Drug Administration' niet onmiddellijk de tolerantie herroepen, die de aanwezigheid van een bekende kankerverwekkende stof op voedsel voor publieke consumptie goedkeurde. Nog een jaar ging verloren met verschillende wettelijke procedures. Eindelijk werd in december 1958 de nultolerantie, die in 1955 werd aanbevolen, van kracht.

Dit zijn beslist niet de enige bekende kankerverwekkende stoffen onder de verdelgers. In laboratoriumproeven op dieren is gebleken, dat DDT verdachte levertumors heeft doen ontstaan. Wetenschappelijke medewerkers van de 'Food and Drug Administration', die de ontdekking van deze tumors publiceerden, wisten niet goed hoe ze te classificeren, maar zij meenden, dat er 'enige rechtvaardiging bestond om hen te beschouwen als een inferieur levercel-carcinoom.' Dr. Hueper rekent thans DDT definitief tot de 'chemische carcinogenen'.

Twee herbiciden uit de carbamaten-groep, IPC en CIPC, hebben bewezen huidtumors bij muizen te veroorzaken. Sommige van deze tumors waren kwaadaardig. Deze chemicaliën schijnen de kwaadaardige verandering in te leiden, een verandering die vervolgens voltooid kan worden door andere chemicaliën, die in het milieu aanwezig zijn.

De onkruidverdelger aminotriazol heeft bij proefdieren kanker aan de schildklier veroorzaakt. Deze chemische stof werd in 1959 door een aantal veenbessenkwekers misbruikt en veroorzaakte residuen op sommige in de handel gebrachte bessen. In de controverse die volgde op de inbeslagneming van de veenbessen door de 'Food and Drug Administration', werd het feit, dat de chemische stof in werkelijkheid kankerverwekkende eigenschappen had, wijd en zijd bestreden, zelfs door vele medici. De wetenschappelijke feiten, die de 'Food and Drug Administration' publiceerde, toonden duidelijk de kankerverwekkende aard van aminotriazol bij laboratoriumratten aan. Toen deze dieren het chemische produkt in een concentratie van 100 delen per miljoen in hun drinkwater kregen (d.i. een theelepeltje chemische stof op tienduizend theelepeltjes water), begonnen zij in de 68ste week tumors aan de schildklier te krijgen. Na twee jaar waren deze tumors aanwezig bij meer dan de helft van de proefratten. De diagnose was: verschillende typen goedaardige en kwaadaardige gezwellen. De tumors ontstonden ook bij een geringere dosering – in werkelijkheid bestond er *geen dosering, waarbij geen gevolgen resulteerden.* Niemand kent natuurlijk het niveau, waarop aminotriazol kankerverwekkend voor de mens gaat worden, maar, zoals een professor in de medicijnen van de Harvard universiteit, Dr. David Rutstein, heeft uitgelegd, het niveau kan net zo goed in het nadeel van de mens als in zijn voordeel liggen.

Tot op heden is nog onvoldoende tijd verlopen om de gehele uitwerking van de nieuwe gechloreerde koolwaterstofinsecticiden en van de moderne herbiciden te overzien. Veel kwaadaardige ziekten ontwikkelen zich zo langzaam, dat zij een belangrijk deel van het leven van het slachtoffer nodig hebben alvorens het stadium van klinische symptomen te bereiken. In de vroege twintiger jaren kregen vrouwen, die lichtgevende cijfers op horlogeplaten schilderden, minieme hoeveelheden radium binnen door de borsteltjes in aanraking met hun lippen te brengen; bij sommige van deze vrouwen ontwikkelde zich na een tijdsverloop van 15 of meer jaren beenderkanker. Een tijdsverloop van 15 tot 30 jaar of zelfs nog meer is aangetoond voor sommige kankersoorten, die waren veroorzaakt door beroepshalve omgang met chemische carcinogenen.

In tegenstelling tot deze industriële blootstelling aan verschillende carcinogenen dateren de eerste contacten met DDT van 1942 voor militair personeel en van 1945 voor burgers. Eerst vanaf de vijftiger jaren is een grote verscheidenheid aan bestrijdingschemicaliën in gebruik. Het tot wasdom komen van welke kiem van kwaadaardigheid ook moet nog worden afgewacht.

Er is echter op het ogenblik een uitzondering op de stelling, dat een lange periode van latentheid gewoon is bij de meeste kwaadaardige ziekten. Deze uitzondering vormt leukemie. Overlevenden van Hiroshima begonnen al drie jaar na de atoombombardementen leukemie te vertonen en er is thans reden om aan te nemen, dat de latente periode hiervoor nog belangrijk korter kan zijn. Andere kankertypen kunnen na verloop van tijd ook aantonen, dat zij een betrekkelijk korte sluimertijd nodig hebben, maar op dit ogenblik schijnt leukemie de uitzondering op de algemene regel van een bijzonder langzame ontwikkeling te zijn.

In de periode die sedert het ontstaan van de moderne bestrijdingsmiddelen is verlopen, is het voorkomen van leukemie steeds toegenomen. Cijfers, die door het 'National Office of Vital Statistics' beschikbaar zijn gesteld, vertonen duidelijk een onrustbarende stijging van kwaadaardige ziekten van de bloedvormende weefsels. In het jaar 1960 eiste leukemie alleen al 12.290 slachtoffers. Sterfgevallen aan allerlei kwaadaardige bloed- en lymfeziekten beliepen een aantal van 25.400, een sterke stijging tegenover het cijfer 16.690 in 1950. Gerekend naar het aantal sterfgevallen per 100.000 zielen, betekent dit een stijging van 11,1 in 1950 tot 14,1 in 1960. Deze toename beperkt zich geenszins tot de Verenigde Staten; in alle landen stijgt het opgegeven aantal sterfgevallen aan leukemie bij alle leeftijdsgroepen met een percentage van 4 of 5 per jaar. Wat betekent dit? Aan welke dodelijke stof of stoffen, die nieuw voor ons milieu zijn, wordt de mens thans met toenemende frequentie blootgesteld?

Wereldbekende instituten zoals de Mayo Kliniek bevestigen dat er honderden slachtoffers vallen aan ziekten van de bloedproducerende organen. Dr. Malcolm Hargraves en zijn medewerkers van de haematologische afdeling van de Mayo Kliniek delen mede, dat praktisch zonder enige uitzondering deze patiënten hadden blootgestaan aan verschillende giftige chemicaliën, met inbegrip van bespuitingsstoffen, die DDT, chloordaan, benzeen, lindaan en petroleum-distillaten bevatten.

Ziekten, die verband houden met de aanwezigheid en het gebruik van verschillende giftige stoffen, zijn in aantal toegenomen, 'speciaal gedurende de laatste 10 jaar', beweert Dr. Hargraves. Hij gelooft, na uitgebreide klinische ervaring, dat 'de overgrote meerderheid van de patiënten, die lijden aan veranderingen in de samenstelling van het bloed en aan lymfeziekten, in ernstige mate zijn blootgesteld geweest aan de verschillende koolwaterstoffen, die op hun beurt in de meeste bestrijdingsmiddelen van vandaag aanwezig zijn. Een zorgvuldige medische geschiedenis zal bijna altijd dit verband aantonen'. Deze specialist beschikt thans over een groot aantal gedetailleerde beschrijvingen van gevallen van leukemie, bloedarmoede waarbij de aanmaak van nieuw bloed gestoord is, de Hodgkin's ziekte en andere stoornissen van het bloed en de bloedvormende weefsels. 'Al deze patiënten waren aan deze soorten milieu-agens blootgesteld geweest en zelfs aan belangrijke hoeveelheden', zegt hij.

Wat tonen deze gevallen aan? Een geval betrof een huisvrouw, die spinnen verafschuwde. Half augustus was ze naar haar kelder gegaan met een spuitbus met DDT en een petroleum distillaat. Ze bespoot de hele kelder grondig, onder de trap, in de kast met fruit en in alle hoeken en gaten van de zoldering en tussen de balken. Toen ze klaar was, voelde ze zich ziek, ze was misselijk, benauwd en zenuwachtig. Binnen een paar dagen echter voelde ze zich weer beter en ze herhaalde, niets vermoedend, de behandeling in september. Daarna doorliep ze nog twee maal achtereenvolgens de cyclus sproeien, ziek worden, tijdelijk beter worden en weer spuiten. Na het derde gebruik van het aerosol kwamen er nieuwe symptomen bij: koorts, pijn in de gewrichten, algehele slapte en een acute aderontsteking in een been. Toen ze door Dr. Hargraves onderzocht werd, bleek ze aan acute leukemie te lijden. Ze stierf de daarop volgende maand.

Een van Dr. Hargraves' andere patiënten was een man met een vrij beroep, die zijn kantoor hield in een oud gebouw, dat vol kakkerlakken zat. Daar hij met deze insecten in de maag zat, nam hij de bestrijding maar in eigen hand. Hij bracht het grootste deel van een zondag door met het bespuiten van de kelder en moeilijk bereikbare gedeelten van het huis. De spray bestond uit een oplossing van 25 % DDT in een oplosmiddel, dat gemethyliseerde naftaline bevatte. Kort daarna begon hij blauwe plekken en bloedingen te krijgen. Hij werd, lijdend aan verschillende bloedingen, de kliniek binnen gebracht. Bloedproeven toonden een ernstige beschadiging van het bloedbereidende beendermerg aan. Gedurende de 5½ maand die volgden, ontving de patiënt 95 bloedtransfusies tegelijk met een andere therapie. Er ontstond een gedeeltelijke verbetering van zijn toestand, maar ongeveer 9 jaar later ontwikkelde zich een fatale leukemie bij deze patiënt.

Daar waar bestrijdingsmiddelen bij de beschreven gevallen voorkwamen, nemen de chemicaliën DDT, lindaan, benzeen hexachloride, de nitrofenolen, het gewone mottenpoeder paradichloorbenzeen, chloordaan en natuurlijk de oplossingen, waarin ze voorkomen, een voorname plaats in. Zoals deze dokter ook nadrukkelijk mededeelde, is het een uitzondering als er een blootstelling aan één enkele chemische stof plaats heeft. Het handelsprodukt bevat meestal combinaties van verschillende chemicaliën, die opgelost zijn in een petroleum distillaat en een dispersiemiddel. De aromatische cyclische en onverzadigde koolwaterstoffen van het oplosmiddel kunnen zelf al een belangrijke factor zijn in de schade aan de bloedvormende organismen. Van praktisch standpunt uit gezien, natuurlijk niet van medisch standpunt, is dit verschil van weinig belang, want deze petroleum oplosmiddelen vormen een onafscheidelijk deel van de meeste gewone bespuitingen.

De medische literatuur van Amerika en van andere landen kent vele belangrijke gevallen, die Dr. Hargraves' stelling – een verband als van oorzaak en gevolg tussen deze chemicaliën en leukemie en andere bloedziekten – ondersteunen. Zij hebben betrekking op mensen van alle dag, zoals boeren, die het slachtoffer werden van de 'fall-out' van hun eigen besproeiingsinstrumenten of van vliegtuigen, een student, die zijn studeerkamer tegen mieren bespoot en in de kamer bleef om te leren, een vrouw, die een draagbare lindaan vaporasitor in haar huis had aangeschaft, een arbeider op een katoenveld, dat met chloordaan en toxapheen was behandeld. Ze bevatten, half verborgen onder de medische terminologie, verhalen van menselijke tragedies, zoals die van de twee jonge neven in Tsjechoslowakije, jongens, die in dezelfde stad woonden en altijd samen hadden gewerkt en gespeeld. Hun laatste en noodlottige werk bestond uit het afladen van zakken insecticide (benzeen hexachloride) op een coöperatieve boerderij. Acht maanden later werd een van de jongens getroffen door acute leukemie. Binnen negen dagen was hij dood. Toen begon zijn neef tekenen van uiterste vermoeidheid te vertonen en hij had koorts. Binnen drie maanden waren zijn symptomen erger geworden en hij werd ook in een ziekenhuis opgenomen. Ook hier was de diagnose acute leukemie en ook hier had de ziekte haar onvermijdelijke fatale loop.

Dan is er het geval van een Zweedse boer, dat vreemd genoeg doet denken aan dat van de Japanse visser Kuboyama van het tonijnschip Lucky Dragon. Net zoals Kuboyama was de boer altijd een gezond man geweest, die zijn bestaan op het land verdiende zoals Kuboyama het zijne van de zee had gehaald. Voor elk van deze mannen had het gif, dat uit de hemel was gekomen, een doodvonnis ingehouden. Voor de een was dat door straling vergiftigde as, voor de ander een chemische nevel. De boer had ongeveer 24 hectare land met een nevelspuit met DDT en benzeen hexachloride behandeld. Terwijl hij werkte, maakten lichte windvlagen, dat er wolken nevel om hem heen hingen. ''s Avonds voelde hij zich ongewoon moe en de daaropvolgende dagen ondervond hij een algeheel gevoel van slapte met steken in de rug en pijnlijke benen en rillingen. Hij moest naar bed gaan', zegt een rapport van de Medische Kliniek in Lund. 'Zijn toestand verergerde echter en op 19 mei (een week na de bespuiting) vroeg hij in het plaatselijke ziekenhuis opgenomen te worden'. Hij had hoge koorts en er was een abnormaal aantal rode en witte bloedlichaampjes in zijn bloed. Hij werd overgebracht naar de 'Medical Clinic', waar hij na 2½ maand stierf. Een lijkschouwing onthulde, dat het beendermerg volkomen was verteerd.

Hoe een normaal en noodzakelijk proces als dat van de celdeling zo veranderen kan, dat het vijandelijk en vernietigend werkt, is een probleem, dat reeds talrijke geleerden heeft bezig gehouden en ongehoorde sommen gelds heeft verslonden. Wat gebeurt er in een cel, dat haar ordelijke vermenigvuldiging kan veranderen in de wilde en onregelmatige vorming van kanker?

Als de antwoorden zijn gevonden, zullen zij bijna zeker van verschillende aard blijken te zijn. Net zoals kanker zelf een ziekte is die in vele vermommingen kan optreden en in verschillende vormen te voorschijn kan komen, welke elk een andere oorzaak hebben, elk een andere loop van ontwikkeling en bovendien elk in de factoren die groei en teruggang beïnvloeden, verschillen, zo zal er ook een verscheidenheid van oorzaken moeten zijn. Toch zullen wellicht slechts enkele specifieke soorten letsel aan de cel verantwoordelijk zijn voor het ontstaan van kanker. Hier en daar zien we reeds een flauwe straling van het licht, dat op een goede dag dit probleem helder zal beschijnen; zij komt van verspreide research, die soms in het geheel niet als een studie over het kankerprobleem was opgezet.

Weer zien we dat we alleen door naar de allerkleinste onderdelen van het leven, naar de cel en zijn chromosomen, te kijken, de visie krijgen die nodig is om in zulke mysteries door te dringen. In de microcosmos zullen we moeten zoeken naar de factoren, die op de een of andere manier het wonderbaarlijk functionerende mechanisme van de cel uit zijn normale verband rukken.

Een van de indrukwekkendste theorieën over het ontstaan van kankercellen werd door een Duitse biochemicus, Professor Otto Warburg van het Max Planck Instituut voor Celphysiologie, ontwikkeld. Warburg heeft zijn leven gewijd aan de studie van de ingewikkelde processen van oxidatie binnen de cel. Vanuit de achtergronden van zijn grote kennis op dit gebied ontwikkelde zich een fascinerende en heldere verklaring van de wijze waarop een normale cel kwaadaardig kan worden.

Warburg meent dat straling of een chemisch carcinogeen de ademhaling van normale cellen vernietigt, zodat deze beroofd worden van de noodzakelijke energie. Dit kan gebeuren door zeer kleine doses, die dikwijls worden herhaald. Het gevolg, wanneer dit eenmaal tot stand is gebracht, is onherroepelijk. De cellen, die niet meteen gedood zijn door de inwerking van het ademhalingsgif, vechten om het verlies aan energie te compenseren. Ze kunnen de bijzondere en doelmatige cyclus, waarbij grote hoeveelheden ATP worden geproduceerd, niet langer voortzetten en vallen terug op een primitieve en veel minder efficiënte methode, die van de fermentatie. De strijd om door middel van deze fermentatie te blijven voortbestaan, duurt lang. Hij blijft doorgaan bij opeenvolgende celdelingen, zodat alle afstammelingen van de oorspronkelijke cel deze abnormale ademhaling krijgen. Wanneer een cel eenmaal zijn normale ademhaling kwijt is, kan hij deze niet meer terugkrijgen – niet in een jaar, niet in een tiental jaren, zelfs niet binnen enkele tientallen jaren. Maar in deze strijd om verloren energie terug te krijgen, beginnen deze overlevende cellen stukje bij beetje hun verlies door fermentatie te compenseren. Het is een Darwinistische strijd, die alleen de sterkste of de plooibaarste overleeft. Tenslotte bereiken ze een punt, waarop fermentatie evenveel energie als ademhaling kan produceren. Dit punt, zegt men, geeft het moment weer waarop kankercellen in de plaats van normale lichaamscellen zijn gekomen.

Warburg's theorie verklaart veel dingen, die anders een vraagteken zouden blijven. De lange latentie van verschillende kankersoorten kan worden verklaard uit de tijd, die nodig is voor het oneindige aantal celdelingen en gedurende welke de fermentatie langzaam-aan toeneemt nadat de oorspronkelijke schade aan de ademhaling is aangebracht. De tijd, die nodig is om de fermentatie dominerend te maken, varieert bij de verschillende soorten naar gelang van het fermentatie-tempo: bij een rat, waar kanker snel optreedt, is dit kort, bij de mens kan deze tijd wel tientallen jaren zijn, omdat de ontwikkeling van een kwaadaardige ziekte bij ons een bedachtzaam proces is.

De Warburg-theorie verklaart ook waarom herhaalde kleine doses van een kankerverwekkende stof onder bepaalde omstandigheden gevaarlijker zijn dan één grote dosis. De laatste kan namelijk de cellen direct doden, terwijl de kleine doses enige cellen zullen laten leven, zij het in een beschadigde conditie. Deze overlevende cellen kunnen dan kankercellen worden. Daarom is er ook geen 'veilige' dosis carcinogeen.

In Warburg's theorie kunnen we ook een verklaring zien van een feit, dat tot nu toe een raadsel was – dat een en dezelfde agens gebruikt kan worden om kanker te behandelen en te veroorzaken. Hetzelfde geldt, zoals thans algemeen bekend is, voor straling, die kankercellen doodt maar ook kanker kan veroorzaken. Dit geldt ook voor vele chemicaliën, die thans tegen kanker gebruikt worden. Waarom? Omdat beide typen agens de cel-ademhaling beschadigen. Kankercellen hebben reeds een onvolkomen ademhaling, dus zullen ze sterven als er weer schade aan wordt toegebracht. De normale cellen, die voor het eerst schade aan de ademhaling krijgen, worden niet gedood, maar worden op de weg gebracht naar wat later tot kwaadaardigheid kan leiden.

Warburg's ideeën werden in 1958 bevestigd toen andere geleerden er in slaagden normale cellen in kankercellen te doen veranderen, alleen door lange tijd achtereen, doch met tussenpauzen, zuurstof eraan te onthouden. In 1961 kwam er nog meer bevestiging, dit keer van levende dieren in plaats van weefselcultures. Radioactieve stoffen werden bij muizen, die aan kanker leden, geïnjecteerd. Toen werd door nauwkeurige metingen van hun ademhaling vastgesteld, dat de fermentatiesnelheid belangrijk was toegenomen, hetgeen Warburg had voorspeld.

Afgaande op de maatstaven, die door Warburg zijn vastgesteld, benaderen de meeste bestrijdingsmiddelen het criterium van het perfecte carcinogeen maar al te goed. Zoals we in het voorafgaande hoofdstuk hebben gezien, interfereren veel gechloreerde koolwaterstoffen, de fenolen en sommige herbiciden met de oxidatie en de energievoorziening in de cel. Hierdoor kunnen zij sluimerende kankercellen doen ontstaan, cellen waarin een onherroepelijke kwaadaardigheid lang en onopgemerkt kan blijven, totdat zij eindelijk in de openbaarheid komt als kanker op een moment dat de oorzaak al lang vergeten is.

Een andere weg naar kanker kan via de chromosomen ontstaan. Veel vooraanstaande wetenschapsmensen kijken met achterdocht naar elke agens die de chromosomen kan beschadigen, celdeling in de weg staat of mutaties veroorzaakt. In de ogen van deze geleerden betekent elke mutatie een mogelijke oorzaak van kanker. Hoewel men zich over het algemeen bezig houdt met mutaties in de kiemcellen, die dus de gevolgen pas tonen in de toekomstige generaties, kunnen er ook mutaties in de lichaamscellen voorkomen. Volgens de mutatie-theorie over het ontstaan van kanker ontwikkelt een cel, wellicht onder invloed van straling of een chemische stof, een mutatie die hem doet ontsnappen aan de controle, die het lichaam normaliter op de celdeling uitoefent. Derhalve kan hij zich op een wilde en onregelmatige manier vermenigvuldigen. De nieuwe cellen, die na deze celdeling ontstaan, hebben dezelfde kans om aan de controle te ontsnappen en over een tijd zullen er genoeg van deze cellen aanwezig zijn om kanker te veroorzaken.

Andere onderzoekers wijzen op het feit, dat de chromosomen in een kankerweefsel onstabiel zijn; zij zijn dikwijls gebroken of beschadigd, hun aantal kan wisselvallig zijn, er kunnen zelfs dubbele paren voorkomen.

De eerste onderzoekers, die de abnormaliteiten van chromosomen helemaal tot aan de uitbrekende kwaadaardige ziekte gevolgd hebben, waren Albert Levan en John J. Biesele, die verbonden zijn aan het Sloan-Kettering Instituut in New York. Deze geleerden zeggen zonder enige aarzeling op de vraag: wat kwam eerst, de kwaadaardige ziekte of de onregelmatigheid bij de chromosomen, dat 'de abnormaliteiten bij de chromosomen aan de ziekte voorafgingen'. Misschien, zo gissen zij, is er een lange periode van vallen en opstaan na de oorspronkelijke schade aan de chromosomen en de daaruit ontstane onregelmatigheid (dit zou dan de lange latentie van de ziekte verklaren), gedurende welke dan uiteindelijk een verzameling mutaties ontstaat, die de cellen aan de lichaamscontrole doen ontsnappen en resulteren in de onregelmatige vermenigvuldiging, die kanker heet.

Ojvind Winge, een van de eerste aanhangers van de theorie der choromosomen – instabiliteit, vond dat verdubbeling van de chromosomen speciaal veelbetekenend was. Is het dan toevallig, dat benzeen hexachloride en het daarvan afgeleide produkt lindaan de chromosomen bij proefplanten verdubbeld hebben, zoals men herhaaldelijk heeft kunnen vaststellen en dat deze zelfde chemicaliën een rol hebben gespeeld bij vele goed-gedocumenteerde gevallen van bloedarmoede met dodelijke afloop? En hoe gaat het met de vele andere bestrijdingsmiddelen, die interfereren met celdeling, chromosomen breken en mutaties veroorzaken?

Het is gemakkelijk te verklaren waarom leukemie tot de meest voorkomende ziekten behoort, die, ontstaan door blootstelling aan straling of aan chemicaliën, die straling nabootsen. Het voornaamste doel van natuurlijke of chemische mutagene stoffen zijn de cellen, die speciale zeer actieve delingsprocessen doormaken. Deze omvatten verschillende weefsels, maar wat zeer belangrijk is, ook die weefsels, die belast zijn met de produktie van bloed. Het beendermerg is de voornaamste producent van de rode bloedlichaampjes en dit zendt het gehele leven van de mens door miljoenen nieuwe cellen per seconde in de bloedsomloop. Witte bloedlichaampjes worden in de lymfeklieren gemaakt en in enkele beenmergcellen in variërende, maar in elk geval kolossale aantallen.

Sommige chemicaliën, die ons alweer herinneren aan stralingsprodukten zoals Strontium 90, hebben een eigenaardige voorkeur voor het beendermerg. Benzeen, een dikwijls voorkomend bestanddeel van oplosmiddelen van insecticiden, zet zich vast in het merg en blijft daar lang aanwezig, zoals bewezen is, wel 20 maanden. Benzeen zelf wordt al vele jaren in de medische literatuur beschouwd als een oorzaak van leukemie.

De snelgroeiende weefsels van een kind kunnen ideale condities scheppen voor de ontwikkeling van kwaadaardige cellen. Sir Macfarlane Burnet heeft erop gewezen, dat leukemie in de wereld niet alleen aan het toenemen is, maar dat deze ziekte het meeste voorkomt in de leeftijdsgroepen van 3 en 4 jaar, hetgeen van geen enkele andere ziekte gezegd kan worden. Volgens deze deskundige, 'kan deze piek tussen de drie en vier jaar nauwelijks een andere uitleg toestaan dan dat het jonge organisme is blootgesteld geweest aan mutagene stimulansen ten tijde van de geboorte.'

Een andere mutagens, waarvan bekend is, dat hij kanker verwekt, is urethaan. Als zwangere muizen met deze chemische stof worden behandeld, krijgen niet alleen zij zelf longkanker, maar hun jongen ook. Het enige contact dat het jonge muisje bij deze proeven met urethaan had gehad, dateerde van voor de geboorte, hetgeen bewijst, dat deze chemische stof de placenta moet zijn binnen gedrongen. Bij mensen die aan urethaan of daarvan afgeleide stoffen zijn blootgesteld geweest, bestaat de mogelijkheid dat er tumors bij hun kinderen ontstaan door het contact ermee vóór hun geboorte, aldus waarschuwt Dr. Hueper.

Urethaan als carbamaat is chemisch verbonden met de herbiciden IPC en CIPC. Ondanks de waarschuwingen van kankerexperts worden carbamaten op het ogenblik algemeen gebruikt, niet alleen als insecticiden, onkruiddoders en fungiciden, maar ook in verscheidene andere produkten zoals weekmakers, medicijnen, kleding en isolatiemateriaal.

De weg naar kanker kan ook een omweg zijn. Een stof die niet kankerverwekkend is in de gewone zin van het woord, kan de normale functionering van een deel van het lichaam zo beinvloeden, dat kwaadaardige ziekten ontstaan. Belangrijke voorbeelden daarvan zijn de ziekten, speciaal die van het voortplantingssysteem, die in verband schijnen te staan met een verstoring van het evenwicht der geslachtelijke hormonen; deze verstoringen kunnen in sommige gevallen op hun beurt weer zijn ontstaan uit iets dat het vermogen van de lever om een behoorlijk aantal van deze hormonen aan te houden, heeft aangetast. De gechloreerde koolwaterstoffen zijn nu juist het agens bij uitnemendheid om deze soort indirecte kankerverwekkende eigenschappen te doen ontstaan, want ze zijn alle min of meer giftig voor de lever.

De geslachtelijke hormonen zijn natuurlijk in normale gevallen in het lichaam aanwezig en verrichten een noodzakelijke groeistimulerende functie, die verband houdt met de verschillende voortplantingsorganen. Maar het lichaam kent een ingebouwde bescherming tegen excessieve hoeveelheden, want de lever zorgt voor het juiste evenwicht tussen de mannelijke en vrouwelijke hormonen (beide soorten worden in de lichamen van beide seksen geproduceerd, zij het in verschillende hoeveelheden) en voorkomt een uitzonderlijke accumulatie van een der twee soorten. Deze functie kan de lever echter niet verrichten als hij door ziekte of chemicaliën is beschadigd of als de toevoer van B-complex vitaminen wordt teruggebracht. Onder deze omstandigheden zullen de oestrogens (vrouwelijke hormonen) abnormaal hoge niveaus bereiken.

Wat zijn de gevolgen hiervan? Uit de dierenwereld komt door experimenteren tenminste een overvloedig bewijsmateriaal. Bij een van deze proeven vond een onderzoeker van het Rockefeller Instituut voor Medische Research, dat bij konijnen, die zieke, beschadigde levers hadden, veel uterustumoren voorkwamen, waarvan men aannam, dat ze waren opgetreden omdat de lever niet langer in staat was om de oestrogens in het bloed te inactiveren, zodat ze 'als gevolg daarvan tot een kankerverwekkend niveau opliepen'. Uitgebreide proeven op muizen, ratten, marmotten en apen tonen aan, dat een langdurige toediening van vrouwelijke hormonen (die niet noodzakelijkerwijs met grote hoeveelheden tegelijk behoeft te geschieden) veranderingen in de weefsels van de voortplantingsorganen heeft veroorzaakt, die 'variëren van goedaardige vergroeiingen tot kwaadaardige gezwellen'. Tumoren in de nieren zijn ontstaan bij hamsters, die vrouwelijke hormonen kregen toegediend.

Hoewel medische kringen afwijkende meningen hebben over dit onderwerp, blijft er toch voldoende bewijs voorhanden om het inzicht te steunen, dat gelijksoortige gevolgen in menselijke weefsels kunnen ontstaan. Onderzoekers van het 'Royal Victoria Hospital' van de McGill universiteit hebben gevonden, dat bij 2/3 van de 150 gevallen van uteruskanker, die zij hadden bestudeerd, een abnormaal hoog niveau van vrouwelijke hormonen aanwezig was. In 90 % van een latere serie van 20 onderzochte gevallen was er eveneens een hoog voorkomen van vrouwelijke hormonen.

Het is mogelijk leverbeschadiging te hebben, die zo sterk is dat de eliminatie van vrouwelijke hormonen wordt gestoord zonder dat deze leverstoornis door enige thans aan de medische wetenschap bekende proef kan worden ontdekt. Deze kan wel door de gechloreerde koolwaterstoffen worden veroorzaakt, die, zoals we hebben gezien, bij een zeer kleine opneming reeds veranderingen in de levercellen teweegbrengen. Er wordt ook verlies van B-vitaminen veroorzaakt. Dit is ook zeer belangrijk, want andere reeksen bewijzen hebben de beschermende rol van deze vitaminen tegen kanker aangetoond. Wijlen C. P. Rhoads, de vroegere directeur van het Sloan-Kettering instituut voor kankeronderzoek, heeft aangetoond dat proefdieren, die aan een zeer sterk werkende chemische kankerverwekkende stof waren blootgesteld, toch geen kanker kregen als hun gist toegediend werd. Gist is een rijke bron van natuurlijke B-vitaminen. Het is bewezen, dat een tekort aan deze vitaminen samengaat met mondkanker en wellicht kanker aan andere delen van de spijsvertering. Dit is niet alleen in de Verenigde Staten waargenomen, maar ook in de uiterst noordelijke delen van Zweden en Finland, waar het dagelijkse voedsel gewoonlijk een tekort aan vitaminen heeft. Bevolkingsgroepen, die vatbaar zijn voor leverkanker, zoals bijvoorbeeld de Bantoestammen van Afrika, zijn tevens blootgesteld aan ondervoeding. Borstkanker bij mannen komt ook veel in delen van Afrika voor; deze ziekte gaat vergezeld van leverziekten en ondervoeding. In Griekenland ging vlak na de oorlog borstvergroting bij mannen dikwijls gepaard met perioden van honger.

Om kort te gaan, er zijn argumenten aanwezig om de indirecte rol van bestrijdingsmiddelen bij kanker aan te nemen, aangezien bewezen is, dat zij schade aan de lever toebrengen en de B-vitaminen reduceren en dus leiden tot een toename van de 'endogene' vrouwelijke hormonen, dat wil zeggen van die welke door het lichaam zelf worden geproduceerd. Hierbij komt nog de grote verscheidenheid van synthetische vrouwelijke hormonen, waaraan we in toenemende mate worden blootgesteld – voorkomend in cosmetica, geneesmiddelen, voedsel en bij de uitoefening van vele beroepen. Het gecombineerde effect kan aanleiding zijn tot zeer ernstige bezorgheid.

Het blootstellen van de mens aan kanker-producerende chemicaliën (met inbegrip van bestrijdingsmiddelen) geschiedt veelvuldig en ongecontroleerd. Een persoon kan vele malen aan dezelfde chemische stof worden blootgesteld. Arsenicum is een goed voorbeeld. Het komt in verschillende vermommingen in ieders milieu voor: als lucht-contaminatie, waterverontreiniging, als residu van verdelgers op voedsel, in medicijnen, cosmetica, houtconserveringsmiddelen of als kleurstof in verf en inkt. Het is zeer goed mogelijk dat geen van deze stoffen alléén voldoende is om kwaadaardige ziekten te bevorderen – en toch kan elke 'veilige dosis' op zichzelf genoeg zijn om de weegschaal naar de verkeerde kant te doen overslaan, want de schaal is al vol van andere 'veilige' doses.

Ook hier kan schade ontstaan doordat twee of meer verschillende kankerverwekkende stoffen samenwerken, zodat er een optelling van gevolgen plaats heeft. De persoon, die bijvoorbeeld aan DDT wordt blootgesteld, wordt bijna zeker tevens blootgesteld aan andere lever-beschadigende koolwaterstoffen, die immers zo'n algemeen gebruik hebben gevonden als oplosmiddelen, bijtmiddelen, ontvettingsstoffen, stomerij-vloeistoffen en verdovingsmiddelen. Wat moet dan een 'veilige dosis' DDT zijn?

De situatie wordt zelfs nog gecompliceerder gemaakt door het feit, dat de ene chemische stof zodanig op de andere werkt, dat zijn invloed wordt gewijzigd. Kanker kan soms de complementaire werking van twee chemicaliën vereisen; de ene maakt dan de cel of het weefsel gevoelig voor de ziekte, zodat deze later, onder invloed van de ander of van een verwekkende agens, werkelijk kwaadaardig wordt. Zo kunnen de herbiciden IPC en CIPC optreden als verwekkers van huidtumors en het zaad uitzetten voor een kwaadaardige ziekte, die later door iets anders, misschien een gewoon synthetisch wasmiddel, tot wasdom komt.

Er kan ook een wisselwerking bestaan tussen een natuurlijke en een chemische agens. Leukemie kan optreden als een tweetraps proces, waarbij de kwaadaardige verandering teweeggebracht wordt door röntgenstralen en de eigenlijke verwekker door een chemische stof, bijvoorbeeld urethaan, wordt geleverd. De steeds toenemende blootstelling van de bevolking aan straling van verschillende aard plus de vele contacten met een menigte chemicaliën wijzen op een ernstig nieuw probleem in onze moderne wereld.

De contaminatie van het water door radioactieve stoffen stelt ons voor een ander probleem. Zulke materialen, die aanwezig zijn in water, dat ook chemicaliën bevat, kunnen immers de aard van de chemicaliën door de inwerking van ioniserende straling veranderen, hun atomen kunnen op een onvoorspelbare wijze van plaats wisselen en nieuwe chemicaliën zullen dan worden gevormd.

Experts op het gebied van de waterverontreiniging in de Verenigde Staten maken zich zorgen over het feit, dat synthetische wasmiddelen thans overal een lastige contaminatie van de waterleiding veroorzaken. Er bestaat geen praktische manier om ze te verwijderen. Er zijn maar weinig synthetische wasmiddelen bekend, die als kankerverwekkend beschouwd kunnen worden, maar ze kunnen langs een omweg kanker veroorzaken door aan de binnenkant van het spijsverteringskanaal in te werken en de weefsels te veranderen op een wijze, dat deze gemakkelijker gevaarlijke chemicaliën opnemen en de gevolgen ervan verergeren. Maar wie kan zoiets voorzien en controleren? Wat kan in de kaleidoscoop van de zich steeds wijzigende omstandigheden een 'veilige dosis' kankerverwekkende stof worden genoemd behalve een dosis van nul?

Wij tolereren kanker-veroorzakende stoffen in ons milieu tot ons eigen nadeel, zoals duidelijk door een recente gebeurtenis werd gedemonstreerd. In het voorjaar van 1961 ontstond er een epidemie van leverkanker onder de regenboogforellen van vele kwekerijen in de Verenigde Staten. Zowel de forel in de oostelijke als in de westelijke staten had de ziekte; in sommige streken had praktisch 100 % van alle forel boven de drie jaar kanker. Deze ontdekking werd gedaan doordat er al jaren een afspraak bestond tussen de 'Environmental Cancer Section' van het 'National Cancer Institute' en de 'Fish and Wildlife Service' om rapporten in te sturen over alle vis met tumors, zodat er tijdig gewaarschuwd kon worden als er kankergevaar voor de mens bestond.

Hoewel er nog steeds studies worden gemaakt om vast te stellen welke de oorzaak kon zijn van zo'n uitgebreide epidemie, meent men dat deze moet worden gezocht bij een of andere agens, die voorkomt in het van te voren klaargemaakte voedsel, dat in de kwekerijen wordt gebruikt. Dit voedsel bevat een ongelooflijke hoeveelheid chemische toevoegsels en medicinale stoffen.

De geschiedenis van de forel is om vele redenen belangrijk, maar voornamelijk als voorbeeld van wat er kan gebeuren als een krachtige kankerverwekkende stof wordt geïntroduceerd in het milieu van een soort. Dr. Hueper heeft naar aanleiding van deze epidemie ernstig ervoor gewaarschuwd, dat steeds toenemende aandacht moet worden geschonken aan het in toom houden van het aantal en de verscheidenheid van mogelijk kankerverwekkende stoffen in ons milieu. 'Als zulke voorzorgsmaatregelen niet worden genomen,' zegt Dr. Hueper, 'dan wordt de tijd snel rijp gemaakt voor een toekomstig en gelijksoortig onheil voor de mens.'

De ontdekking, dat we, zoals een geleerde het uitdrukte, in een 'zee van kankerverwekkende stoffen' leven, is natuurlijk ontzettend en kan gemakkelijk tot reacties van wanhoop en fatalisme leiden. 'Is het dan niet hopeloos?', is een gewone reactie. 'Is het niet onmogelijk om zelfs maar te proberen deze kankerverwekkende stoffen uit onze wereld te bannen? Zou het niet beter zijn om geen tijd aan het proberen te besteden, maar in plaats daarvan alle pogingen in het werk stellen om een genezing voor kanker te vinden?'

Als deze vraag aan Dr. Hueper wordt gesteld, wiens jaren van vooruitstrevend werk op het gebied van kanker een opinie waarborgen, die gerespecteerd mag worden, dan wordt het antwoord gegeven met de bedachtzaamheid van iemand, die lang heeft nagedacht en die een leven van research en ervaring achter zijn oordeel stelt. Dr. Hueper gelooft dat onze omstandigheden, wat de ziekte kanker bestreft, heden ten dage veel lijken op hetgeen het mensdom aan het einde van de 19e eeuw bedreigde, de besmettelijke ziekten. Het oorzakelijke verband tussen pathogene organismen en vele ziekten werd toen door het briljante werk van Pasteur en Koch vastgesteld. De medici en zelfs het publiek werden er toen op bedacht gemaakt, dat er micro-organismen in hun omgeving aanwezig waren, die ziekten konden veroorzaken, net zoals er thans kankerverwekkende stoffen tot ons doordringen. De meeste besmettelijke ziekten zijn thans redelijk onder controle en sommige zijn zelfs helemaal verdwenen. Deze briljante medische prestatie kwam na een aanval op twee fronten: voorkoming van de ziekten en genezing. Ondanks de verheven plaats, die 'toverkracht' en 'wondermiddelen' in de geest van de leek innemen, hebben de meest beslissende slagen in de oorlog tegen de besmettelijke ziekten bestaan uit maatregelen, die de ziekteverwekkende organismen uit het milieu banden. Een voorbeeld uit de geschiedenis is het uitbreken van cholera in Londen, thans meer dan 100 jaar geleden. Een Londense arts, John Snow, maakte een geografische kaart van de gevallen en vond, dat ze alle uit een buurt kwamen, waar de bewoners het water betrokken van een pomp in Broad Street. Snel en kordaat leverde Dr. Snow een staaltje van preventieve geneeskunde; hij verwijderde de zwengel van de pomp. De epidemie was hiermede onder controle gebracht – niet door een toverpil, die het (toen nog onbekende) organisme van cholera doodde, maar door het elimineren van het verwekkende organisme uit de omgeving. Zelfs therapeutische maatregelen hebben niet alleen het belangrijke resultaat op het oog om de patiënt te genezen, maar tevens om de haard van de infectie te lijf te gaan. Het tegenwoordig betrekkelijk zelden voorkomen van tuberculose is voor een groot deel te danken aan het feit, dat men thans weinig of niet meer met de tuberkelbacil in aanraking komt.

Thans vinden wij onze wereld vervuld van kanker-producerende stoffen. Een aanval op kanker, die geheel of zelfs grotendeels op therapeutische maatregelen is gebaseerd (aangenomen, dat een 'genezing' zou kunnen worden gevonden) zal naar Dr. Hueper's opinie falen, omdat deze de grote reservoirs met kankerverwekkende stoffen onaangetast laat. Deze stoffen zouden voortgaan met nieuwe slachtoffers te maken, sneller dan de op het ogenblik nog illusoire 'genezing' de ziekte zou kunnen onderdrukken.

Waarom zijn we zo traag met het toepassen van deze logica op het kankerprobleem? Waarschijnlijk 'is het doel om de slachtoffers van kanker te genezen prikkelender, gemakkelijker te bevatten, glorieuzer en dankbaarder dan de preventie', zegt Dr. Hueper. Toch is het voorkomen, dat kanker zich ooit nog kan vormen, 'oneindig menselijker en doeltreffender dan kankergenezing'. Dr. Hueper heeft niet veel op met de wens, die de vader van de gedachte is en die 'een toverpil belooft, die we trouw iedere morgen bij het ontbijt moeten innemen', als bescherming tegen kanker. Een deel van het alom heersende vertrouwen in zo'n uiteindelijk resultaat komt voort uit de misvatting, dat kanker een eenvoudige, zij het mysterieuze ziekte is, met een enkele oorzaak en, naar men hoopt, ook met een enkele genezing. Dit is natuurlijk verre van de waarheid. Net zoals kanker in ons milieu wordt voortgebracht door een grote verscheidenheid aan chemische en natuurlijke stoffen, openbaart de kwaadaardige ziekte zich zelf op verschillende biologische manieren.

De reeds lang beloofde 'doorbraak', als deze ooit komt, zal geen panacee zijn voor alle typen kwaadaardige ziekten. Hoewel het zoeken naar therapeutische maatregelen moet worden voortgezet om hen, die reeds het slachtoffer van kanker zijn, te helpen en te genezen, betekent het allesbchalve een dienst aan de mensheid om haar voor te spiegelen, dat de oplossing voor het probleem plotseling, door een meesterlijke vinding, aanwezig zal zijn. Neen, deze oplossing zal langzaam naderbij komen. Intussen zien wij, met het besteden van miljoenen aan research en het investeren van al onze hoop in de enorme campagnes, die genezing moeten vinden voor de reeds vastgestelde gevallen van kanker, de gouden gelegenheid over het hoofd om de ziekte te voorkomen.

De taak is beslist geen hopeloze. Op een belangrijk punt is het uitzicht bemoedigender dan de situatie betreffende de besmettelijke ziekten ten tijde van de eeuwwisseling. De wereld was toen vol van ziektekiemen, zoals hij thans vol kankerverwekkende stoffen is. Maar de mens stopte deze kiemen niet in zijn omgeving en zijn rol in hun verspreiding was een onvrijwillige. In tegenstelling hiermee heeft de mens de grote meerderheid van kankerverwekkende stoffen *wel* in zijn milieu geplaatst en hij kan, als hij dat wil, vele ervan elimineren. De chemische agens voor kanker is op tweeërlei manier in onze wereld terechtgekomen: ten eerste, vreemd genoeg, door het menselijk zoeken naar een betere en gemakkelijkere manier van leven; ten tweede, omdat de fabricage en de verkoop van zulke chemicaliën een aanvaard deel van onze economie en ons leven zijn geworden.

Hct zou niet realistisch zijn om aan te nemen, dat alle chemische kankerverwekkende stoffen geëlimineerd kunnen of zullen worden uit onze moderne wereld. Maar een zeer groot deel ervan is beslist geen noodzakelijkheid. Door deze weg te laten zou de totale last aanzienlijk lichter worden en de dreiging, dat één op de vier van hen kanker kan veroorzaken, zou tenminste voor een groot deel gereduceerd zijn. De meeste vastberaden pogingen zouden moeten worden gedaan om die stoffen te elimineren, die op het ogenblik ons voedsel, ons water en onze atmosfeer contamineren, want deze brengen de gevaarlijkste manier van contact met zich mee, en wel door de minieme hoeveelheden, waaraan we steeds opnieuw weer worden blootgesteld, jaar in, jaar uit.

Onder de meest vooraanstaande mannen op het gebied van de kankerresearch zijn er vele anderen, die Dr. Hueper's opinie delen, dat kwaadaardige ziekten belangrijk in aantal verminderd kunnen worden door vastberaden pogingen om de oorzaken in het milieu op te sporen en deze te elimineren of hun invloed te verkleinen. Voor diegenen, bij wie kanker reeds een verborgen of zichtbare ziekte is, moeten de pogingen om genezing te vinden natuurlijk voortduren. Maar voor hen, die nog niet door de ziekte zijn aangetast en zeer zeker voor de generaties, die nog niet geboren zijn, is preventie een dwingende noodzaak.

15 De natuur slaat terug

Als wij bij ons pogen de natuur tot onze volle tevredenheid te modelleren toch nog falen . . . wordt dit dan niet een onaanvaardbare ironie van het lot? Toch lijkt het er op het ogenblik op. De waarheid, die zelden gezegd wil worden, maar toch zichtbaar is voor iedereen die wil zien, is dat de natuur zich niet zo gemakkelijk laat modelleren en dat de insecten wel middelen vinden om de chemische aanvallen te pareren.

'De insectenwereld vormt de meest verbazingwekkende en verbijsterende manifestatie van de natuur', zegt de Nederlandse bioloog Dr. C. J. Briejèr. 'Niets lijkt daar onmogelijk, het meest onwaarschijnlijke vindt plaats. Wie zich hierin verdiept, geraakt in ademloze spanning. Hij weet dat hier alles te verwachten is, dat hetgeen volkomen onmogelijk lijkt, toch gebeurt'.

Dit 'onmogelijke' gebeurt dan ook op het ogenblik en wel op twee brede fronten. Door een proces van genetische selectie ontwikkelen de insecten rassen, die resistent tegen chemicaliën zijn. Dit zal in het volgende hoofdstuk worden behandeld. Maar een groter probleem, waaraan we hier aandacht zullen besteden, is het feit, dat onze chemische aanvallen de natuurlijke bescherming uit de omgeving verzwakken en dit is een pantsering, die juist is ontworpen om de verschillende soorten in bedwang te houden. Elke keer dat we deze pantsering doorbreken, komen er horden insecten doorheen.

Van over de gehele wereld komen rapporten binnen, die het overduidelijk maken, dat we ons in een netelige situatie bevinden. Na een tiental jaren van intensieve chemische bestrijding zagen entomologen, dat de problemen, die zij enkele jaren tevoren als opgelost beschouwden, opnieuw aanwezig waren. En nieuwe problemen hadden zich bij de eerste gevoegd, want insecten die eens in onbelangrijke hoeveelheden aanwezig waren, hadden een status aangenomen, die gerust een plaag genoemd mocht worden. Door hun aard streven de chemische bestrijdingsmiddelen hun doel voorbij, want ze zijn uitgevonden en toegepast zonder het ingewikkelde biologische stelsel in acht te nemen, waarop ze blindelings zijn neergesmeten. De chemicaliën zullen wel tegen een paar individuele soorten beproefd zijn, maar nimmer tegen een levende gemeenschap.

In sommige kringen is het tegenwoordig mode om het evenwicht in de natuur schamper te beschouwen als een stand van zaken, die vroeger wel eens, in een eenvoudiger wereld, bestond; een stand van zaken, die thans zo op zijn kop gezet is, dat we er maar liever niet aan denken. Dit is wel gemakkelijk, maar als uitgangspunt voor een te volgen gedragslijn is het uiterst gevaarlijk. Het evenwicht in de natuur is heden ten dage niet hetzelfde als ten tijde van het Plistoceen, maar het is er nog wel: een ingewikkeld, nauwkeurig en geïntegreerd systeem van wederzijdse betrekkingen tussen alle levende dingen. Dit evenwicht kan niet zo maar genegeerd worden, net zo min als de wet van de zwaartekracht straffeloos kan worden getrotseerd door een man op het uiterste randje van een klip. Het evenwicht in de natuur is geen *status quo;* het is beweeglijk, steeds veranderend en in een voortdurende staat van aanpassing. De mens is ook een deel van dit evenwicht. Soms is dit evenwicht in zijn voordeel; soms ook – en maar al te dikwijls door zijn eigen handelingen – is het in zijn nadeel veranderd.

Twee bijzonder belangrijke feiten zijn bij de opzet van de moderne insectenbestrijdingscampagnes over het hoofd gezien. Het eerste feit is dat de werkelijk doelmatige bestrijding van insecten door de natuur geschiedt en niet door de mens. De insectenbevolking wordt binnen de perken gehouden door wat de ecologen noemen de weerstand van de omgeving en dit is al zo geweest sinds het eerste leven was geschapen. Het aanwezige voedsel, de condities van weer en klimaat, de tegenwoordigheid van concurrerende of belagende soorten, dit alles is uiterst belangrijk. 'De belangrijkste op zich zelf staande factor bij het verhinderen, dat insecten de rest van de wereld in hun bezit nemen, is de elkaarverdelgende-oorlog, die zij onderling voeren', zegt de entomoloog Robert Metcalf. Toch doden de meeste chemicaliën, die wij thans gebruiken, alle insecten, of het nu vriend of vijand betreft.

Het tweede genegeerde feit is de werkelijk explosieve kracht van een soort om zich opnieuw voort te planten zodra de weerstand in de omgeving is verminderd. De vruchtbaarheid van vele levensvormen is bijna onvoorstelbaar, hoewel we er wel nu en dan iets van te zien krijgen. Ik herinner me uit mijn studentenjaren het wonder, dat we konden doen ontstaan door in een potje met hooi en water slechts enkele druppels toe te voegen van een rijpe culture protozoön. Binnen een paar dagen was het potje vol bewegend, druk leven – ontelbare triljoenen glibberige, microscopisch kleine diertjes, *Paramecium* genaamd, klein als een stofje, die zich zonder enige moeite in hun tijdelijk paradijs van gunstige temperatuur, overvloedig voedsel en de afwezigheid van vijanden konden vermenigvuldigen. Of ik denk aan de rotsen langs de kust, die zo ver als het oog reikt vol zitten met eendemossels of aan het gezicht op een grote school kwallen, die kilometers lang kan zijn en waar aan de kloppende, spookachtige vormen, die bijna zo doorzichtig zijn als het water zelf, haast geen einde komt.

We kunnen het wonder van de natuurbestrijding waarnemen wanneer we naar de kabeljauw kijken, die door de winterse zee naar zijn broedplaatsen trekt, waar de vrouwelijke exemplaren miljoenen eieren leggen. De zee wordt toch geen pakhuis van kabeljauw, hetgeen zeker het geval zou zijn als al de nakomelingen van de kabeljauw zouden blijven leven. De controle, die de natuur uitoefent, maakt dat uit de miljoenen jongen, die elk paar produceert, genoeg overblijft om ongeveer de oudervissen te vervangen.

Biologen vermaakten zich soms met gissingen wat er zou gebeuren, als door een ondenkbare catastrofe, de natuurlijke weerstanden eens zouden wegvallen en alle nakomelingen van een soort zouden blijven leven. Zo heeft Thomas Huxley een eeuw geleden eens uitgerekend, dat een enkele vrouwelijke bladluis (die de eigenaardigheid bezit zich te kunnen voortplanten zonder te paren) in een jaar tijds een nakomelingschap zou kunnen hebben, waarvan het gewicht overeenkwam met dat van alle bewoners van het toenmalige Chinese keizerrijk.

Gelukkig voor ons bestaat zulk een extreme situatie alleen in theorie, maar de droeve gevolgen van het ontwrichten der natuur zijn welbekend aan degenen, die de dierengemeenschap bestuderen. De ijver der veefokkers om de prairiewolven uit te roeien heeft tot gevolg gehad, dat er een plaag van veldmuizen ontstond, die vroeger door de prairiewolven in bedwang werden gehouden. De dikwijls herhaalde geschiedenis van de Kaibab-herten in Arizona is een ander bewijs. Eens was de hertenbevolking in evenwicht met zijn omgeving. Een aantal roofdieren – wolven, poema's en prairiewolven, voorkwam dat er meer herten kwamen dan er voedsel aanwezig was. Toen werd een campagne ondernomen om de herten te 'conserveren' door hun natuurlijke vijanden te elimineren. Toen de roofdieren waren verdwenen, nam de hertenbevolking bovenmatig toe en al spoedig was er niet genoeg voedsel voor hen. De onzichtbare lijn waarop aan de bomen jonge scheuten groeiden, kwam hoger en hoger te liggen door het zoeken naar voedsel en toen kwam de tijd, dat er meer herten van honger stierven dan vroeger ooit door de roofdieren waren gedood. Bovendien was de hele omgeving beschadigd door hun wanhopige pogingen om aan eten te komen.

De roofinsecten van veld en bos spelen dezelfde rol als de wolven en prairiewolven bij het Kaibab hert. Doodt hen en de bevolking van de prooi-insecten gaat met sprongen omhoog.

Niemand weet hoeveel soorten insecten de aarde bevolken, want er moeten er nog zo veel geïdentificeerd worden. Maar er zijn er al meer dan 700.000 gedocumenteerd. Dit betekent, dat wat de soort betreft, 70 tot 80 % van de schepselen der aarde insecten zijn. Het overgrote meerendeel van deze insecten wordt in toom gehouden door naturulijke krachten, zonder dat interventie van de mens nodig is. Als dit niet zo was, dan is het twijfelachtig of er chemicaliën – of andere methoden – genoeg zouden zijn om hun aantallen binnen de perken te houden.

De moeilijkheid is dat we ons zelden bewust zijn van de bescherming, die de natuurlijke vijanden bieden, totdat deze faalt. De meesten van ons lopen niets ziende door de wereld en zijn niet bedacht op de schoonheid, de wonderbaarlijkheden en de vreemde en soms verschrikkelijke intensiviteit, waarmede het leven om ons heen wordt geleefd. Daardoor komt het, dat de activiteit van de roofinsecten en parasieten maar aan weinigen van ons bekend is. Misschien hebben we wel eens een vreemd gevormd insect in een aanvalshouding op een heester in de tuin gezien en toen vagelijk gedacht, dat dit roofdier leeft ten koste van andere insecten. Maar we kunnen alleen met een begrijpend oog zien als we 's nachts in de tuin hebben gewandeld en hier en daar het roofinsect als een bliksemschicht hebben zien toeschieten op zijn prooi. Dan beseffen we iets van het drama van de jager en de opgejaagde. Dan beginnen we iets te beseffen van die meedogenloze kracht, waarmee de natuur zichzelf in evenwicht houdt.

De belagers, dat zijn insecten die andere insecten doden en opeten, bestaan uit vele soorten. Sommige zijn snel en grijpen met de snelheid van een zwaluw hun prooi in de lucht. Andere zwoegen methodisch langs een stengel omhoog en plukken en verorberen daar de aan één plaats gebonden insecten zoals de bladluizen. De wespen vangen zacht-gelichaamde insecten en voeden de lichaamssappen aan hun jongen. Graafwespen bouwen zuilenvormige nesten van modder onder de dakpannen van huizen en stoppen ze vol met insecten, waarvan hun jongen eten. Een ander soort graafwesp hangt in de lucht boven de kudden grazend vee en vernietigt de bloedzuigende vliegen, die het vee hinderen. De luid zoemende zweefvlieg, die dikwijls voor een bij wordt aangezien, legt zijn eieren op bladeren van planten, die door bladluis bezocht zijn; de opgroeiende larven eten dan enorme aantallen bladluizen op. Lieveheersbeestjes behoren tot de meest doelmatige vernietigers van bladluis, schildluis en andere plantenetende insecten. Letterlijk honderden bladluizen worden door een enkel lieveheersbeestje opgegeten om de kleine energievuurtjes op te stoken, die nodig zijn om zelfs maar één hoopje eieren te leggen.

Nog uitzonderlijker in hun gewoonten zijn de parasitaire insecten. Deze doden hun gastheren niet direct. In plaats daarvan maken zij, door een verscheidenheid van aanpassingen, van hun slachtoffers gebruik voor de voeding van hun eigen jongen. Ze kunnen hun eieren leggen binnenin de larven of eieren van hun prooi, zodat de zich ontwikkelende jongen voedsel krijgen door hun gastheer op te eten. Sommige hechten hun eieren aan een rups vast door middel van een kleverige stof; wanneer het ei larf geworden is, boort de parasiet zich door de huid van de gastheer. Weer andere, geleid door een instinct, dat lijkt op een vooruitziende blik, leggen hun eieren zo maar op een blad, zodat de ontspruitende rups dit slechts behoeft te consumeren.

Overal, op akker en in haag, in tuin en in bos, zijn de roofinsecten en de parasieten aan het werk. Hier zullen boven een vijver de libellen zweven, terwijl de zon het vuur uit hun vleugels slaat. Zo snelden hun voorouders door de moerassen, waar reusachtige reptielen woonden. Nu, net zoals toen, vangen de scherpziende libellen de muggen vanuit de lucht en werken hen naar binnen met hun mandvormige poten. In het water beneden loeren hun jongen, de libellen larven of najaden, op de in het water huizende stadia van muggen en andere insecten. Of daar, bijna onzichtbaar tegen een blad, zit een gaasvlieg met zijn groene, gazen vleugels en gouden ogen, stilletjes en stiekem. Hij stamt af van een oud ras, dat leefde in de jongste periode van het Paleozoïcum. De volwassen gaasvlieg voedt zich voornamelijk met plantensappen en de honingdauw van bladluizen en als haar tijd daar is, legt zij haar eieren, elk aan het eind van een lang steeltje, dat ze aan een blad bevestigt. Hieruit komen haar kinderen te voorschijn, vreemde, borstelige larven, die leven van de roof op bladluizen, schildluizen of mijt, die ze vangen en leegzuigen. Elk van hen kan verschillende honderden bladluizen verorberen voordat het eindeloze draaien van zijn levenscyclus bij het punt van zijn leven is aanbeland, waarop hij een witte zijden cocon om zich heen zal spinnen, waarin hij het stadium van pop zal doormaken. En er zijn vele andere wespen en vliegen, wier bestaan afhangt van de vernietiging van de eieren of larven van andere insecten. Sommige eierparasieten zijn een soort heel kleine wespen en toch houden ze, door hun grote activiteit, een overvloed van veel oogstvernietigende insecten in bedwang.

Al deze kleine schepselen werken, werken in zon en regen, gedurende uren van de nacht en zelfs wanneer de greep van Koning

Winter het vuur van hun leven tot een smeulend hoopje heeft doen afnemen. Dan is de vitale kracht wachtende op de tijd, dat het voorjaar de insectenwereld weer tot leven roept. Ondertussen hebben de parasieten en belagers middelen gevonden om door de periode van kou heen te komen; ze zijn dan te vinden onder het witte sneeuwdek, onder de vorstige grond, in spleten van de boomschors en op beschutte plaatsen.

De eieren van de roofsprinkhaan zitten veilig in kleine doosjes van dun perkament, die aan de takken van een heester zijn vastgemaakt door de moeder, die haar leven leefde gedurende de afgelopen zomer.

De vrouwelijke Polistes wesp, die beschutting zoekt in een verloren hoekje van een zolder, draagt de bevruchte eitjes in haar lichaam. Dit is de erfenis, waarvan de gehele toekomst van haar kolonie afhangt. Zij, de enige overlevende, zal in het voorjaar een klein papierachtig nest maken, enkele eitjes erin leggen en zorgvuldig een klein legertje werkers opfokken. Met hun hulp zal ze dan het nest vergroten en de kolonie verder ontwikkelen. Dan zullen de werkers, die gedurende de warme dagen van de zomer eindeloos op fourage uit gaan, ontelbare rupsen vernietigen.

Door hun levensomstandigheden en de aard van onze eigen wensen zijn deze insecten dus onze bondgenoten bij het in ons voordeel houden van het evenwicht in de natuur. Toch hebben we onze artillerie tegen onze vrienden in stelling gebracht. Het ergste gevaar bestaat uit onze grove onderschatting van hun waarde ten aanzien van het tegenhouden van een overrompeling van vijanden, die zonder hun hulp, ons onder de voet kunnen lopen.

Het vooruitzicht van een algemene en permanente verlaging van de omgevingsweerstand komt ieder jaar grimmiger en reëler naderbij door het toenemen van het aantal, de verscheidenheid en de vernietigende kracht van de insecticiden. Na verloop van tijd kunnen we progressief-werkende, ernstiger insectenplagen verwachten, zowel van de ziekte-dragende als de oogst-vernietigende soorten, plagen die erger zijn dan alles wat we tot nu toe hebben meegemaakt.

'Ja, maar is dit niet theorie?' zult u vragen. 'Dat zal toch zeker niet gebeuren, tenminste niet bij mijn leven'.

Maar het gebeurt al, hier en op dit moment. Wetenschappelijke tijdschriften hadden al in 1958 melding gemaakt van 50 soorten, die op ernstige wijze het natuurlijke evenwicht hadden ontwricht. Ieder jaar worden er meer voorbeelden gevonden. Een recent overzicht over dit onderwerp bevatte verwijzingen naar 215 rapporten, die ongunstige veranderingen in het evenwicht van de insectenbevolking, veroorzaakt door bestrijdingsmiddelen, behandelen.

Soms is het gevolg van een chemische bespuiting tegen een bepaald insect geweest, dat juist deze soort zich enorm vermenigvuldigde, zoals in Ontario de kriebelmug 17 keer overvloediger voorkwam na de besproeiing dan daarvoor. Of zoals in Engeland, waar een ware plaag van de kool-bladluis plaats vond, een plaag die nog nooit zijns gelijke had gezien, en zulks nadat er bespuitingen waren geweest met een van de organische fosforhoudende chemicaliën.

Bij andere behandelingen, hoewel die redelijk effectief tegen het te treffen insect waren geweest, werd een doos van Pandora geopend van vernietiging brengende plagen, die eerder nooit ernstig genoeg waren geweest om hinder te veroorzaken. De spintmijt is bijvoorbeeld overal ter wereld praktisch een plaag geworden, omdat DDT en andere insecticiden zijn natuurlijke vijanden hebben vernietigd. De spintmijt is geen insect. Het is een nauwelijks zichtbaar achtpotig schepsel, dat behoort tot de groep van de spinnen, schorpioenen en teken. Zijn mond is aangepast aan de taken doorboren en zuigen en het heeft een bijzondere voorliefde voor het chlorofyl, dat onze wereld groen maakt. Het steekt de zeer kleine en stiletto-scherpe monddelen in de buitenste delen van bladeren en naalden en zuigt er zo het chlorofyl uit. Een lichte aandoening geeft bomen en struiken een motachtig of peper-en-zout-achtig uiterlijk, maar bij een grote aanwezigheid van spintmijt worden de bladeren geel en vallen af.

Dit gebeurde enkele jaren geleden in enkele bossen in het westen van Amerika, nadat de 'United States Forest Service' in 1956 ongeveer 354.000 hectare bosland met DDT had bespoten. De opzet was om de sparreknoprups te bestrijden, maar de volgende zomer ontdekte men dat er een erger probleem dan dat van de sparreknoprups was ontstaan. Toen de bossen vanuit de lucht werden bekeken, kon men grote lichtgeworden stukken zien waar de prachtige Douglas sparren bruin waren geworden en hun naalden hadden laten vallen. In het 'Helena National Forest', op de westelijke hellingen van de 'Big Belt Mountains' en in andere streken van Montana en naar het zuiden tot in Idaho toe zagen de bossen eruit alsof ze geschroeid waren. Het was duidelijk, dat de zomer van 1957 de uitgebreide en meest spectaculaire spintmijtplaag in de geschiedenis gebracht had. Bijna de gehele bespoten streek was aangetast. Nergens anders bestond zulk een schade. Bij het zoeken naar precedenten konden de houtvesters zich andere uitbarstingen van de spintmijt herinneren, hoewel die niet zo hevig geweest waren als deze. Er waren soortgelijke moeilijkheden in 1929 geweest, langs de Madison rivier in het Yellowstone Park, twintig jaar later in Colorado en toen, in 1956, in Nieuw Mexico. *Elke van deze uitbarstingen was gevolgd op het bespuiten der bossen met insecticiden.* (De bespuiting in 1929, dic plaats had voor het tijdperk van de DDT, had loodarsenaat bevat.)

Waarom lijkt het erop alsof de spintmijt gedijt bij het gebruik van insecticiden? Behalve het voor de hand liggende feit, dat hij er betrekkelijk immuun voor is, schijnen er nog twee andere redenen te zijn. In de natuur wordt spintmijt in bedwang gehouden door verschillende roofinsecten, zoals lieveheersbeestjes, een galmug, van roof levende mijt en verschillende roofkevers, die alle zeer gevoelig voor insecticiden zijn. De derde reden ligt in het vlak van de bevolkingsdruk binnen de spintmijt-kolonies. Een ongestoorde kolonie mijt is een dichtbevolkte, op één plaats blijvende gemeenschap, die beschutting voor zijn vijanden zoekt onder een beschermend web. Als de kolonics bcspotcn worden, gaan ze uit elkaar, want de mijt, hoewel geïrriteerd door de chemicaliën, wordt niet gedood en gaat op zoek naar plekken, waar hij niet zal worden gestoord. Zo vinden zij een veel grotere overvloed aan ruimte en voedsel dan in de vroegere gemeenschap aanwezig was. Hun vijanden zijn dood en dus bestaat er geen noodzaak om energie af te staan voor het afscheiden van een beschermend web. In plaats daarvan gebruiken zij die energie om meer mijt te produceren. Het is niet ongewoon, dat onder zulke omstandigheden hun eierproduktie tot het drievoudige toeneemt – en dit alles door de weldadige invloed van de insecticiden.

In de Shenandoah vallei in Virginia, een streek beroemd om zijn appelboomgaarden, stak een klein insect, de rode bladroller op appel, de kop op zodra DDT de plaats begon in te nemen van loodarsenaat. De verwoesting, die deze insecten hadden aangericht, was nooit ernstig geweest, maar al spoedig bedroeg deze de helft van de oogst en kreeg de naam van de meest vernietigende plaag voor de appel te zijn, niet alleen in deze streek maar in een groot deel van het oosten en middenwesten van Amerika, al naar gelang het gebruik van DDT er toenam.

De toestand is vol ironie. In de appelboomgaarden van Nova Scotia kwam gedurende de late veertiger jaren de appelmot (de oorzaak van 'wormstekige appels') het meest voor in de boomgaarden, die regelmatig besproeid werden. In de onbespoten boomgaarden was de appelmot niet ernstig genoeg om werkelijk hinder te veroorzaken.

De sproei-ijver kreeg een gelijke onvoldoende beloning in de oostelijke Soedan, waar katoenplanters een bittere ervaring met DDT opdeden. Ongeveer 24.000 hectare land werd door irrigatie van de Gash Delta met katoen bebouwd. Daar eerdere proeven met DDT ogenschijnlijk goede resultaten afgeworpen hadden, werd de besproeiing geïntensifieerd. Toen kwamen de moeilijkheden. Een van de meest vernietigende vijanden van katoen is de rups van de Heliothisvlinder. Maar hoe meer de katoen werd bespoten, des te meer Heliothisvlinders kwamen er. De onbespoten katoen leed minder schade aan de vrucht en later aan de rijpe katoenbollen dan de besproeide en op akkers, waar tweemaal was gespoten, daalde de oogst van zaaikatoen zienderogen. Hoewel een deel van de bladetende insecten geëlimineerd was, was het voordeel dat hiermee was behaald, meer dan teniet gedaan door de schade die de Heliothisvlinder berokkende. Tenslotte zaten de katoenplanters opgescheept met het onplezierige feit, dat hun katoenoogst groter zou zijn geweest als ze zich de moeite en de kosten van de bespuiting bespaard hadden.

In Kongo en in Uganda waren de gevolgen van zware bespuitingen met DDT tegen een insectenplaag op de koffie bijna 'catastrofaal'. De plaag zelf bleef bijna onaangetast door de DDT, terwijl de belager van dit soort insect bijzonder gevoelig was.

In Amerika hebben boeren herhaaldelijk een vijandelijk insect ingeruild voor een nog erger soort, daar bespuiting de bevolkingsdynamiek van de insectenwereld in de war brengt. Twee massabespuitingscampagnes die kort geleden zijn uitgevoerd, hebben dit gevolg gehad. De een betrof de uitroeiingscampagne van de gloeimier in het zuiden; de ander die van de Japanse rozenkever in het middenwesten (zie de hoofdstukken 10 en 7).

Toen in 1957 een uitgebreid gebruik van heptachloor werd gemaakt op de landbouwgronden van Louisiana, was het gevolg een tomeloze groei van een van de ergste vijanden van het suikerriet, een soort snuitkever, de boorder van suikerriet. Al spoedig na de behandeling met heptachloor nam de schade door de boorder veroorzaakt, aanzienlijk toe. De chemische stof, die de gloeimier tot doel had moeten hebben, had de vijanden van deze suikerrietboorder gedood. De oogst was zo ernstig beschadigd, dat de boeren probeerden schadevergoeding van de staat te krijgen, omdat deze had nagelaten hen te waarschuwen dat dit kon gebeuren.

Dezelfde bittere les werd door boeren uit Illinois geleerd. Na het vernietigende dieldrin-bad, dat de bouwlanden van oostelijk Illinois hadden ondergaan om de Japanse rozenkever te bestrijden, ontdekten de boeren, dat de maïsboorder in de behandelde streek enorm in aantal was toegenomen. Maïs van de akkers uit deze streek bevatte bijna tweemaal zoveel van deze vernietigende larven als de maïs van andere gronden. De boeren weten misschien nog niet op welke biologische basis dit kon gebeuren, maar zij hebben geen wetenschapsmens nodig om hun te vertellen dat zij een slechte ruil hebben gedaan. Bij de poging om één soort insecten kwijt te raken, is de gesel van een veel verwoestender insect voor de dag gekomen. Volgens schattingen van het Ministerie van Landbouw beloopt de totale schade, in de Verenigde Staten door de Japanse rozenkever veroorzaakt, een 10 miljoen dollar, terwijl de schade door de maïsboorder toegebracht, ongeveer 85 miljoen bedraagt.

Het is vermeldenswaard dat er bij de bestrijding van de maïsboorder een groot gebruik werd gemaakt van de krachten in de natuur. Binnen twee jaar nadat dit insect per ongeluk in 1917 uit Europa was ingevoerd, had de Amerikaanse regering een van haar meest intensieve campagnes op touw gezet om parasieten van deze insecten te vinden en te importeren. Sindsdien zijn er 24 soorten parasieten van de maïsboorder uit Europa en het Verre Oosten ingevoerd, hetgeen met grote kosten gepaard ging. Vijf hiervan werden bij de bestrijding van onschatbare waarde bevonden. Het is onnodig te zeggen, dat de resultaten van dit werk nu te niet zijn gedaan, want de vijanden van de maïsboorder zijn door de bespuitingen omgekomen.

Als u dit absurd voorkomt, denkt u dan eens aan de situatie bij de citrusplantages in Californië, waar omstreeks 1880 's werelds beroemdste en meest succesvolle proef op het gebied van biologische bestrijding werd uitgevoerd. In 1872 verscheen er in Californië een schildklierachtig insect, dat zich voedde met het sap van de citrusbomen. Binnen twee weken had dit dier de vorm van een zo vernietigende plaag aangenomen, dat de fruitoogst in vele boomgaarden een volkomen verlies opleverde. De jonge citrusplantages werden met vernietiging bedreigd. Veel kwekers gaven het op en rooiden hun bomen. Toen werd er een parasiet van deze schildluis uit Australië geïmporteerd; het was een klein soort lieveheersbeestje, vedalia genaamd. Al binnen twee jaar na de eerste invoer van dit kevertje was de schildluis in alle delen van Californië, waar citrusplantages waren, onder controle. Vanaf die tijd kan men dagen in de sinaasappelboomgaarden zoeken voordat men een schildluis aantreft.

Toen begonnen de citruskwekers in de veertiger jaren met veelbelovende, nieuwe chemicaliën tegen andere insecten te experimenteren. Met de opkomst van DDT en de daarop volgende nog giftiger chemicaliën, was de gehele bevolking van vedalia in vele streken van Californië opeens uitgeroeid. De invoer ervan had de Amerikaanse regering slechts 5000 dollar gekost. De uitkomst ervan had de fruitkwekers verschillende miljoenen dollars per jaar opgeleverd, maar in één moment van onbedachtzaamheid was alle nut op één slag verdwenen. Besmetting van de schildluis verscheen al ras opnieuw en de schade overtrof die van de afgelopen vijftig jaar.

'Dit kan het einde van een tijdperk betekenen', zei Dr. Paul DeBach van het citrus proefstation in Riverside. Nu is de bestrijding van de schildluis enorm gecompliceerd geworden. De vedalia kan alleen blijven door herhaaldelijk op de planten te worden losgelaten en door de grootste aandacht te schenken aan de besproeiingstijden, zodat het contact met insecticiden tot een minimum wordt teruggebracht. En nog afgezien van wat de citruskwekers doen, ze zijn toch min of meer afhankelijk van hun buren, want er is reeds zware schade toegebracht door het afdrijven van insecticide-nevel.

Al deze voorbeelden hebben betrekking op insecten, die landbouwoogsten vernielden. Wat gebeurt er met hen, die ziektendragers zijn? Men is reeds gewaarschuwd. Op het Nissan eiland in de Stille Zuidzee, bijvoorbeeld, hebben intensieve besproeiingen gedurende de tweede wereldoorlog plaats gehad, maar deze werden stopgezet toen de vijandelijkheden ten einde liepen. Al spoedig verschenen er opnieuw zwermen malariamuggen op het eiland. Alle belagers van de malariamug waren gedood en er was nog niet genoeg tijd verlopen om nieuwe aantallen te doen ontstaan. De weg was derhalve vrij voor een enorme uitbarsting van de plaag der malariamug. Marshall Laird, die dit geval heeft gepubliceerd, vergelijkt chemische bestrijding met een tredmolen; zodra we er op staan, kunnen we niet meer stoppen uit angst voor de gevolgen.

In sommige delen van de wereld kan ziekte op een geheel andere manier in verband met besproeiing gebracht worden. Om de een of andere reden schijnen slakachtige weekdieren praktisch immuun te zijn voor de gevolgen van insecticiden. Dit is reeds herhaaldelijk waargenomen. Na de algehele slachting, die volgde op het bespuiten van de kwelders in Oost-Florida (hoofdstuk 9), waren allcen de waterslakken nog over. De toestand werd beschreven als zijnde een macaber schilderij, iets dat door een surrealistisch penseel kon zijn geschilderd. De slakken bewogen zich tussen de lichamen van de dode vis en de zieltogende krabben en verslonden de slachtoffers van de dodelijke gifregen.

Maar waarom is dit belangrijk? Het is belangrijk omdat veel waterslakken als gastheer dienen voor gevaarlijke parasitaire wormen, die een deel van hun levenscyclus doormaken in een weekdier en een deel in een menselijk lichaam. Voorbeelden hiervan zijn de schistosoma, kleine parasitaire wormpjes in de bloedbaan, die ernstige ziekteverschijnselen bij de mens kunnen veroorzaken als ze met het drinkwater binnenkomen of door de huid heendringen als gevolg van zwemmen in vuil water. Ze worden door de gastheren-slakken in het water uitgescheiden. Zulke ziekten komen vooral veel voor in delen van Azië en Afrika. Waar ze zijn, kunnen bestrijdingsmaatregelen tegen insecten die een grote toename van slakken in de hand werken, ernstige gevolgen doen ontstaan.

En natuurlijk is de mens niet alleen het slachtoffer van ziekten, door de slakken veroorzaakt. Leverziekten bij runderen, schapen, geiten, herten, elanden, konijnen en verschillende andere warmbloedige dieren kunnen ontstaan door zuigwormen, die een deel van hun leven doormaken in het lichaam van zoetwaterslakken. Lever, die door deze wormen is aangetast, is niet geschikt voor menselijke consumptie en wordt in de regel afgekeurd. Deze afkeuringen kosten de Amerikaanse veeboeren jaarlijks ongeveer 3½ miljoen dollar. Alles wat ertoe bijdraagt om het aantal slakken te verhogen, kan dus het probleem ernstiger maken.

Gedurende de afgelopen tien jaren hebben deze problemen lange schaduwen vooruit geworpen, maar we hebben ze eerst langzaam herkend. De instanties, die er het best voor zijn ingericht om natuurlijke bestrijdingsmiddelen te vinden en er toe bij te dragen, dat ze ook worden gebruikt, zijn veel te druk bezig geweest met het werk op het opwindender terrein van chemische bestrijding. In 1960 werd bekend gemaakt, dat slechts 2 % van de Amerikaanse insectenkundigen zich op dat moment bezighield met biologische bestrijding. Een zeer groot deel van de overige 98 % was tewerk gesteld bij de research op het gebied van chemische insecticiden.

Waarom is dit eigenlijk zo? Wel; de grote chemische industrieën geven geld aan de universiteiten om de research op het gebied van insecticiden te steunen. Deze geste creëert aantrekkelijke toelagen voor afstuderende studenten en remuneratieve stafposities. De studies voor biologische bestrijding worden echter nooit zo gesubsidieerd, om de eenvoudige reden dat ze aan niemand het fortuin kunnen beloven, dat in de chemische industrie wordt gemaakt. Deze biologische research wordt overgelaten aan de regerings- en staatsinstituten, waar de salarissen een stuk lager liggen.

Deze situatie is ook de reden van het anders nogal mysterieuze feit, dat bepaalde vooraanstaande entomologen behoren tot de voorstanders van chemische bestrijding. Wanneer men de achtergronden van deze mensen bekijkt, dan ziet men plotseling dat hun gehele researchprogramma door de chemische industrie wordt gesteund. Hun vakprestige, soms ook hun baantje, hangt af van het voortgang vinden van de chemische methoden. Kunnen wij verwachten, dat ze de hand bijten, die hun letterlijk te eten geeft? Maar nu we hun achtergronden kennen, kunnen we dan veel geloof hechten aan hun verzekeringen, dat insecticiden gevaarloos zijn?

Onder de algemene drang naar chemicaliën als de voornaamste methode van insectenbestrijding zijn er toch minderheidsrapporten verschenen van enkele insectenkundigen, die niet uit het oog hebben verloren, dat ze noch chemici noch ingenieurs zijn, doch biologen.

F. H. Jacob in Engeland heeft verklaard, dat 'de handelingen van vele zogenaamde economische entomologen zouden doen vermoeden, dat ze geloven dat onze redding bij het einde van een bespuitingskraan ligt . . en dat, als ze problemen hebben geschapen van wederverschijning of weerstand of vergiftiging van zoogdieren, de chemicus wel weer klaar zal staan met een nieuwe pil. Dit denken we hier niet . . . Uiteindelijk zal alleen de bioloog de antwoorden kunnen geven op de grondbeginselen van de bestrijding der diverse plagen.'

'Economische entomologen moeten beseffen', schreef A. D. Pickett uit Nova Scotia, 'dat ze met levende dingen te maken hebben . . . hun werk moet zich verder uitstrekken dan het alleen maar testen van insecticiden of het zoeken naar vernietigingbrengende chemicaliën.' Dr. Pickett zelf was een pionier op het gebied van het uitwerken van gezonde methoden voor insectenbestrijding, methoden, die voordeel plukken van de belagende en parasitaire soorten. De methode, die hij en zijn medewerkers hebben ontwikkeld, is heden ten dage een lichtend voorbeeld, maar een, dat weinig wordt nagestreefd. Wij kunnen in Amerika slechts een gelijkwaardig voorbeeld vinden bij de geïntegreerde bestrijdingscampagnes, die enkele Californische insectenkundigen hebben ontwikkeld.

Dr. Pickett begon zijn werk al vijfendertig jaar geleden in de appelboomgaarden van de Annapolis Valley in Nova Scotia, een van de streken van Canada, waar de meeste fruitteelt was. In die tijd geloofde men, dat insecticiden – toen nog anorganische chemicaliën – de problemen van insectenbestrijding onder de knie zouden krijgen en dat de enige taak bestond uit het overhalen van de fruitkwekers om de aanbevolen methoden te adopteren. Maar de mooie voorspiegelingen faalden. Op de een of andere manier bleven de insecten bestaan. Nieuwe chemicaliën werden aan de oude toegevoegd, er werden betere besproeiingsinstrumenten uitgevonden en de besproeiingsijver nam toe, maar het insectenprobleem werd niet opgelost. Toen kwam DDT en beloofde 'de nachtmerrie' van de appelmot voor altijd uit te bannen. Wat uiteindelijk van het gebruik hiervan overbleef, was een nog nimmer voorgekomen plaag van mijten. 'We vallen van de ene crisis in de andere en hebben slechts het ene probleem met het andere verwisseld', zei Dr. Pickett.

Op dit punt aangekomen, sloegen Dr. Pickett en zijn medewerkers echter een nieuwe weg in en distantieerden zich van de andere entomologen, die voortgingen met het volgen van het dwaallicht, dat uitgaat van de steeds giftiger wordende chemicaliën. Dr. Pickett en de zijnen zagen het sterke bondgenootschap van de natuur in en ze ontwikkelden een campagne, die een maximaal gebruik maakt van natuurlijke bestrijding en een minimaal gebruik van chemische insecticiden. Als er al insecticiden worden toegepast, dan worden alleen minimale doses gebruikt – nauwelijks genoeg om de plaag te bestrijden zonder ook onvermijdelijke schade aan de nuttige soort toe te brengen. Een juiste vaststelling van de tijd, waarop de chemicaliën worden toegepast, kan ook een duit in het zakje doen. Bijvoorbeeld, als nicotine sulfaat voordat de appelbloesem roze wordt, wordt toegepast, dan wordt een van de belangrijkste belagende insecten gespaard, waarschijnlijk omdat deze dan nog in het eistadium verkeert.

Dr. Pickett is zeer zorgvuldig bij het uitzoeken van de chemicaliën, die zo min mogelijk schade mogen toebrengen aan insectenparasieten en -belagers. 'Als we DDT, parathion, chloordaan en andere nieuwe insecticiden als regelmatige bestrijdingsmethoden gaan toepassen, op dezelfde manier als we dat vroeger met de anorganische chemicaliën deden, dan kunnen entomologen, die in biologische controle zijn geïnteresseerd, wel op het dak gaan zitten', zegt hij. In plaats van deze zeer giftige, alles-verwoestende insecticiden, vertrouwt hij het meest op ryania (verkregen uit de wortels van een tropische plant), nicotine sulfaat en loodarsenaat. In sommige situaties worden zeer slappe concentraties DDT of malathion gebruikt (1 of 2 ounces per 100 gallons, in tegenstelling tot de 'normale' 1 of 2 pond per 100 gallons). Hoewel deze twee stoffen de minst giftige van de moderne insecticiden zijn, hoopt Dr. Pickett ze toch na verdere research om te ruilen voor veiligere en nog selectievere materialen.

Heeft deze campagne goed gewerkt? De boomgaarden in Nova Scotia, die Dr. Pickett's bestrijdingsmethode volgen, produceren evenveel fruit van de eerste soort als die welke intensieve chemische bestrijdingscampagnes ondernemen. Ze krijgen ook een even grote totale produktie. Maar ze krijgen deze resultaten bij aanzienlijk minder onkosten. Het kostencijfer voor insecticiden in de appelboomgaarden van Nova Scotia beloopt slechts 10 of 20 % van het bedrag dat in de meeste andere wordt uitgegeven.

Belangrijker echter dan de resultaten is het feit, dat de nieuwe campagne, die door de insectenkundigen van Nova Scotia is uitgewerkt, geen slagen toebrengt aan het natuurlijk evenwicht. Deze campagne is een goed eind op weg om de filosofie van een Canadese insectenkundige, G. C. Ullyett, van een tiental jaren geleden te realiseren: 'Wij moeten onze instelling wijzigen, afstand doen van onze houding van menselijke superioriteit en toegeven, dat we in vele gevallen in onze natuurlijke omgeving middelen kunnen vinden, die vele organismen op economischer wijze in bedwang kunnen houden dan we dat zelf kunnen.'

16 Het gerommel van een lawine

Als Darwin vandaag nog leefde, zou de insectenwereld hem verrukken en verbazen door het indrukwekkende bewijs dat zij geeft van zijn theorie van het recht van de sterkste. Onder de druk van de intensieve chemische bestrijding worden de zwakkere leden van de insectengemeenschappen uitgeroeid. Thans zijn in vele gebieden en van vele soorten slechts de sterken en gezonden overgebleven om ons, bij onze pogingen om hen te bestrijden, het leven zuur te maken.

Bijna een halve eeuw geleden vroeg een professor in de entomologie aan het 'Washington State College', A. L. Melander, de op het ogenblik retorische vraag, 'Kunnen insecten resistent worden tegen besproeiingen?' Als het antwoord nog een vraagteken voor de heer Melander moest blijven, of als het lang op zich liet wachten, dan was dat alleen maar omdat hij zijn vraag te vroeg stelde, nl. in 1914 in plaats van 40 jaar later. In het tijdperk vóór de DDT, toen anorganische chemicaliën op een schaal werden toegepast, die heden ten dage bijzonder bescheiden geacht zou worden, kwamen hier en daar insectenvolken voor, die de chemische besproeiing of de chemische nevel overleefden. Melander zelf had moeilijkheden gehad met de San José schildluis, die enkele jaren achtereen met succes was bestreden door te spuiten met zwavelzure kalk. Toen werden de insecten in de streek van Clarkston in de staat Washington hardnekkig – ze waren moeilijker te doden dan in de boomgaarden van de Wenatchee, de Yakima vallei en elders.

Plotseling kregen de schildluizen in andere delen van het land hetzelfde idee in hun kop: ze vonden het plotseling niet meer nodig om dood te gaan onder bespuiting met zwavelzure kalk, die zo ijverig en vrijgevig door de kwekers werd toegepast. In het gehele middenwesten werden honderden hectaren met prachtige boomgaarden vernietigd door insecten, die immuun voor bespuitingen waren geworden.

Toen begon de destijds in Californië zo geliefde methode om canvas tenten over de bomen op te zetten die met blauwzuur uit te roken, hier en daar teleurstellend te werken, een probleem dat leidde tot de research aan het Citrusproefstation van Californië, die in 1915 begon en een kwart eeuw voortgang vond. Een ander insect, dat in de twintiger jaren tot zijn voordeel leerde om resistent te worden, was de appelmot, of wormsteek, die veertig jaar lang met succes met loodarsenaat was bestreden.

Maar bij de komst van DDT en zijn vele familieleden werd pas goed de Eeuw van de Resistentie geïntroduceerd. Het zou niemand met zelfs maar de geringste kennis van de insectenwereld of van de stuwkrachten onder de dierenbevolking hebben behoeven te verbazen, dat binnen slechts enkele jaren een afschuwelijk en gevaarlijk probleem zich duidelijk had afgetekend. Toch schijnt de gedachte, dat insecten een doelmatig wapen tegen agressieve chemische aanvallen bezitten, maar langzaam veld te winnen. Slechts degenen, die zich bezighouden met ziektedragende insecten schijnen thans grondig van de aard van de toestand doordrongen te zijn; de landbouwkundigen stellen voor een groot deel nog steeds een kinderlijk vertrouwen in de ontwikkeling van nieuwe en steeds giftiger chemicaliën, hoewel de huidige moeilijkheden juist door deze schoonschijnende leuzen zijn ontstaan.

Het fenomeen van de insectenresistentie moge dan al langzaam begrepen worden, dit was beslist niet het geval met de resistentie zelf. Vóór 1945 was er slechts een twaalftal soorten bekend, die resistent waren geworden tegen een of meer van de insecticiden van vóór het tijdperk der DDT. Met de nieuwe organische chemicaliën en de nieuwe methoden voor hun intensieve toepassing, nam resistentie met een komeetachtige snelheid toe en bereikte in 1960 het alarmerende peil van 137 soorten. Niemand gelooft, dat het einde in zicht is. Meer dan 1.000 technische rapporten zijn thans over dit onderwerp gepubliceerd. De Wereldgezondheidsorganisatie heeft de hulp ingeroepen van 300 geleerden uit alle delen van de wereld en heeft verklaard, dat 'resistentie op het ogenblik het belangrijkste op zichzelf staande probleem is, dat de campagnes tegen bacillendragers in de weg staat.' Een vooraanstaand Brits onderzoeker, Dr. Charles Elton, heeft gezegd: 'We horen thans het lichte gerommel van wat straks een lawine kan worden.'

Soms ontwikkelt resistentie zich zo snel, dat de inkt van het rapport, dat de succesvolle bestrijding van een soort met een of andere chemische stof bericht, nauwelijks droog is of een verbeterd rapport moet worden gepubliceerd. In Zuid-Afrika bijvoorbeeld, hadden de veeboeren reeds lang hinder ondervonden van de blauwe teek, waardoor op een grote boerderij alleen al 600 stuks vee in een jaar waren gestorven. De teek was al enkele jaren resistent tegen behandeling met arsenicumstoffen. Toen werd benzeenhexachloride geprobeerd en korte tijd scheen alles goed te gaan. Rapporten, die in het voorjaar van 1949 waren uitgegeven, meldden dat de teek gemakkelijk met de nieuwe chemische stof kon worden bestreden; later in hetzelfde jaar moest de sombere mededeling van een zich ontwikkelende resistentie worden gedaan. De toestand was voor een schrijver in het 'Leather Trades Review' aanleiding tot het volgende commentaar: 'Nieuws zoals het onderhavige, dat bij kleine beetjes in wetenschappelijke kringen uitlekt en onder kleine kopjes in de buitenlandse bladen verschijnt, zou groot genoeg moeten zijn om koppen te maken als die van een nieuwe atoombom, als de kwestie maar behoorlijk begrepen werd.'

Hoewel insectenresistentie wel in landbouw- en bosbouwkringen de gemoederen bezig houdt, wordt toch op het gebied van de algemene gezondheidszorg de ernstigste bezorgdheid gevoeld. De betrekkingen tussen verschillende insecten en de vele menselijke ziekten zijn zo oud als de weg naar Rome. Muskieten van de Anophelessoort kunnen in de menselijke bloedsomloop het enkel-cellige organisme van de malaria injecteren. Andere muskieten veroorzaken de gele koorts. Nog weer andere zijn de dragers van encefalitis. De gewone huisvlieg, die niet bijt of steekt, kan slechts door aanraking met menselijk voedsel de bacil van dysenterie overbrengen en in grote delen van de wereld kunnen zij een belangrijke rol spelen bij de verspreiding van oogziekten. De lijst van ziekten en hun bacillendragers, of vectors, vermeldt tyfus en lijfluis, pest en rattenvlooien, de Afrikaanse slaapziekte en de tsetsevlieg, verschillende soorten koorts en teken, en ontelbare andere combinaties.

Dit zijn belangrijke problemen, die onder het oog moeten worden gezien. Geen weldenkend mens kan er mee accoord gaan, dat door insecten veroorzaakte ziekten genegeerd worden. De vraag die zich thans in sterke mate aan ons opdringt is of het wenselijk en verantwoord is om het probleem te lijf te gaan met methoden, die het snel ernstiger maken. Men heeft veel van de triomferende oorlog tegen ziekten door de bestrijding van bacillendragende insecten gehoord, maar de andere kant van de medaille is vrijwel onbekend – de ontgoochelingen, de korte triomfen, die op het ogenblik de alarmerende stand van zaken bevestigen, dat de vijand eerder sterker is geworden door onze inspanning. Nog erger, we kunnen zelfs onze beste vechtwapens vernietigd hebben.

Een vooraanstaand Canadees insectenkundige, Dr. A. W. A. Brown, kreeg van de Wereldgezondheidsorganisatie de opdracht om een overzicht te maken van het probleem der resistentie. In de monografie, die in 1958 werd gepubliceerd, had Dr. Brown dit te zeggen: 'Nauwelijks een tiental jaren na de introductie van de krachtige synthetische insecticiden in de algemene gezondheidszorg, is het voornaamste technische probleem dat geworden van de zich ontwikkelende resistentie bij die insecten, die voorheen ermede werden bestreden.' Bij de publicatie van deze verhandeling waarschuwde de Wereldgezondheidsorganisatie dat 'het krachtige offensief, dat op het ogenblik aan de gang is tegen ziekten, door de geleedpotigen verwekt, zoals malaria, tyfus en pest, een ernstige reactie riskeert, tenzij dit nieuwe probleem snel overwonnen kan worden.'

Wat zijn de afmetingen van deze reactie? De lijst van resistente soorten vermeldt thans praktisch alle insectengroepen van medische betekenis. De kriebelmug, de knijt en de tsetsevlieg zijn klaarblijkelijk nog niet resistent tegen chemicaliën geworden. Aan de andere kant is de ontwikkeling van de resistentie van huisvliegen en kleerluis bijna volmaakt. Malariacampagnes worden bedreigd door de resistentie van de muskieten. De oosterse rattenvlo, de voornaamste bacillendrager van pest, heeft kort geleden tekenen van resistentie tegen DDT vertoond, hetgeen een ernstige zaak is. De landen, die melding van resistentie onder grote groepen andere soorten hebben gemaakt, hebben betrekking op alle continenten en op de meeste eilandengroepen.

Waarschijnlijk heeft het eerste medische gebruik van moderne insecticiden in 1943 in Italië plaats gehad, toen het geallieerde militaire gezag een succesvolle aanval deed op tyfus door grote aantallen mensen met DDT te bespuiten. Dit werd twee jaar later gevolgd door een uitgebreide bespuiting tegen malariamuggen. Slechts een jaar daarna kwamen de eerste tekenen, dat er moeilijkheden waren. Zowel de huisvlieg als de muskieten van het genus *Culex* begonnen resistentie tegen de bespuitingen te vertonen. In 1948 werd een nieuwe chemische stof, chloordaan, aan het DDT toegevoegd. Deze keer werd twee jaar lang veel succes geboekt, maar tegen augustus 1950 kwamen er chloordaan-resistente huisvliegen en tegen het einde van dat jaar schenen alle huisvliegen en alle *Culex* muskieten resistent tegen chloordaan te zijn geworden. Resistentie ontwikkelde zich even snel als de nieuwe chemicaliën in gebruik werden genomen. Tegen het einde van 1951 stonden DDT, methoxychloor verbindingen, chloordaan, heptachloor en benzeenhexachloride op de lijst van chemicaliën, die niet langer effectief werkten. De vliegen kwamen ondertussen 'bijzonder overvloedig' voor.

Dezelfde cyclus van gebeurtenissen herhaalde zich in Sardinië gedurende de late veertiger jaren. In Denemarken werden produkten, die DDT bevatten, voor het eerst in 1944 gebruikt; tegen

1947 hadden de campagnes tegen vliegen op de meeste plaatsen gefaald. In sommige streken van Egypte waren de vliegen al in 1948 resistent tegen DDT geworden; benzeenhexachloride werd er voor in de plaats gesteld, doch werkte slechts minder dan een jaar effectief. Een Egyptisch dorp stelt wel zeer goed het probleem aan de orde. Insecticiden gaven in 1950 een goede bestrijding van vliegen te zien en hetzelfde jaar was de kindersterfte met bijna 50 % afgenomen. Maar het volgende jaar waren de vliegen resistent tegen DDT en chloordaan. De vliegenbevolking kwam op zijn vroegere peil terug, evenals de kindersterfte.

In de Verenigde Staten was in 1948 de resistentie van vliegen tegen DDT in de 'Tennessee Valley' zeer sterk geworden. Andere streken volgden. Pogingen om de bestrijding met dieldrin weer op gang te brengen, hadden weinig succes, want op sommige plaatsen ontwikkelden de vliegen *binnen de twee maanden* een sterke resistentie tegen deze stof. Nadat ze alle gechloreerde koolwaterstoffen geprobeerd hadden, wendden de bestrijdingsinstituten zich tot de organische fosfaten, maar weer herhaalde zich het thema der resistentie. Het oordeel van de deskundigen is, dat 'de bestrijding van de huisvlieg aan de insecticide-techniek is ontsnapt en dat er opnieuw aandacht moet worden besteed aan algemene hygiënische maatregelen.'

De bestrijding van kleerluis in Napels was een van de eerste en meest gepubliceerde successen van DDT. Gedurende de eerste jaren, die daarop volgden, werd dit Italiaanse succes in Japan en Korea geëvenaard door de glansrijke bestrijding van de luis bij ongeveer twee miljoen mensen in de winter van 1945-46. Een waarschuwing, dat er moeilijkheden op komst waren, had wellicht ter harte genomen kunnen worden, want in Spanje had men in 1948 gefaald een tyfusepidemie onder de knie te krijgen. Ondanks dit falen in de praktijk deden bemoedigende laboratoriumexperimenten de entomologen geloven, dat luis waarschijnlijk niet resistent kon worden. De gebeurtenissen in Korea gedurende de winter van 1950-51 waren derhalve schokkend. Toen een groep Koreaanse soldaten met DDT-poeder werd gespoten, was het onverwachte resultaat, dat er een toename van luis te constateren viel. Toen er luizen werden verzameld en getest, vond men, dat 5 % DDT-poeder geen toename van hun natuurlijk sterftepercentage veroorzaakte. Gelijkluidende resultaten bij luis op zwervers in Tokio, van een gesticht in Itabashi en van vluchtelingenkampen in Syrië, Jordanië en oostelijk Egypte, bevestigden de ondoelmatigheid van DDT bij de bestrijding van luis en tyfus. Toen omstreeks 1957 de lijst van landen, waar luis resistent tegen DDT was geworden, werd uitgebreid met Iran, Turkije, Ethiopië, West-

Afrika, Zuid-Afrika, Peru, Chili, Frankrijk, Joegoslavië, Afghanistan, Uganda, Mexico en Tanganyika, was de oorspronkelijke Italiaanse triomf wel verbleekt.

De eerste malariamug die resistent tegen DDT werd, was de *Anopheles sacharovi* in Griekenland. In 1946 werden uitgebreide besproeiingsmaatregelen genomen met aanvankelijk succes; omstreeks 1949 zagen waarnemers echter, dat er grote aantallen muggen onder bruggen zaten, hoewel ze inderdaad niet aanwezig waren in de huizen en stallen, die waren behandeld. Al spoedig werd deze gewoonte van de muggen uitgebreid tot grotten, bijgebouwen en duikers en tot het bladerdak en de stammen van sinaasappelbomen. Klaarblijkelijk waren de volwassen muggen voldoende gewend geraakt aan DDT om uit de bespoten gebouwen te ontsnappen en in de buitenlucht van de vermoeienissen uit te rusten en te herstellen. Enkele maanden later konden ze zelfs in huis blijven, waar ze op behandelde muren werden aangetroffen.

Dit was een voorteken van de bijzonder ernstige situatie, welke zich thans heeft ontwikkeld. De resistentie tegen insecticiden onder de muggen van de Anophelesgroep is met grote sprongen vooruitgegaan en deze is ontstaan door de grondigheid, waarmede de huizen werden bespoten om de malaria te elimineren. In 1956 waren er nog maar 5 soorten van deze muggen die resistent waren; in het voorjaar van 1960 was dit aantal van vijf tot 28 opgelopen! Dit aantal omvat zeer gevaarlijke malariaverwekkers in West-Afrika, het Midden-Oosten, Centraal-Afrika, Indonesië en het oosten van Europa.

Onder de andere muggensoorten, waaronder zich ook ziektedragers bevinden, wordt dit patroon herhaald. Een tropische muskiet, die parasieten bij zich draagt welke verantwoordelijk zijn voor ziekten als de olifantsziekte, is in vele werelddelen sterk resistent geworden. In sommige streken van de Verenigde Staten is de bacillendragende muskiet, die de westerse hersenvliesontsteking bij paarden teweegbrengt, resistent geworden. Een nog ernstiger probleem doet zich voor bij de bacillendrager van de gele koorts, een ziekte die eeuwenlang een van de ernstigste plagen ter wereld is geweest. Groepen muskieten van deze soort, die resistent tegen insecticiden zijn, zijn waargenomen in Zuidoost-Azië en zijn zeer algemeen in het gebied der Caraïbische zee.

De gevolgen van de resistentie voor malaria en andere ziekten worden weergegeven in rapporten van over de gehele wereld. Het uitbreken van een epidemie van gele koorts in 1954 in Trinidad volgde op het mislukken van de bestrijding der bacillendragende mug, omdat deze resistent geworden was. Er is een opleving van malaria in Indonesië en Iran te constateren. In Griekenland, Nigerië en Liberia gaan de muggen voort met het herbergen en overbrengen van de malariaparasiet. Een vermindering van diarrheeziekten, die gepaard ging met de bestrijding van de vlieg in de staat Georgia, was binnen een jaar weer te niet gedaan. De vermindering van bindvliesontsteking in Egypte, teweeggebracht door een tijdelijk succesvolle bestrijding van de vlieg, duurde nog niet tot eind 1950.

Minder ernstig voor de menselijke gezondheid, maar eveneens ergerlijk omdat de mens rekent in economische waarden, is het feit dat moerasmuskieten in Florida ook resistentie vertonen. Hoewel zij geen ziektedragers zijn, is hun aanwezigheid in grote, bloeddorstige zwermen de reden geweest van de onbewoonbaarheid van grote delen van de kust van Florida, totdat hun bestrijding – zij het van een onbehaaglijke en tijdelijke aard – een feit was. Maar dit behoorde al spoedig weer tot het verleden.

De gewone huismug ontwikkelt hier en daar ook resistentie, een feit, dat vele gemeenten, die algemene bespuitingscampagnes organiseren, tot nadenken zou moeten stemmen. Deze soort is thans resistent tegen verschillende insecticiden, waaronder de algemeen gebruikte DDT, in Italië, Israël, Japan, Frankrijk en delen van de Verenigde Staten, met inbegrip van Californië, Ohio, New Jersey en Massachusetts.

Teken vormen een ander probleem. De houtteek, overbrenger van nekkramp, heeft kort geleden resistentie ontwikkeld; bij de bruine hondeteek heeft de vaardigheid om aan een chemische dood te ontsnappen zich reeds lang en alom gevestigd. Dit brengt zowel voor de mens als voor de hond problemen met zich mee. De bruine hondeteek is een subtropische soort en als die zover noordelijk als in New Jersey voorkomt, dan moet hij in verwarmde huizen overwinteren in plaats van in de buitenlucht. John C. Pallister van het 'American Museum of Natural History' berichtte in de zomer van 1959, dat zijn afdeling enkele telefoontjes had ontvangen van flatgebouwen aan Central Park West. 'Zo nu en dan', zei Mr. Pallister, 'werd een heel flatgebouw geplaagd door jonge teken, die moeilijk zijn te verwijderen. Een hond krijgt de teken in Central Park, daarna leggen de teken eieren, die in de flats uitkomen. Ze schijnen immuun voor DDT of chloordaan of de meeste van onze moderne besproeiingsstoffen te zijn. Eens was het zeer ongewoon om in een stad als New York teken te hebben, maar nu komen ze er overal voor, evenals op Long Island, in Westchester en verder tot in Connecticut. We hebben dit speciaal de laatste vijf of zes jaar waargenomen.'

De Duitse kakkerlak is over bijna geheel Noord-Amerika

resistent tegen chloordaan geworden, eens het favoriete wapen van de uitroeiingsploegen, die zich thans tot de organische fosfaten gewend hebben. Maar de recente ontwikkeling van resistentie ook tegen deze chemicaliën stelt de uitroeiingsploegen voor het probleem, waarheen zich thans te wenden.

De instituten, die zich bezighouden met ziekten, die door bacillendragers worden veroorzaakt, voorzien op het ogenblik in hun behoeften door van het ene insecticide op het andere over te stappen naarmate de resistentie zich ontwikkelt. Maar dit kan niet oneindig doorgaan, ondanks de vindingrijkheid van de chemici in het beschikbaar stellen van nieuwe materialen. Dr. Brown heeft er op gewezen, dat we in een straat met éénrichtingsverkeer lopen. Niemand weet hoe lang die straat is. Als we het punt bereiken, dat doodloopt voordat we de bestrijding van de ziekteverwekkende insecten in de hand hebben, dan zou onze toestand wel eens zeer kritiek kunnen worden.

Met de insecten, die de gewassen aantasten, is het al niet anders gesteld. Aan de vroegere lijst, welke ongeveer een dozijn landbouwinsecten bevatte, die resistent waren tegen anorganische chemicaliën, kan thans een grote groep andere worden toegevoegd, die resistent is tegen DDT, BHC, lindaan, toxaphene, dieldrin, aldrin en zelfs tegen de fosfaten, waarvan zoveel werd verwacht. Het totale aantal resistente soorten onder de oogst-vernietigende insecten had in 1960 al het cijfer 65 bereikt.

De eerste gevallen van resistentie tegen DDT onder de landbouwinsecten doken in de Verenigde Staten in 1951 op, ongeveer 6 jaar na het eerste gebruik ervan. De wellicht lastigste situatie op dit gebied betreft de appelmot, die thans bijna over de gehele wereld resistent geworden is tegen DDT. De resistentie van de vernietigers van vele koolsoorten schept een ander probleem. Aardappelinsecten kunnen in vele delen van de Verenigde Staten niet meer chemisch bestreden worden. Zes soorten katoeninsecten, tezamen met een groep blaaspoten, fruitmotten, cicaden, rupsen, mijten, bladluizen, ritnaalden zijn thans in staat om de chemische aanvallen der boeren het hoofd te bieden.

De chemische industrie is begrijpelijkerwijs afkerig van het erkennen van het onplezierige feit, dat resistentie heet. Zelfs in 1959, toen meer dan 100 veel voorkomende insectensoorten daadwerkelijk resistentie tegen chemicaliën vertoonden, sprak een van de vooraanstaande tijdschriften op het gebied van de landbouwchemie over 'werkelijke' of 'ingebeelde' insecten-resistentie. Toch, hoe hoopvol de industrie ook haar gelaat de andere kant op moge draaien, het probleem gaat daarmede niet weg en het vertegenwoordigt enige zeer onaangename economische waarheden. Een ervan is, dat de kosten van insectenbestrijding door chemicaliën hand over hand toenemen. Het is niet langer mogelijk om ver vooruit materiaal in voorraad te nemen; wat vandaag het meestbelovende chemische insecticide is, kan morgen een teleurstellend resultaat geven. De zeer grote financiële investeringen, die gepaard gaan met de steun aan en de introductie van een insecticide kunnen volkomen te niet zijn gedaan als de insecten opnieuw bewijzen, dat een doelmatige benadering van de natuur niet kan geschieden door brute kracht. En hoe snel de techniek ook nieuwe toepassingen voor insecticiden moge uitvinden en nieuwe middelen om ze toe te passen moge bedenken, het is zeer waarschijnlijk dat de insecten haar altijd een stap voorblijven.

Darwin zelf zou nauwelijks een beter voorbeeld hebben kunnen vinden voor de werking van de natuurlijke selectie dan wordt verstrekt door de manier, waarop het verschijnsel van de resistentie plaats vindt. Uit de oorspronkelijke insectengemeenschappen, waarvan de leden sterk verschillen in structuur, gedrag of fysiologie, zijn het de 'taaie' insecten, die de chemische aanvallen overleven. De besproeiingen doden de zwakkelingen. De enige overlevenden zijn de insecten, die de een of andere aangeboren eigenschap hebben, welke hen aan letsel doet ontsnappen. Dit zijn dan de ouders van een nieuwe generatie, die alleen door erfelijkheid alle eigenschappen van 'sterkte' van haar voorvaderen meekrijgt. Onvermijdelijk volgt hieruit, dat intensieve besproeiingen met krachtige chemicaliën alleen maar het probleem verergeren, dat zij eigenlijk hadden moeten oplossen. Na enkele generaties zullen er, in plaats van een gemengde insectenbevolking met zwakke en sterke broeders, alleen insecten overblijven, die sterk en resistent zijn.

De wijzen, waarop insecten resistent worden tegen chemicaliën zullen waarschijnlijk sterk variëren en dit begrijpt men op het ogenblik nog niet helemaal. Van sommige insecten, die chemische bestrijding weerstaan, wordt gedacht, dat zij geholpen worden door een structureel voordeel, maar daar schijnt nog weinig bewijs voor te bestaan. Dat er immuniteit bij sommige rassen bestaat, is echter duidelijk uit waarnemingen, zoals die van Dr. Briejèr, die vertelt van observaties van vliegen aan het 'Pest Control Institute' in Springforbi, Denemarken, die zich in DDT net zo goed thuis voelden als primitieve tovenaars die op gloeiende kolen sprongen.'

Gelijkluidende rapporten komen uit andere delen van de wereld. Op Malakka, in Kuala Lumpur, reageerden de muggen eerst op DDT met het verlaten van de behandelde huizen. Naarmate hun resistentie zich ontwikkelde, kon men hen echter aantreffen op oppervlakten, waarop men met een zaklantaarn nog duidelijk resten DDT kon zien. En in een legerkamp in het zuiden van Formosa zijn resistente wandluizen gevonden, die zelfs een restje DDT-poeder op hun lichaam hadden. Toen deze wandluizen bij wijze van proef op stof gezet werden, die met DDT doordrenkt was, leefden zij nog een maand; zij legden rustig hun eieren en de daaruit ontstane jongen groeiden op en gedijden best.

Toch hangt de mate van resistentie niet noodzakelijkerwijze af van de fysieke structuur. DDT-resistente vliegen bezitten een enzym, dat hen in staat stelt de giftigheid van het insecticide te niet te doen en er het minder giftige DDE van te maken. Dit enzym vindt men alleen bij vliegen, die een genetische eigenschap voor DDT-resistentie hebben. Deze eigenschap is natuurlijk erfelijk. Hoe vliegen en andere insecten de organische fosfaten van gif ontdoen is nog niet bekend.

Er kan ook een gedragslijn bij het insect bestaan, die het buiten bereik van chemicaliën houdt. Vele onderzoekers hebben een voorkeur bij resistente vliegen waargenomen om op onbehandelde horizontale oppervlakten te blijven in plaats van op behandelde muren. Resistente huisvliegen kunnen de gewoonte van stalvliegen krijgen om op een plek stil te blijven zitten en dus de frequentie van hun aanraking met het gif aanzienlijk verminderen. Sommige malariamuggen hebben de gewoonte, de met DDT behandelde hutten te verlaten en in de buitenlucht te blijven, zodat hun contact met DDT zo wordt verkleind, dat zij in werkelijkheid immuun zijn.

Gewoonlijk duurt het twee of drie jaar voordat resistentie tot ontwikkeling is gekomen, hoewel dit af en toe al binnen een seizoen gebeurt of zelfs in nog kortere tijd. Een ander uiterste is, dat het wel zes jaar kan duren. Het aantal generaties, dat door een insectengemeenschap binnen een jaar wordt voortgebracht, is belangrijk en dit wisselt met de soort en het klimaat. Vliegen in Canada hebben bijvoorbeeld langzamer resistentie ontwikkeld dan die in het zuiden van de Verenigde Staten, waar lange, hete zomers een snelle reproductie bevorderen.

Soms wordt de hoopvolle vraag gesteld: 'Als insecten resistent tegen chemicaliën kunnen worden, kunnen mensen dit dan ook niet?' Theoretisch zouden ze dit wel kunnen, maar aangezien dit honderden of zelfs duizenden jaren zou duren, is dit voor de thans levenden een zeer geringe troost. Resistentie is niet iets, dat zich in een persoon ontwikkelt. Als hij bij zijn geboorte eigenschappen bezit, die hem minder gevoelig dan anderen voor vergif maken, dan zal hij blijven leven en kinderen krijgen. Resistentie is derhalve iets dat zich in een gemeenschap ontwikkelt na een tijd, die in verschillende of zelfs in vele generaties gemeten wordt. De menselijke gemeenschap zet zich voort met ongeveer drie generaties per eeuw, maar nieuwe insectengeneraties komen in enkele dagen of weken.

'Het is verstandiger om in bepaalde gevallen wat schade te accepteren dan gedurende enige tijd in het geheel geen schade te kennen, maar daarvoor op den duur te moeten betalen met het kwijtraken van onze wapens', is het advies in Nederland door Dr. Briejèr gegeven. Dr. Briejèr is directeur van de Plantenziektenkundige Dienst. 'Een praktisch advies zou moeten zijn: "Spuit zo min mogelijk", in plaats van: "Spuit zo veel als je kunt . . ." De druk op de plaagverwekkende gemeenschap moet altijd zo licht mogelijk zijn.'

Ongelukkigerwijs heeft men deze visie niet gehad bij de corresponderende landbouwkundige diensten in de Verenigde Staten. Het Jaarboek 1952 van het Ministerie van Landbouw, dat geheel aan insecten is gewijd, erkent het feit, dat insecten resistent kunnen worden, maar voegt er aan toe: 'Herhaalde toepassingen of grotere hoeveelheden insecticiden zullen dan nodig zijn om goede bestrijdingsresultaten te krijgen.' Het Ministerie zegt niet wat er gebeurt, als de enige nog niet geprobeerde chemicaliën die zijn, welke de aarde niet alleen insectenloos, maar totaal levenloos maken. Maar in 1959, slechts zeven jaar nadat dit advies was verstrekt, werd een insectenkundige uit Connecticut aangehaald in het 'Journal of Agricultural and Food Chemistry', die beweerde dat ten aanzien van minstens een of twee insectenplagen *het laatste beschikbare* nieuwe materiaal was gebruikt.

Dr. Briejèr zegt:

> 'Het is overduidelijk, dat we ons thans op een gevaarlijke weg bevinden. . . . *We zullen ons zeer energiek op de research naar andere bestrijdingsmaatregelen moeten werpen en dit zullen biologische maatregelen en geen chemische maatregelen moeten zijn. Ons doel moet zijn om de natuurlijke processen zo voorzichtig mogelijk in de gewenste richting te leiden een geen brute kracht te gebruiken* . . .
>
> Er is hier een geestesgesteldheid, een inzicht nodig, dat ik bij vele onderzoekers mis. Het leven is een voor ons onbegrijpelijk wonder, waar wij altijd met eerbied tegenover moeten staan, zelfs als wij het moeten gaan bestrijden. Feitelijk is de noodzaak om bestrijdingsmiddelen te gebruiken een bewijs van onmacht en onwetendheid. Onmacht om de natuurlijke processen zodanig te leiden en te beheersen dat het gebruik van bruut geweld niet nodig is. Hier past bescheidenheid en het is zeker niet gerechtvaardigd om hoog op het wetenschappelijke paard te gaan zitten.'

17 De andere weg

We staan nu op een punt, waar twee wegen uiteenlopen. Maar ze zijn niet, zoals de wegen in Robert Frost's gedicht, alle twee even mooi. De weg, die we lange tijd zijn gegaan, is bedrieglijk gemakkelijk, het is een vlakke verkeersweg, waarop we snel kunnen opschieten, maar aan het einde ervan wacht ons gevaar. De andere vork van de weg – het stuk dat minder gebruikt wordt – geeft dus een laatste, een enige kans om een bestemming te bereiken, die het behoud van onze planeet verzekert.

De keuze is aan ons. Als wij, na veel verdragen te hebben, eindelijk 'ons recht om te weten' hebben doen gelden en als wij, wetende, hebben vastgesteld, dat ons gevraagd wordt zinloze en angstwekkende risico's te nemen, dan moeten wij niet langer de raad volgen van diegenen, die ons vertellen dat we onze wereld met giftige chemicaliën moeten vullen. Wij moeten om ons heen zien en kijken welke andere koers wij kunnen volgen.

Er is een werkelijk buitengewone veelheid van alternatieven voor chemische bestrijding van insecten. Sommige daarvan worden reeds met schitterend succes toegepast. Andere zijn in het stadium van laboratoriumproeven. Nog andere zijn nog slechts gedachten in de geest van geleerden, getuigend van verbeeldingskracht, die wachten op een gelegenheid om hun ideeën te beproeven. Alle alternatieven hebben één ding gemeen: het zijn *biologische* oplossingen, gebaseerd op begrip van de levende organismen die bestreden moeten worden en van het hele levenspatroon, waartoe deze organismen behoren. Specialisten, die verschillende biologische gebieden bestrijken, werken mede: entomologen, pathologen, genetici, fysiologen, biochemici, ecologen; zij allen geven hun kennis en hun scheppende inspiratie voor de vorming van een nieuwe wetenschap, die van biotische bestrijdingsmiddelen.

'Iedere wetenschap kan vergeleken worden met een rivier', zegt een bioloog van het John Hopkins instituut, Professor Carl P. Swanson. 'Zij heeft een duistere en nederige oorsprong; haar rustige stukken en haar stroomversnellingen; haar perioden van droogte en overvloed. Zij krijgt vaart door het werk van vele onderzoekers en door de toestroming van de gedachtengang van anderen; zij wordt dieper en breder door de begrippen en waarheden, die langzaam worden ontwikkeld.'

Zo staat het ook met de wetenschap van biologische bestrijding in de moderne zin van het woord. In Amerika vond zij een eeuw geleden haar oorsprong, die bestond uit de eerste pogingen om natuurlijke vijanden van de insecten te introduceren, die lastig voor de boeren waren. Het was een poging, die langzaam of in het geheel niet vorderde, maar toch nu en dan snelheid en stuwkracht kreeg onder de drang van een bijzonder succes. Deze pogingen hadden hun perioden van droogte, toen de werkers van de toegepaste insectenkunde, verblind door de spectaculaire nieuwe insecticiden van de veertiger jaren, alle biologische methoden de rug toedraaiden en 'de tredmolen van de chemische bestrijding' betraden. Maar het doel: een insectenvrije wereld, werd niet bereikt. Eindelijk, nu het duidelijk is geworden, dat het achteloze en onbeperkte gebruik van chemicaliën een groter gevaar voor ons zelf dan voor het doel oplevert, begint de rivier van de wetenschap der biotische bestrijding opnieuw te stromen, omdat zij door nieuwe stromen van gedachten gevoed wordt.

Een van de meest fascinerende nieuwe methoden is die, welke probeert de kracht van de soort tegen de soort zelf te keren – dus om de energie van de levenskracht der insecten te gebruiken om hen te vernietigen. De meest spectaculaire benadering van deze methode is de 'mannelijke sterilisatie'-techniek, die ontwikkeld is door het hoofd van de 'Entomology Research Branch' van het Amerikaanse Ministerie van Landbouw, Dr. Edward Knipling, en zijn medewerkers.

Ongeveer een kwart eeuw geleden liet Dr. Knipling zijn collega's schrikken door een unieke methode van insectenbestrijding voor te stellen. Als het mogelijk zou zijn grote aantallen insecten te steriliseren en dan los te laten, zo theoretiseerde hij, dan zouden onder bepaalde omstandigheden de gesteriliseerde mannetjes zo wedijveren met de normale, wilde, mannetjes, dat na enkele herhalingen slechts onbevruchte eitjes zouden worden gelegd en de gemeenschap zou uitsterven.

Het voorstel werd met bureaucratische traagheid en met scepticisme van de zijde der wetenschap ontvangen, maar het idee bleef in Dr. Knipling's geest hangen. Eén voornaam probleem bleef er op te lossen voordat het idee op de proef kon worden gesteld – er moest een praktische methode voor de sterilisatie van insecten worden gevonden. In theorie wist men al sinds 1916, dat insecten door middel van röntgenstralen konden worden gesteriliseerd, want een insectenkundige met de naam G. A. Runner had de sterilisatie van tabakskevers gepubliceerd. Hermann Muller's pionierswerk op het gebied van mutaties door röntgenstralen ontsloot zo omstreeks 1920 nieuwe wegen en tegen het midden van deze eeuw hadden verschillende onderzoekers de sterilisatie van minstens een dozijn soorten insecten door middel van röntgenstralen of gammastralen gemeld.

Maar dit waren alle laboratoriumexperimenten, die nog ver van de toepassing in de praktijk af waren. Omstreeks 1950 waagde Dr. Knipling een serieuze poging om de sterilisatie van insecten te gebruiken als wapen tegen een belangrijk vijandelijk insect voor vee, de schroefwormvlieg. Dit gebeurde in het zuiden der Verenigde Staten. De vrouwtjes van deze soort leggen hun eieren in een open wond van een warmbloedig dier. De uitkomende larven zijn parasieten, die zich voeden met het bloed van de gastheer. Een volwassen stier kan aan een zware aanval binnen 10 dagen bezwijken en het aldus onstane verlies aan vee in de Verenigde Staten wordt op 40 miljoen dollar per jaar geschat. De tol, die de ziekte eist van de in het wild levende dieren, is moeilijker vast te stellen, maar ook die moet groot zijn. Het zelden voorkomen van herten in sommige gebieden van Texas wordt aan de schroefworm toegeschreven. Het is een subtropisch of tropisch insect, dat in Zuid- en Centraal-Amerika en Mexico woont en in de Verenigde Staten gewoonlijk alleen in het zuidwesten voorkomt. Omstreeks 1933 werd het echter per ongeluk in Florida geïntroduceerd, waar het klimaat het in staat stelde te overwinteren en zich uit te breiden. Het drong zelfs tot het zuiden van Alabama en Georgia door en het duurde niet lang of de veeboeren in de zuidoostelijke staten werden geconfronteerd met jaarlijkse verliezen die tot 20 miljoen dollar opliepen.

Er was in de loop der jaren een massa inlichtingen over de biologie van de schroefworm door de geleerden van de 'Agriculture Department' in Texas verzameld. Tegen 1954, na enkele proeven in de open lucht op de eilanden bij Florida, was Dr. Knipling klaar voor een grootscheepse proef van zijn theorie. Door bemiddeling van de Nederlandse regering kon hij naar het eiland Curaçao gaan, dat door ruim 75 kilometer zee van het vasteland is gescheiden.

In augustus 1954 werden schroefwormen, die gekweekt en gesteriliseerd waren in een laboratorium van het 'Agriculture Department" in Florida, naar Curaçao gevlogen en daar uit vliegtuigen gestrooid in hoeveelheden van ongeveer 160 stuks per vierkante km per week. Bijna onmiddellijk begon het aantal eieren, dat op proefgeiten werd gelegd, af te nemen, evenals de vruchtbaarheid ervan. Slechts zeven weken nadat de insecten uit de vliegtuigen werden losgelaten, waren alle eieren onvruchtbaar. Al spoedig was het onmogelijk om ook nog maar één groep eitjes te vinden, steriel of niet. De schroefworm was inderdaad op Curaçao uitgeroeid.

Het klinkende succes van de Curaçaose proef deed de veeboeren in Florida watertanden, want zij wilden dit kunststukje wel herhalen om van de gesel der schroefworm af te komen. Hoewel de moeilijkheden hier naar verhouding enorm groot waren – het gebied is 300 keer zo groot als het Antilliaanse eiland – sloegen in 1957 het Amerikaanse Ministerie van Landbouw en de Staat Florida de handen ineen en verschaften gelden voor een uitroeiingspoging. Het project bracht met zich mee, dat er wekelijks 50 miljoen draaiwormen in een speciale 'vliegenfabriek' moesten worden 'gefabriceerd', dat er 20 lichte vliegtuigen beschikbaar moesten zijn om van te voren vastgestelde vluchten te maken, vijf tot zes uur per dag, en dat ieder vliegtuig duizend kartonnen dozen met elk 200 tot 400 bestraalde vliegen moest vervoeren.

De koude winter van 1957-58, toen de vorst ook in noord Florida heerste, verschafte een onverwachte gelegenheid om met de campagne te beginnen, want de schroefwormbevolking was gering en beperkt tot een klein gebied. Tegen de tijd dat de campagne als voltooid kon worden beschouwd, na 17 maanden, waren er 3½ miljard kunstmatig gefokte en gesteriliseerde vliegen over Florida, delen van Georgia en Alabama uitgestrooid. De laatst bekende wondziekte, die aan de schroefworm zou kunnen worden toegeschreven, werd in februari '59 waargenomen. In de paar weken die daarop volgden, werden enkele volwassen exemplaren gevangen. Daarna werd er geen spoor van de schroefworm meer waargenomen. De uitroeiing ervan in het zuidoosten van de Verenigde Staten was een feit geworden – een triomfantelijke demonstratie van de waarde van wetenschappelijke creativiteit, geholpen door grondige research, doorzettingsvermogen en vastberadenheid.

Thans probeert een quarantainemaatregel het opnieuw binnenkomen van de schroefworm vanuit het zuidwesten, waar hij veelvuldig voorkomt, in Mississippi te verhinderen. Uitroeiingspogingen aldaar zouden een geduchte onderneming zijn, in aanmerking genomen de grote gebieden en de waarschijnlijkheid van infectie vanuit Mexico. Desondanks bestaan er gerede kansen en de gedachten in het Ministerie schijnen zich te concentreren op een of andere campagne, die ten doel heeft de schroefwormbevolking tenminste op een zeer laag niveau te houden in de staat Texas en andere geplaagde gebieden in het zuidwesten.

Het schitterende succes van de schroefwormcampagne heeft er

geweldig toe bijgedragen, dat de interesse voor de toepassing van dezelfde methoden op andere insecten wordt gestimuleerd. Niet alle insecten zijn natuurlijk geschikt voor dezelfde techniek, want er hangt veel af van hun levensgeschiedenis, hun bevolkingsdichtheid en hun reacties op bestralingen.

Er zijn door de Britten proeven genomen in de hoop, dat de methode ook tegen de tsetsevlieg in Rhodesië kon worden gebruikt. Dit insect is in ongeveer een derde van Afrika een grote plaag en betekent een bedreiging voor de menselijke gezondheid, alsmede een beletsel om vee te houden in een gebied van bijna 7 miljoen vierkante kilometer prima gelegen grasland. De gewoonten van de tsetsevlieg verschillen aanmerkelijk van die van de schroefwormvlieg en hoewel ook de eerste door bestraling kan worden gesteriliseerd, blijven er enkele technische details op te lossen voordat de methode kan worden toegepast.

De Britten hebben reeds een groot aantal soorten op gevoeligheid voor bestraling beproefd. Amerikaanse geleerden hebben reeds enkele bemoedigende resultaten opgedaan met de meloenvlieg en de oosterse en Middellandsezee fruitvlieg in laboratoriumproeven op Hawaï en proeven op de akker op het afgelegen eiland Rota. De maïsboorder en de suikerrietboorder worden ook getest. Er zijn ook mogelijkheden, dat insecten van medisch belang door sterilisatie bestreden kunnen worden. Een Chinese geleerde heeft erop gewezen, dat de malariaverwekkende muggen hardnekkig in zijn land blijven voorkomen, ondanks de behandeling met insecticiden; het loslaten van steriele mannetjes kan in zo'n geval een laatste redmiddel betekenen.

Er zijn uiteraard grote moeilijkheden verbonden aan het steriliseren door bestraling en men is derhalve gaan zoeken naar een gemakkelijker methode om dezelfde resultaten te bereiken en het lijkt er althans op, dat het getij draait ten gunste van chemische sterilisatiemiddelen.

Geleerden van het laboratorium van het 'Department of Agriculture' in Orlando, Florida, steriliseren op het ogenblik de huisvlieg in laboratoriumproeven en zelfs bij enkele veldproeven; ze gebruiken daarbij chemicaliën, die in daarvoor geschikt voedsel zijn verwerkt. Bij een proef op een eiland van de 'Florida Keys' in 1961, was een hele gemeenschap vliegen binnen een periode van slechts vijf weken bijna verdwenen. Er kwam natuurlijk opnieuw een vliegenbevolking van de nabijliggende eilanden, maar als proefproject was de test geslaagd. De verwachtingen over de kans van slagen van deze methode zijn uiteraard gespannen. In de eerste plaats, zoals we reeds hebben gezien, is de huisvlieg praktisch onbestrijdbaar geworden door de insecticiden. Ongetwijfeld is er een geheel nieuwe bestrijdingsmethode nodig. Een van de problemen van sterilisatie door bestraling is, dat deze niet alleen kunstmatig fokken met zich meebrengt, maar ook het loslaten van meer steriele mannetjes dan aanwezig zijn bij de natuurlijk levende gemeenschap. Dit kon bij de draaiworm wel gebeuren, omdat het geen overvloedig voorkomend insect is. Bij de huisvlieg zou echter een verdubbeling of meer door het loslaten van steriele mannetjes zeer veel bezwaren met zich meebrengen, zelfs al zou deze toename slechts tijdelijk zijn. Een chemische sterilisatie zou echter gecombineerd kunnen worden met een lokaas dat in de natuurlijke omgeving van de vlieg zou kunnen worden aangebracht; insecten, die er van zouden eten, zouden steriel worden, na verloop van tijd zouden de steriele vliegen de overhand krijgen en de insecten zouden vanzelf verdwijnen.

Het beproeven van chemicaliën voor sterilisatiedoeleinden is veel moeilijker dan het testen van chemische vergiften. Het duurt 30 dagen om één chemische stof te beproeven, hoewel een aantal proeven natuurlijk tegelijk kan worden opgezet. Toch werden tussen april 1958 en december 1961 verschillende honderden chemicaliën in het Orlando laboratorium beproefd op een mogelijk sterilisatie-effect. Het 'Department of Agriculture' prijst zich gelukkig, dat het hieronder een handjevol chemicaliën heeft gevonden, die enige belofte inhouden.

Op het ogenblik houden zich ook andere laboratoria bezig met het probleem en beproeven chemicaliën tegen stalvliegen, muggen, snuitkevers en verschillende fruitvliegen. Thans is dit alles nog in een experimenteel stadium, maar in de paar jaar sinds de arbeid op het gebied der chemische sterilisatie begon, is het project enorm uitgebreid. In theorie zijn er zeer aantrekkelijke voordelen. Dr. Knipling heeft erop gewezen, dat een doelmatige chemische insectensterilisatie 'wel eens de meest bekende insecticiden naar de kroon zou kunnen steken'. Neem eens een denkbeeldige situatie, waarbij een bevolking van een miljoen insecten vijf keer in een generatie wordt vergroot. Een insecticide kan ongeveer 90 % van elke generatie doden, zodat er na de derde generatie nog 125.000 insecten overblijven. In tegenstelling hiermee zou een chemische stof, die 90 % sterilisatie veroorzaakt, slechts 125 insecten doen overblijven.

Aan de andere kant van de medaille ligt het feit, dat er enkele bijzonder krachtige chemicaliën met deze methode gemoeid zijn. Gelukkig denken de mensen, die met deze chemische sterilisatiestoffen werken, er tenminste in deze vroege stadia aan, dat het nodig is om veilige chemicaliën en veilige toepassingsmogelijkheden te ontwikkelen. Desondanks hoort men hier en daar, dat de steriliserende chemicaliën wel als 'sprays' zouden kunnen worden gebruikt, bijvoorbeeld om de bladeren te bedekken, die door de larven van de plakker worden aangetast. Zulk een proces toe te passen zonder van te voren grondig te onderzoeken wat de eraan verbonden gevaren zijn, zou het toppunt van onverantwoordelijkheid betekenen. Als de potentiële gevaren van de chemosterilisatie niet voortdurend in het oog worden gehouden, dan zouden we ons al spoedig in nog groter moeilijkheden bevinden dan op het ogenblik met de insecticiden.

De sterilisatiestoffen, die op het ogenblik worden beproefd, vallen over het algemeen in twee groepen uiteen, die beide bijzonder interessant zijn ten aanzien van hun wijze van uitwerking. De eerste staat in nauw verband met de stofwisselingsprocessen, of metabolisme, van de cel, d.w.z. zij lijken zo sterk op een stof, die de cel of het weefsel nodig heeft, dat het organisme hen aanziet voor het echte stofwisselingsprodukt en probeert hen in het normale opbouwproces op te nemen. Maar ergens lukt dat dan niet en het proces komt tot stilstand. Zulke chemicaliën worden stofwisselingsremmende produkten genoemd.

De tweede groep bestaat uit chemicaliën, die op de chromosomen inwerken, waarschijnlijk door de genen aan te tasten en daardoor de chromosomen in stukken te laten gaan. De chemosterilisanten van deze groep zijn alkylstoffen, zeer sterke chemicaliën, die in staat zijn tot diepgaande celvernietiging, schade aan de chromosomen en het verwekken van mutaties. Het inzicht van Dr. Peter Alexander van het 'Chester Beatty Research Institute' in Londen luidt, dat 'iedere alkyl agens, die doelmatig werkt bij de sterilisatie van insecten, ook een krachtige mutagen of een sterk carcinogeen kan zijn.' Dr. Alexander vindt, dat elk gebruik van zulke chemicaliën bij de insectenbestrijding 'zeer ernstige bezwaren met zich mede brengt.' Het is derhalve te hopen, dat de huidige proeven niet tot gebruik van deze chemicaliën zullen leiden, maar tot de ontwikkeling van nog andere chemische stoffen, die veilig zijn en bovendien zeer nauwkeurig in hun uitwerking op het te treffen insect.

Een zeer interessante ontwikkeling van het recente onderzoekingswerk heeft betrekking op nog andere manieren om wapens te smeden uit het eigen levensproces van de insecten. Insecten produceren een verscheidenheid aan vergiften, stoffen die aantrekken en stoffen die afstoten. Wat is de chemische aard van deze afgescheiden stoffen? Kunnen wij van deze stoffen gebruik maken, bijvoorbeeld als zeer selectieve insecticiden? Geleerden van de Cornell universiteit en elders trachten antwoorden op sommige van deze vragen te vinden, ze bestuderen de wapens, waarmede veel insecten zich tegen hun belagers verdedigen en werken aan de chemische samenstelling van insecten-secretie. Andere geleerden werken aan een zogenoemd 'juveniel hormoon', een krachtige stof, die de metamorfose van het larfstadium verhindert totdat het geëigende niveau van de groei is bereikt.

Misschien is het onmiddellijke nuttige resultaat van deze onderzoekingen op het gebied van de insectensecretie wel de ontwikkeling van lokstoffen. Ook hier heeft de natuur ons de weg gewezen. De plakker is een bijzonder interessant voorbeeld. Het vrouwtje is te zwaar om te vliegen. Zij leeft op of vlakbij de grond, fladderend in lage vegetatie of kruipend op boomstammen. Het mannetje is echter een goede vlieger en wordt zelfs van een flinke afstand af aangetrokken door een luchtje, dat door het vrouwtje wordt verspreid en dat afkomstig is uit speciale klieren. Entomologen hebben al vele jaren voordeel getrokken uit deze omstandigheden en zijn ijverig bezig geweest om deze seksuele lokstof uit de lichamen der vrouwtjes te bereiden. Toen werd het gebruikt als een val voor de mannetjes bij 'volkstellingen' langs het gebied waar het insect voorkwam. Maar dit was een bijzonder dure manier van werken. Ondanks de berichten over grote aantallen in de noordoostelijke staten, waren er niet genoeg plakkers om de lokstoffen te leveren en er moesten met de hand gewonnen vrouwelijke larven uit Europa worden geïmporteerd, tegen aanzienlijke kosten. Het was derhalve een grote vooruitgang toen, na jaren experimenteren, chemici van het 'Agriculture Department' er kort geleden in slaagden om de lokstof te isoleren. Hierop volgde de succesvolle bereiding van een synthetische stof, die er veel op lijkt en die is afgeleid van een bestanddeel van wonderolie. Deze stof misleidt niet alleen de mannetjes, maar is blijkbaar net zo aantrekkelijk als de natuurlijke substantie. Een hoeveelheid van slechts 1 milligram (1/1.000 gram) in een hinderlaag is reeds een effectief lokmiddel.

Dit alles is van meer dan academische betekenis, want het nieuwe en economische 'bedriegers-lokaas' kan zowel bij tellingswerk als bij bestrijdingscampagnes gebruikt worden. Enige van de meest aantrekkelijk lijkende mogelijkheden worden thans beproefd. In wat zou kunnen worden genoemd een experiment van een psychologische oorlog, wordt de lokstof gecombineerd met een korrelachtig materiaal en per vliegtuig verspreid. Het doel is de mannetjesplakker te misleiden en zijn normale gedrag te veranderen, zodat hij, verward door alle aantrekkelijke geurtjes, het spoor van het vrouwtje niet meer kan vinden. Deze lijn van aanval wordt bij proeven nog wel verder doorgetrokken, waarbij dan wordt getracht het mannetje zo te misleiden, dat hij met een nagemaakt vrouwtje tracht te paren. In het laboratorium hebben mannelijke plakkers namelijk getracht te paren met houtsplinters, houtkrullen en andere kleine, levenloze dingen, als deze maar voldoende doordrenkt waren van een bedriegers-lokaas. Of deze afleidingsmanoeuvre om het paarinstinct in improductieve banen te leiden kan worden gebruikt om het aantal van een insectenvolk te reduceren, moet nog worden beproefd, maar het is in ieder geval een interessante mogelijkheid.

Het lokmiddel van de plakker was het eerste seksuele lokmiddel bij insecten, dat synthetisch werd gemaakt, maar waarschijnlijk zullen er spoedig andere zijn. Een aantal landbouwinsecten wordt op het ogenblik bestudeerd op mogelijke lokmiddelen, die de mens zou kunnen namaken. Bemoedigende resultaten zijn reeds bereikt met de Hessen mug (een soort galmug) en de doodshoofdvlinder op tabak.

Combinaties van lokmiddelen en vergiften worden tegen verschillende insectensoorten beproefd. Regeringsdeskundigen hebben een lokmiddel ontwikkeld, dat methyl-eugenol wordt genoemd en dat de mannetjes van de oosterse fruitvlieg en de meloenvlieg onweerstaanbaar vinden. Dit is bij proeven bij de Bonin eilanden, 675 km ten zuiden van Japan, met gif vermengd. Kleine stukjes vezelplaat werden geïmpregneerd met de twee chemicaliën en per vliegtuig over de gehele eilandengroep gedistribueerd om de mannelijke insecten aan te trekken en te doden. Deze campagne van 'mannelijke vernietiging' werd in 1960 begonnen: een jaar later schatte het 'Agriculture Department' dat meer dan 99 % van de populatie was geëlimineerd. De methode, die hier werd toegepast, schijnt opvallende voordelen boven de conventionele verspreiding van insecticiden te hebben. Het gif, een organische, fosforhoudende chemische stof, blijft vastzitten op de stukjes vezelplaat, die zeer waarschijnlijk niet door de dieren in het wild zullen worden opgegeten; de overblijfselen ervan zijn bovendien snel vergaan en zijn derhalve geen mogelijke bron van verontreiniging voor grond en water.

Maar niet alle communicatie in de insectenwereld geschiedt door luchtjes, die aanlokken of afstoten. Geluid kan ook een waarschuwing of een aantrekkingskracht betekenen. Het voortdurende uitgaan van ultrasone geluiden van een vleermuis in de vlucht (dat dient als radarsysteem om hem door het donker te geleiden), wordt door sommige vlinderachtigen gehoord en stelt hen in staat te vluchten. Het vleugelgeluid van naderende parasitaire vliegen waarschuwt de larven van sommige zaagwespen om gezamenlijk bescherming te zoeken. Aan de andere kant stellen de geluiden van bepaalde in hout levende insecten de parasieten daarvan in staat hen te vinden. Voor de mannetjesmug is de vleugelslag van het vrouwtje een sirenezang.

Wat voor nut, als dat al aanwezig is, kunnen wij hebben van dit vermogen van het insect om geluid op te sporen en erop te reageren? Het is nog in een proefstadium, maar niettemin interessant: er is een eerste succes om mannelijke muggen aan te trekken door opnamen van de vleugelslag van een vrouwtje terug te spelen. De mannetjes werden zo naar een elektrisch geladen rooster gelokt en daar gedood.

Het afstotend effect, dat uitbarstingen van ultrasonisch geluid geeft, wordt in Canada beproefd tegen de maïsboorder en de vlinder van aardrupsen. Twee deskundigen op het gebied van dierengeluiden, de professoren Hubert en Mable Frings van de universiteit van Hawaï, geloven dat een praktische methode voor de beïnvloeding van het gedrag van insecten door geluid alleen wacht op de ontdekking van de goede sleutel, die de grote, bestaande kennis van het maken en ontvangen van insectengeluiden ontsluit en tot toepassing brengt. Afstotende geluiden kunnen wellicht meer mogelijkheden bieden dan lokkende geluiden. De professoren Frings zijn bekend om hun ontdekking, dat spreeuwen zich in paniek verspreiden als een angstkreet van een van hun broeders wordt afgedraaid; misschien ligt er ergens in dit feit een kern van waarheid, die op insecten toegepast zou kunnen worden. Voor praktische industriëlen schijnen de mogelijkheden werkelijkheid in te houden, zodat er tenminste één grote electronische firma is, die voorbereidselen treft om een laboratorium op te richten om die mogelijkheden te onderzoeken.

Geluid wordt ook beproefd als een middel tot directe vernietiging. Ultrasonisch geluid doodt alle muggenlarven in een laboratoriumreservoir, maar het doodt ook andere waterorganismen. Bij andere experimenten zijn vleesvliegen, meeltorren en gele koorts-muskieten in enkele seconden gedood door ultrasonisch geluid, dat door de lucht op hen toekwam. Al deze proeven betekenen eerste stappen op de weg naar een geheel nieuwe conceptie van insectenbestrijding, die wellicht door de wonderen der electronica eens werkelijkheid zal worden.

De nieuwe biotische bestrijding van insecten is niet helemaal een kwestie van electronica en gammastraling en andere produkten van menselijk vernuft. Sommige van deze methoden wortelen in het verleden en zijn gebaseerd op de wetenschap, dat, net zoals wij, insecten ziek kunnen worden. Bacteriologische infecties geselen hun volken zoals vroeger de diverse plagen ons geselden; onder de aanval van een virus worden hun horden ziek en gaan dood. Het vóórkomen van ziekten bij insecten was al vóór de tijd van Aristoteles bekend; de kwalen van de zijderups werden in de Middeleeuwse poëzie bezongen en door de studie van de ziekten van ditzelfde insect daagde bij Pasteur het eerste begrip van de principes van besmettelijke ziekte.

Insecten worden niet alleen overvallen door virussen en bacteriën, maar ook door zwammen, protozoën, microscopische wormpjes en andere wezens uit die gehele onzichtbare wereld van nietig leven, dat over het algemeen de mens goed gezind is. Want de microben zijn niet alleen de ziektenorganismen, maar ook de organismen, die afval vernietigen, die de grond vruchtbaar maken en die in ontelbare biologische processen, zoals fermentatie en nitrificatie een rol spelen. Waarom zouden zij ons ook niet helpen bij de bestrijding van insecten?

Een van de eersten, die iets zag in een dusdanig gebruik van micro-organismen was de 19e eeuwse zoöloog Elie Metchnikoff. Gedurende de laatste tientallen jaren van de 19e en de eerste helft van de 20e eeuw begon de idee van microbische bestrijding langzaam vorm te krijgen. Het eerste afdoende bewijs, dat een insect bestreden kan worden door een ziekte in zijn omgeving te introduceren, kwam gedurende de dertiger jaren met de ontdekking en het toepassen van de melkziekte bij de Japanse kever, die wordt veroorzaakt door de sporen van een bacterie, die behoort tot het geslacht *Bacillus*. Dit klassieke voorbeeld van bacteriologische bestrijding heeft een lange geschiedenis in het oostelijke deel van de Verenigde Staten, zoals in hoofdstuk 7 is besproken.

De hoop is thans gevestigd op proeven met een andere bacterie van dit geslacht – *Bacillus thuringiensis* – die oorspronkelijk in 1911 in Duitsland, in de provincie Thuringen, werd ontdekt en waarvan men wist, dat hij een fatale bloedvergiftiging bij de larven van de meelmot teweeg bracht. Deze bacterie doodt echter meer door vergiftiging dan door ziekte. Binnen zijn vegetatief groeiende slierten worden, tezamen met de sporen, eigenaardige kristallen gevormd, die bestaan uit een proteïne-substantie, die zeer giftig is voor bepaalde insecten, speciaal voor de larven van de motachtige schubvleugeligen. Spoedig na het eten van bladeren, die met dit toxine zijn bedekt, lijdt de larf aan verlamming, scheidt uit met eten en sterft snel. Uit praktisch overwegingen is het feit, dat het eten direct wordt stopgezet, al een enorm voordeel, want schade aan oogst en bladeren wordt bijna onmiddellijk een halt toegeroepen als de ziekteverwekkende stof wordt aangebracht. Samenstellingen met sporen van de *Bacillus thuringiensis* worden thans door verschillende fabrieken in de Verenigde Staten, onder verschillende handelsmerken gefabriceerd.

Proeven worden in verschillende landen genomen: In Frankrijk en Duitsland tegen de larven van het koolwitje, in Joegoslavië tegen de grote spinnende rups, in de Sovjet-Unie tegen een ringelrups. In Panama, waar de proeven in 1961 aanvingen, kan dit bacteriologische insecticide een uitkomst betekenen voor de bananenkwekers, die met enkele ernstige problemen geconfronteerd worden. Daar is de wortelboorder een ernstige plaag voor bananen, die de wortels zo zwak maakt, dat de planten gemakkelijk door de wind omwaaien. Dieldrin is het enige doelmatige insecticide tegen dit insect geweest, maar thans heeft dit een kettingreactie van ongelukken in beweging gezet. De boorders zijn bezig resistent te worden. De chemische stof heeft ook enige belangrijke (insecten) belagers vernietigd en heeft derhalve een toename veroorzaakt van de bladrollers, dat zijn kleine, stevige motten, wier larven lidtekens maken op de oppervlakte van de bananen. Er is reden om aan te nemen, dat het nieuwe microbische insecticide zowel de bladrollers als de boorders zal elimineren en dat dit zal gebeuren zonder de natuurlijke bestrijding in de war te gooien.

In de bossen van oostelijk Canada en de Verenigde Staten kunnen bacteriologische insecticiden een belangrijke oplossing betekenen voor de hinder, die zij van bosinsecten als de knoprupsen en de plakkers ondervinden. In 1960 begon men in beide landen met proeven met een handelspreparaat van de *Bacillus thuringiensis*. De eerste resultaten waren bemoedigend. In Vermont waren de eindresultaten van de bacteriologische bestrijding bijvoorbeeld even goed als die, welke met DDT waren verkregen. Het voornaamste technische probleem is thans om een geschikte oplossing te vinden, waardoor de bacteriologische sporen aan de naalden van de naaldbomen blijven kleven. Op gewassen vormt dit geen probleem, men kan daar zelfs nevelbespuiting toepassen. Bacteriologische insecticiden zijn reeds op een grote verscheidenheid van groente beproefd, speciaal in Californië.

Ondertussen is er ander, misschien minder spectaculair werk gedaan, dat betrekking heeft op virussen. Hier en daar worden in Californië velden jonge luzerne met een stof bespoten, die even dodelijk is als welke insecticide ook voor de allesvernietigende rups op luzerne. Dit is een samenstelling, die een virus bevat, dat verkregen is uit de lichamen van rupsen, die dood zijn gegaan aan de infectie van een bijzonder kwaadaardige ziekte. De lichamen van slechts vijf zieke rupsen verschaffen genoeg virus om vierduizend vierkante meter luzerne te behandelen. In sommige Canadese bossen heeft een virus, dat de zaagwesp op naaldbomen aantast, zulke doelmatige bestrijdingsresultaten te zien gegeven, dat het in de plaats gekomen is van insecticiden.

Geleerden in Tsjechoslowakije zijn bezig proeven te nemen met protozoën tegen de kleine spinnende rups en andere insectenplagen, en in de Verenigde Staten is een protozoën-parasiet gevonden, die de potentie om eieren te leggen bij de maïsboorder op een lager niveau brengt.

Voor sommige mensen zal de term microbische insecticiden een beeld voor ogen toveren van bacteriologische oorlog, die andere vormen van leven in gevaar brengt. Dit is niet waar. In tegenstelling tot chemicaliën zijn pathologische middelen tegen insecten gevaarloos, behalve voor het bestemde doel. Dr. Edward Steinhaus, die bijzonder deskundig is op het gebied van de insectenpathologie, heeft nadrukkelijk verklaard, dat er 'geen enkele geverifieerde registratie bestaat van een echt pathologisch middel voor insecten, dat een besmettelijke ziekte heeft veroorzaakt bij een gewerveld dier, noch bij proeven noch in de natuur.' De pathologische middelen voor insecten zijn zo specifiek, dat zij slechts een kleine groep insecten aantasten, soms zelfs slechts een enkele soort. Biologisch behoren zij niet tot de organismen, die ziekten veroorzaken bij hogere planten en dieren. Hetzelfde geldt, zegt Dr. Steinhaus, voor het uitbreken van ziekten bij insecten in de natuur, dat altijd beperkt blijft tot de insecten zelf en nooit de planten, waarop de insecten huizen, of de dieren, die zich met hen voeden aantast.

Insecten hebben veel natuurlijke vijanden, niet alleen microben, maar ook veel andere insecten. De eerste ingeving, dat een insect wel eens bestreden zou kunnen worden door zijn vijanden aan te moedigen, wordt algemeen toegeschreven aan Erasmus Darwin, omstreeks 1800. Waarschijnlijk omdat dit de eerste algemeen in praktijk gebrachte methode was ten aanzien van biologische bestrijding, wordt het plaatsen van het ene insect tegenover het andere dikwijls, doch ten onrechte, gedacht het enige alternatief te zijn voor chemicaliën.

In de Verenigde Staten dateert het eerste begin van een conventionele biologische bestrijding van 1888, toen Albert Koebele, de eerste van een groeiend leger insectenkundige onderzoekers, naar Australië ging om naar natuurlijke vijanden te zoeken van de citrus schildluis, die de Californische citrusindustrie met vernietiging bedreigde. Zoals we in hoofdstuk 15 hebben gezien, werd deze missie met uitzonderlijk succes bekroond en in de eeuw, die daarop volgde is de hele wereld uitgekamd om natuurlijke vijanden te vinden, die de insecten, die onuitgenodigd naar onze kusten waren gekomen, konden bestrijden. Alles bij elkaar genomen, worden er zo'n 100 soorten geïmporteerde belagers en parasieten regelmatig gebruikt. Behalve de vedalia kevers, die door Koebele werden meegebracht, zijn ook andere ingevoerde soorten succesvol geweest. Een wesp, die uit Japan werd ingevoerd, heeft een insect, dat de appelboomgaarden in de oostelijke staten aantastte, afdoend bestreden. Verschillende natuurlijke vijanden van het bladmugje op luzerne, een insect dat per ongeluk uit het Midden Oosten binnengekomen was, hebben de luzerne-industrie in Californië van een wisse dood gered. Parasieten en belagers van de plakker hebben een goede bestrijding te zien gegeven, net zoals de Tiphia wesp tegen de Japanse kever. Biologische bestrijding van schildluizen in het algemeen en de witbepoederd uitziende schildluis in het bijzonder, heeft Californië naar schatting verschillende miljoenen dollars per jaar bespaard. Een van de leidende entomologen van die staat, Dr. Paul DeBach, heeft zelfs becijferd, dat voor iedere investering van 4 miljoen dollar voor biologische bestrijding er 100 miljoen terugkomt.

Voorbeelden van succesvolle biologische bestrijding van ernstige plagen door het invoeren van hun natuurlijke vijanden, kunnen we thans in ongeveer 40 landen, gelegen in een groot deel van de wereld, waarnemen. De voordelen van deze soort bestrijding ten opzichte van die met chemicaliën zijn duidelijk: het is betrekkelijk goedkoop, het is permanent en het laat geen giftige residuen achter. Toch heeft de biologische manier van bestrijden te kampen met een gemis aan steun. Californië is praktisch de enige staat, die een uitgewerkte campagne van biologische bestrijding heeft opgezet en veel staten bezitten nog niet één entomoloog, die al zijn tijd eraan geeft. Misschien komt het door het gebrek aan steun dat de biologische bestrijding door middel van insectenvijanden niet altijd is uitgevoerd met de wetenschappelijke grondigheid, die nodig is – uitgebreide studies van de uitwerking op de ten prooi vallende insectenvolken zijn zelden ondernomen en het loslaten is niet altijd gebeurd met de nauwkeurigheid, die het verschil tussen succes en mislukking kan uitmaken.

De belager en de prooi bestaan niet alleen, maar maken deel uit van een groot levensstramien, dat in zijn geheel moet worden bezien. Misschien zijn de kansen voor de meer conventionele typen van biologische bestrijding wel het grootst in de bossen. De bouwgronden van de moderne landbouw zijn zeer kunstmatig en lijken geenszins op iets wat de natuur zelf heeft ontwikkeld. Maar de bossen vormen een geheel andere wereld, die dichter bij de natuurlijke omstandigheden staat. Hier kan de natuur haar gang gaan met een minimum aan hulp en een maximum aan vrijheid van de mens. Hier kan zij dat wonderlijke en ingewikkelde systeem van controle en evenwicht ontwikkelen, dat het bos beschermt tegen te veel schade door insecten.

In de Verenigde Staten schijnen de houtvesters voornamelijk aan biologische bestrijding te hebben gedacht in de vorm van de invoering van insectenparasieten en -belagers. De Canadezen nemen een ruimer standpunt in en sommige Europeanen zijn nog verder gegaan en hebben de wetenschap, die 'boshygiëne' wordt genoemd, tot verbazingwekkende hoogte ontwikkeld. Vogels, mieren, bosspinnen en grondbacteriën zijn net zo goed een deel van het bos als de bomen, volgens de Europese houtvesters, die er voor zorgen ook nieuw bos te voorzien van deze beschermende factoren. Het aanmoedigen van vogels behoort tot de eerste stappen. In de moderne tijd van intensieve houtvesterij zijn de holle bomen verdwenen en daarmede de woningen voor spechten en andere boomnestelaars. Dit gebrek wordt goedgemaakt door nestkastjes, die de vogels weer naar het bos toetrekken. Andere kastjes worden speciaal voor uilen en vleermuizen gemaakt, zodat deze schepselen in de donkere uren het werk, dat bestaat uit de jacht op insecten, van de kleine vogels kunnen overnemen.

Maar dit is nog slechts een begin. Een van de meest fascinerende bestrijdingsmethoden in Europese bossen heeft betrekking op het gebruik van rode bosmieren als agressieve insectenbelagers. Het is een soort die helaas in Noord-Amerika niet voorkomt. Ongeveer 25 jaar geleden ontwikkelde professor Karl Gösswald van de universiteit van Würzburg een methode om deze mier te cultiveren en er kolonies van op te richten. Onder zijn leiding zijn in ongeveer 90 proefgebieden in Duitsland meer dan 10.000 kolonies van de rode mier uitgezet. Dr. Gösswald's methode heeft navolging gevonden in Italië en andere landen, waar 'mierenkwekerijen' zijn opgericht om de bossen van kolonies te kunnen voorzien. In de Apennijnen zijn bijvoorbeeld verschillende honderden nesten uitgezet om de herbeboste gebieden te beschermen.

'Daar waar u in uw bossen een combinatie van vogel- en mierenbescherming, gepaard aan enkele vleermuizen en uilen, kunt verkrijgen, is het biologisch evenwicht al aardig verbeterd', zegt Dr. Heinz Ruppertshofen, een houtvester in Mölln, Duitsland. Hij gelooft, dat een enkele ingevoerde belager of parasiet minder doelmatig werkt dan een verscheidenheid aan 'natuurlijke metgezellen' voor de bomen.

Nieuwe mierenkolonies in de bossen bij Mölln worden tegen de spechten beschermd door er een net overheen te spannen. Hierdoor kunnen de spechten, die de laatste 10 jaren in sommige proefgebieden met 400 % in aantal zijn toegenomen, de mierenkolonies geen ernstige schade toebrengen en als betaling (en om goed te maken wat ze te kort komen) halen zij dan schadelijke rupsen van de bladeren der bomen. Een groot deel van het werk, dat gepaard gaat met het zorgen voor de mierenkolonies en de nestkastjes voor de vogels wordt door een jeugdbrigade van de plaatselijke school ondernomen, door kinderen van 10 tot 14 jaar oud. De kosten zijn buitengewoon laag; het resultaat is een permanente bescherming van de bossen.

Een ander bijzonder interessant deel van Dr. Ruppertshofen's werk is het gebruik van spinnen, waarin hij een pionier blijkt te zijn. Hoewel er een uitgebreide literatuur bestaat over de klassificatie en natuurlijke historie van spinnen, is deze her en der verspreid en onvolledig. Bovendien heeft deze niet te maken met de waarde van spinnen als een agens voor biologische bestrijding. Van de 22.000 soorten spinnen, die bekend zijn, komen er 760 in Duitsland voor en ongeveer 2.000 in de Verenigde Staten. Negenentwintig spinnenfamilies bevolken de Duitse bossen.

Voor een houtvester is het voornaamste van de spin het soort web, dat hij spint. De spinnen, die een wielvormig web spinnen zijn voor hem het belangrijkst, want deze spinnewebben zijn zo nauw gesponnen, dat zij alle vliegende insecten kunnen vangen. Een groot web (dat wel 40 centimeter in diameter kan zijn) van de kruisspin heeft wel 120.000 kleverige knobbeltjes op zijn draden. Een enkele spin kan in zijn leven, dat 18 maanden duurt, gemiddeld 2.000 insecten vernietigen. Een biologisch gezond bos telt 50 tot 150 spinnen per vierkante meter. Daar waar er minder zijn, kan het middel om de zakachtige cocons met eitjes te verzamelen en te distribueren uitkomst brengen. 'Drie cocons van de spin, die op wespen aast en die ook in Amerika voorkomt, levert 1.000 spinnen, die 200.000 vliegende insecten kunnen vangen,' zegt Dr. Ruppertshofen. De kleine en tere jongen van de wielspin of kruisspin, die in het voorjaar te voorschijn komen, zijn bijzonder belangrijk, zegt hij, 'want in teamverband weven zij een paraplu-achtig web boven de bovenste nieuwe loten van de bomen, die zij aldus beschermen tegen insecten.' Met het groeien van de spinnen, wordt ook het web vergroot.

Canadese biologen hebben ongeveer in dezelfde richting gewerkt, zij het met enkele verschillen, die werden gedicteerd door het feit dat de Noordamerikaanse bossen voor het merendeel natuurlijk en niet geplant zijn en dat de als hulpmiddel voor het behoud van een gezond bos beschikbare soorten ook enigszins anders zijn. De nadruk in Canada wordt gelegd op kleine zoogdieren, die verbazingwekkend doelmatig kunnen zijn bij de bestrijding van bepaalde insecten, speciaal die, welke in de sponsachtige bodem van de bosgrond leven. Onder deze insecten bevinden zich de zaagwespen, die zo worden genoemd omdat het vrouwtje een zaagvormige legboor heeft, waarmee ze de naalden van de naaldbomen openrijt om er eitjes in te leggen. De larven vallen op den duur op de grond en vormen cocons in de veengrond onder de lorkebomen of in de rottende naalden onder dennen en sparren. Maar onder de bosbodem ligt een wereldje, dat doorkruist wordt door tunnels en gangen van kleine zoogdieren: witvoetmuizen, spitsmuizen, woelmuizen, en andere soorten. Van al deze kleine gravers kunnen de vraatzuchtige spitsmuizen het grootste aantal cocons van de zaagwesp vinden en opeten. Zij doen dat door een voorpoot op de cocon te zetten en er het eind af te bijten en ze leggen een buitengewone handigheid aan de dag bij het onderscheiden van gezonde en lege cocons. Zij kennen wat hun onstilbare honger betreft huns gelijke niet. Waar een woelmuis zo'n 200 cocons per dag kan opeten, kan een spitsmuis – afhankelijk van de soort, waartoe hij behoort – er wel 800 verslinden! Dit kan uitlopen, hebben laboratoriumproeven aangetoond, op een vernietiging van 75 tot 98 % van de aanwezige cocons.

Het behoeft niet te verbazen, dat het eiland Newfoundland, waar geen spitsmuizen voorkomen, maar dat geplaagd wordt door zaagwespen, zo graag de beschikking had over deze kleine, efficiënte zoogdieren, dat in 1958 de invoer van de gemaskerde spitsmuis, de meest doelmatige zaagwesp-belager, werd overwogen. Canadese ambtenaren bevestigden in 1962 dat de poging was gelukt. De spitsmuizen vermeerderden zich en verspreidden zich over het eiland, sommige gemerkte exemplaren zijn wel 15 kilometer van hun oorspronkelijke plaats teruggevonden.

Er bestaat dus een groot arsenaal van wapens voor de houtvester, die naar permanente oplossingen voor zijn problemen zoekt, oplossingen die bovendien de natuurlijke verhoudingen in het bos behouden en versterken. Chemische bestrijding van plagen is hoogstens een lapmiddel, dat geen werkelijke oplossing brengt en in 't ongunstigste geval de vissen in de bosbeken doodt, insectenplagen te voorschijn roept en de natuurlijke bestrijding en die, welke wij willen introduceren, vernietigt. Door zulke gewelddadige maatregelen, zegt Dr. Ruppertshofen, 'wordt de levensgemeenschap van het bos volkomen uit zijn evenwicht gebracht en de catastrofen, die door parasieten veroorzaakt worden, volgen elkaar met steeds korter tussenpozen op . . . Wij moeten derhalve een einde maken aan deze onnatuurlijke manipulaties, die worden uitgevoerd in de belangrijkste en bijna laatste natuurlijke levensruimte, die ons nog is overgebleven.

Door al deze nieuwe, vernuftige en scheppende benaderingen van het probleem onze aarde met andere wezens te delen, loopt een steeds wederkerend thema: we hebben te doen met leven, met levende volken en al hun noden en gebreken, hun opkomst en ondergang. Slechts door deze levenskrachten in aanmerking te nemen en door deze voorzichtig in banen te leiden, die gunstig voor ons zelf zijn, kunnen we hopen op een redelijke schikking tussen de insectenhorden en ons mensen.

Het 'en vogue' zijn van vergiften is geheel aan deze fundamentele overwegingen voorbij gegaan. De chemische versperring, die net zo'n ruw wapen is als de knots van de holbewoner, is tegen het levensstramien opgezet. Dit stramien is aan de ene kant teer en vernietigbaar, maar aan de andere kant taai en veerkrachtig en in staat op onverwachte wijze terug te slaan. Deze eigenaardige capaciteiten van het leven zijn door de voorstanders van chemische bestrijding genegeerd; zij hebben hun taak niet met 'visie' volbracht en zij hebben geen nederigheid getoond voor de onmetelijke krachten, waarmede ze werken.

'Controle op de Natuur' is een frase, die uit arrogantie is geboren en stamt uit het Neanderthaler tijdperk van biologie en filosofie, toen nog werd aangenomen, dat de natuur er was voor het gemak van de mens. De consepties en praktijken van de toegepaste insectenkunde dateren voor een groot gedeelte uit het Stenen Tijdperk der wetenschap. Jammer genoeg heeft zulk een primitieve wetenschap gemeend zich te moeten bedienen van de meest moderne en verschrikkelijke wapens. Door die tegen de insecten te gebruiken, zijn ze tevens tegen de aarde gekeerd.

Lijst van voornaamste bronnen

HOOFDSTUK 2: DE NOODZAAK TOT VERDAGEN

pp. 4, 5: 'Report on Environmental Health Problems,' *Hearings,* 86th Congress, Subcom. of Com. on Appropriations, March 1960, p. 170.

p. 6: *The Pesticide Situation for 1957-58,* U.S. Dept. of Agric., Commodity Stabilization Service, April 1958, p. 10.

p. 7: Elton, Charles, S., *The Ecology of Invasions bij Animals and Plants,* New York: Wiley, 1958.

p. 8: Shepard, Paul, 'The Place of Nature in Main's World,' *Atlantic Naturalist,* Vol 13 (April-June 1958), pp. 95-89.

HOOFDSTUK 3: ELIXERS VAN DE DOOD

pp. 11-29: Gleason, Marion, et al., *Clinical Toxicology of Commercial Products.* Baltimore: Williams and Wilkins, 1957.

pp. 11-29: Gleason, Marion, et al., *Bulletin of Supplementary Material: Clinical Toxicology of Commercial Products,* Vol. IV, No. 9. Univ. of Rochester.

p. 12: *The Pesticide Situation for 1958-59,* U.S. Dept. of Agric., Commodity Stabilization Service, April 1959, pp. 1-24.

pp. 12, 13: *The Pesticide Situation for 1960-61,* U.S. Dept. of Agric., Commodity Stabilization Service, July 1961, pp. 1-23.

pp. 12-13: Hueper, W. C., *Occupational Tumors and Allied Diseases.* Springfield, Ill.: Thomas, 1942.

p. 13: Todd, Frank E., and S. E. McGregor, 'Insecticides and Bees,' *Yearbook of Agric.,* U.S. Dept of Agric., 1952, pp. 131-35.

p. 13: Hueper, *Occupational Tumors.*

p. 15: Bowen, C. V., and S. A. Hall, 'The Organic Insecticides,' *Yearbook of Agric.,* U.S. Dept. of Agric., 1952, pp. 209-18.

p. 16: Van Oettingen, W. F., *The Halogenated Aliphatic, Olefinic, Cyclic, Aromatic, and Aliphatic-Aromatic Hydrocarbons: Including the Halogenated Insecticides, Their Toxicity and Potential Dangers.* U.S. Dept. of Health, Education, and Welfare. Public Health Service Publ. No. 414 (1955), pp. 341-42.

p. 16: Laug, Edwin P., et al., 'Occurrence of DDT in Human Fat and Milk,' *A.M.A. Archives Indus. Hygiene and Occupat. Med.,* Vol 3 (1951), pp. 245-46.

pp. 16-17: Biskind, Morton S., 'Public Health Aspects of the New Insecticides,' *Am. Jour. Diges. Diseases,* Vol. 20 (1953), No. 11, pp. 331-41.

pp. 16-17: Laug, Edwin P., et al., 'Liver Cell Alteration and DDT Storage in the Fat of the Rat Induced by Dietary Levels of 1 to 50 p.p.m.

DDT,' *Jour. Pharmacol. and Exper. Therapeut.*, Vol. 98 (1950), p. 268.

pp. 16-17: Ortega, Paul, et al., 'Pathologic Changes in the Liver of Rats after Feeding Low Levels of Various Insecticides,' *A.M.A. Archives Path.*, Vol. 64 (Dec. 1957), pp. 614-22.

pp. 17-18: Fitzhugh, O. Garth, and A. A. Nelson, 'The Chronic Oral Toxicity of DDT (2,2-BIS p-CHLOROPHENYL-1,1,1-TRI-CHLOROETHANE),' *Jour. Pharmacol. and Exper. Therapeut.*, Vol. 89 (1947), No. 1, pp. 18-30.

pp. 17-18: Laug et al., 'Occurrence of DDT in Human Fat and Milk.'

pp. 17-18: Hayes, Wayland J., Jr., et al., 'Storage of DDT and DDE in People with Different Degrees of Exposure to DDT,' *A.M.A. Archives Indus. Health,* Vol. 18 (Nov. 1958), pp. 398-406.

pp. 17-18: Durham, William F., et al., 'Insecticide Content of Diet and Body Fat and Alaskan Natives,' *Science,* Vol. 134 (1961), No. 3493, pp. 1880-81.

pp. 17-18: Van Oettingen, *Halogenated . . . Hydrocarbons,* p. 363.

p. 18: Smith, Ray F., et al., 'Secretion of DDT in Milk of Dairy Cows Fed Low Residue Alfalfa,' *Jour. Econ. Entomol.,* Vol. 41 (1948), pp. 759-63.

p. 18: Laug et al., 'Occurrence of DDT in Human Fat and Milk.'

p. 18: Finnegan, J. K., et al., 'Tissue Distribution and Elimination of DDD and DDT Following Oral Administration to Dogs and Rats,' *Proc. Soc. Exper. Biol. and Med.,* Vol. 72 (1949), pp. 356-57.

p. 18: Laug et al., 'Liver Cell Alteration.'

p. 18: 'Chemicals in Food Products,' *Hearings,* H. R. 74, House Select Com. to Investigate Use of Chemicals in Food Products, Pt. 1 (1951), p. 275.

pp. 18-19: Van Oettingen, *Halogenated . . . Hydrocarbons,* p. 322.

p. 19: 'Chemicals in Food Products,' *Hearings,* 81ste Congress, H.R. 323, Com. to Investigate Use of Chemicals in Food Products, Pt. 1 (1950), pp. 388-90.

p. 19: *Clinical Memoranda on Economic Poisons.* U.S. Public Health Service Publ. No. 476 (1956), p. 28.

p. 19: Gannon, Norman, and J. H. Bigger, 'The Conversion of Aldrin and Heptachlor to Their Epoxides in Soil,' *Jour. Econ. Entomol.,* Vol. 51 (Feb. 1958), pp. 1-2.

pp. 19-20: Davidow, B., and J. L. Radomski, 'Isolation of an Epoxide Metabolite from Fat Tissues of Dogs Fed Heptachlor,' *Jour. Pharmacol. and Exper. Therapeut.,* Vol. 107 (March 1953), pp. 259-65.

pp. 19-20: Van Oettingen, *Halogenated . . . Hydrocarbons,* p. 310.

pp. 19-20: Drinker, Cecil K., et al., 'The Problem of Possible Systemic Effects from Certain Chlorinated Hydrocarbons,' *Jour. Indus. Hygiene and Toxicol.,* Vol. 19 (Sept. 1937), p. 283.

pp. 19-20: 'Occupational Dieldrin Poisoning,' Com. on Toxicology, *Jour. Am. Med. Assn.,* Vol. 172 (April 1960), pp. 2077-80.

pp. 19-29: Scott, Thomas G., et al., 'Some Effects of a Field Application of Dieldrin on Wildlife,' *Jour. Wildlife Management,* Vol. 23, pp. 409-27.

pp. 19-20: Paul, A. H., 'Dieldrin Poisoning – a Case Report,' *New Zealand Med. Jour.,* Vol. 58 (1959), p. 393.

pp. 19-20: Hayes, Wayland J., Jr., 'The Toxicity of Dieldrin to Man,' *Bull. World Health Organ.*, Vol. 20 (1959), pp. 891-912.

p. 20: Gannon, Norman, and G. C. Decker, 'The Conversion of Aldrin to Dieldrin on Plants,' *Jour. Econ. Entomol.*, Vol. 51 (Feb. 1958), pp. 8-11.

p. 20: Kitselman, C. H., et al., 'Toxicological Studies of Aldrin (Compound 118) on Large Animals,' *Am. Jour. Vet. Research*, Vol. 11 (1950), p. 378.

p. 20: Dahlen, James H., and A. O. Haugen, 'Effect of Insecticides on Quail and Doves,' *Alabama Conservation*, Vol. 26 (1954), No. 1, pp. 21-23.

p. 20: DeWitt, James B., 'Chronic Toxicity to Quail and Pheasants of Some Chlorinated Insecticides,' *Jour. Agric. and Food Chem.*, Vol. 4 (1956), No. 10, pp. 863-66.

p. 20: Kitselman, C. H., 'Long Term Studies on Dogs Fed Aldrin and Dieldrin in Sublethal Doses, with Reference to the Histopathological Findings and Reproduction,' *Jour. Am. Vet. Med. Assn.*, Vol. 123 (1953), p. 28.

p. 20: Treon, J. F., and A. R. Borgmann, 'The Effects of the Complete Withdrawal of Food Rats Previously Fed Diets Containing Aldrin or Dieldrin.' Kettering Lab., Univ. of Cincinnati; mimeo. Quoted from Robert L. Rudd and Richard E. Genelly, *Pesticides: Their Use and Toxicity in Relation to Wildlife*. Calif. Dept. of Fish and Game, Game Bulletin No. 7 (1956), p. 52.

p. 20: Myers, C. S., 'Endrin and Related Pesticides: A Review.' Penna. Dept. of Health Research Report No. 45 (1958), Mimeo.

pp. 20-21: Jacobziner, Harold, and H. W. Raybin, 'Poisoning by Insecticide (Endrin),' *New York State Jour. Med.*, Vol. 59 (May 15, 1959), pp. 2017-22.

p. 21: 'Care in Using Pesticide Urged,' *Clean Streams*, No. 46 (June 1959). Penna. Dept. of Health.

p. 21: Metcalf, Robert L., 'The Impact of the Development of Organophosphorus Insecticides upon Basic and Applied Science,' *Bull. Entomol. Soc. Am.*, Vol. 5 (March 1959), pp. 3-15.

pp. 21-22: Mitchell, Philip H., *General Physiology*. New York: McGraw-Hill, 1958. Pp. 14-15.

p. 22: Brown, A. W. A., *Insect Control by Chemicals*. New York: Wiley, 1951.

p. 22: Toivonen, T., et al., 'Parathion Poisoning Increasing Frequency in Finland,' *Lancet*, Vol. 2 (1959), No. 7095, pp. 175-76.

pp. 22-23: Hayes, Wayland J., Jr., 'Pesticides in Relation to Public Health,' *Annual Rev. Entomol.*, Vol. 5 (1960), pp. 379-404.

pp. 22-23: *Occupational Disease in California Attributed to Pesticides and Other Agricultural Chemicals*. Calif. Dept. of Public Health, 1957, 1958, 1958, and 1960.

p. 23: Quinby, Griffith E., and A. B. Lemmon, 'Parathion Residues As a Cause of Poisoning in Crop Workers,' *Jour. Am. Med. Assn.*, Vol. 166 (Feb. 15, 1958), pp. 740-46.

p. 23: Carman, G. C., et al., 'Absorption of DDT and Parathion by

Fruits,' *Abstracts,* 115th Meeting Am. Chem. Soc. (1949), p. 30A.
p. 23: *Clinical Memoranda on Economic Poisons,* p. 11.
p. 24: Frawley, John P., et al., 'Marked Potentiation in Mammalian Toxicity from Simultaneous Administration of Two Anticholinesterase Compounds,' *Jour. Pharmacol. and Exper. Therapeut.,* Vol. 121 (1957), No. 1, pp. 96-106.
p. 24: Rosenberg, Philip, and J. M. Coon, Potentation between Cholinesterase Inhibitors,' *Proc. Soc. Exper. Biol. and Med.,* Vol. 97 (1958), pp. 836-39.
p. 24: Dubois, Kenneth P., 'Potentiation of the Toxicity of Insecticidal Organic Phosphates,' *A.M.A. Archives Indus. Health,* Vol. 18 (Dec. 1958), pp. 488-96.
p. 24: Murphy, S. D., et al., 'Potentiation of Toxicity of Malathion by Triortholoty Phosphate,' *Proc. Soc. Exper. Biol. and Med.,* Vol. 100 (March 1959), pp. 483-87.
p. 24: Graham, R. C. B., et al., 'The Effect of Some Organophosphorus and Chlorinated Hydrocarbon Insecticides on the Toxicity of Several Muscle Relaxants,' *Jour. Pharm. and Pharmacol.,* Vol. 9 (1957), pp. 312-19.
p. 24: Rosenberg, Philip, and J. M. Coon, 'Increase of Hexobarbital Sleeping Time by Certain Anticholinesterases,' *Proc. Soc. Exper. Biol. and Med.,* Vol. 98 (1958), pp. 650-52.
p. 24: Dubois, 'Potentiation of Toxicity.'
pp. 24-25: Hurd-Karrer, A. M., and F. W. Poos, 'Toxicity of Selenium-Containing Plants to Aphids,' *Science,* Vol. 84 (1936), pp. 252.
p. 25: Ripper, W. E., 'The Status of Systemic Insecticides in Pest Control Practices,' *Advances in Pest Control Research.* New York: Interscience, 1957. Vol. 1, pp. 305-52.
pp. 25-26: *Occupational Disease in California,* 1959.
p. 26: Glynne-Jones, G. D., and W. D. E. Thomas, 'Experiments on the Possible Contamination of Honey with Schradan,' *Annals Appl. Biol.,* Vol. 40 (1953), p. 546.
p. 26: Radeleff, R. D., et al., *The Acute Toxicity of Chlorinated Hydrocarbon and Organic Phosphorus Insecticides to Livestock.* U.S. Dept. of Agric. Technical Bulletin 1122 (1955).
p. 27: Brooks, F. A., 'The Drifting of Poisonous Dusts Applied by Airplanes and Land Rigs,' *Agric. Engin.,* Vol. 28 (1947), No. 6, pp. 233-39.
p. 27: Stevens, Donald B., 'Recent Developments in New York State's Program Regarding Use of Chemicals to Control Aquatic Vegetation,' paper presented at 13th Annual Meeting Northeastern Weed Control Conf. (Jan. 8, 1959).
p. 28: Anon., 'No more Arsenic,' *Economist,* Oct. 10, 1959.
p. 28: 'Arsenites in Agriculture,' *Lancet,* Vol. 1 (1960), p. 178.
p. 29: Horner, Warren D., 'Dinitrophenol and Its Relation to Formation of Cataract,' (A.M.A.) *Archives Ophthalmol.,* Vol. 27 (1942), pp. 1097-1121.
p. 29: Weinbach, Eugene C., 'Biochemical Basis for the Toxicity of Pentachlorophenol,' *Proc. Natl. Acad. Sci.,* Vol. 43 (1957), No. 5, pp. 393-97.

HOOFDSTUK 4: ZICHTBARE WATEREN EN ONDERGRONDSE ZEEËN

p. 30: *Biological Problems in Water Pollution*. Transactions, 1959 seminar. U.S. Public Health Service Technical Report W60-3 (1960).

p. 30: 'Report on Environmental Health Problems,' *Hearings*, 86th Congress, Subcom. of Com. on Appropriations, March 1960, p. 78.

p. 31: Tarzwell, Clarence M., 'Pollutional Effects of Organic Insecticides to Fishes,' *Transactions*, 24th North Am. Wildlife Conf. (1959), Washington, D.C., pp. 132-42. Pub. by Wildlife Management Inst.

p. 31: Nicholson, H. Page, 'Insecticide Pollution of Water Resources,' *Jour. Am. Waterworks Assn.*, Vol. 51 (1959), pp. 981-86.

p. 31: Woodward, Richard L., 'Effects of Pesticides in Water Supplies' *Jour. Am. Waterworks Assn.*, Vol. 52 (1960), No. 11, pp. 1367-72.

p. 31: Cope, Oliver B., 'The Retention of DDT by Trout and Whitefish,' in *Biological Problems in Water Pollution*, pp. 72-75.

p. 32: Kuenen, P. H., *Realms of Water*. New York: Wiley, 1955.

p. 32: Gilluly, James, et al., *Principles of Geology*. San Francisco: Freeman, 1951.

pp. 32-33: Walton, Graham, 'Public Health Aspects of the Contamination of Ground Water in South Platte River Basin in Vicinity of Henderson, Colorado, August, 1959.' U.S. Public Health Service, No. 2, 1959. Mimeo.

pp. 32-33: 'Report on Environmental Health Problems.'

p. 34: Hueper, W. C., 'Cancer Hazards from Natural and Artificial Water Pollutants,' *Proc.*, Conf. on Physiol. Aspects of Water Quality, Washington, D.C., Sept. 8-9, 1960. U.S. Public Health Service.

pp. 36-38: Hunt, E. G., and A. I. Bischoff, 'Inimical Effects on Wildlife of Periodic DDD Applications to Clear Lake,' *Calif. Fish and Game*, Vol. 46 (1960), No. 1, pp. 91-106.

p. 39: Woodard, G., et al., 'Effects Observed in Dogs Following the Prolonged Feeding of DDT and Its Analogues,' *Federation Proc.*, Vol. 7 (1948), No. 1, p. 266.

p. 39: Nelson, A. A., and G. Woodard, 'Severe Adrenal Cortical Atrophy (Cytotoxic) and Hepatic Damage Produced in Dogs by Feeding DDD or TDE,' (A.M.A.) *Archives Path.*, Vol. 48 (1949), p. 387.

p. 39: Zimmermann, B., et al., 'The Effects of DDD on the Human Adrenal; Attempts to Use an Adrenal-Destructive Agent in the Treatment of Disseminated Mammary and Prostatic Cancer,' *Cancer*, Vol. 9 (1956), pp. 940-48.

p. 40: Cohen, Jesse M., et al., 'Effect of Fish Poisons on Water Supplies. I. Removal of Toxic Materials,' *Jour. Am. Waterworks Assn.*, Vol. 52 (1960), No. 12, pp. 1551-65. 'II. Odor Problems,' Vol. 53 (1960), No. 1,
pp. 49-61: 'III. Field Study, Dickinson, North Dakota,' Vol. 53 (1961), No. 2, pp. 233-46.

p. 40: Hueper, 'Cancer Hazards from Water Pollutants.'

HOOFDSTUK 5: HET KONINKRIJK VAN DE GROND

p. 41: Simonson, Roy W., 'What Soils Are,' *Yearbook of Agric.*, U.S. Dept. of Agric., 1957, pp. 17-31.

p. 42: Clark, Francis E., 'Living Organisms in the Soil,' *Yearbook of Agric.*, U.S. Dept. of Agric., 1957, pp. 157-65.

p. 43: Farb, Peter, *Living Earth*. New York: Harper, 1959.

pp. 44-45: Lichtenstein, E. P., and K. R. Schulz, 'Persistence of Some Chlorinated Hydrocarbon Insecticides As Influenced bij Soil Types, Rate of Application and Temperature,' *Jour. Econ. Entomol.*, Vol. 52 (1959), No. 1, pp. 124-31.

p. 45: Thomas, F. J. D., 'The Residual Effects of Crop-Protection Chemicals in the Soil,' in *Proc.*, 2nd Internatl. Plant Protection Conf. (1956), Fernhurst Research Station, England.

p. 45: Eno, Charles, F., 'Chlorinated Hydrocarbon Insecticides: What Have They Done to Our Soil?' *Sunshine State Agric. Research Report* for July 1959.

pp. 45-46: Mader, Donald L., 'Effect of Humus of Different Origin in Moderating the Toxicity of Biocides.' Doctorate thesis, Univ. of Wisc., 1960.

pp. 45-46: Sheals, J. G., 'Soil Population Studies. I. The Effects of Cultivation and Treatment with Insecticides,' *Bull. Entomol. Research*, Vol. 47 (Dec. 1956), pp. 803-22.

p. 47: Hetrick, L. A., 'Ten Years of Testing Organic Insecticides As Soil Poisons against the Eastern Subterranean Termite,' *Jour. Econ. Entomol.*, Vol. 50 (1957), p. 316.

p. 47: Lichtenstein, E. P., and J. B. Polivka, 'Persistence of Insecticides in Turf Soils,' *Jour. Econ. Entomol.*, Vol. 52 (1959), No. 2, pp. 289-93.

p. 47: Ginsburg, J. M., and J. P. Reed, 'A Survey on DDT-Accumulation in Soils in Relation to Different Crops,' *Jour. Econ. Entomol.*, Vol. 47 (1954), No. 3, pp. 467-73.

p. 47: Cullinan, F. P., 'Some New Insecticides – Their Effect on Plants and Soil,' *Jour. Econ. Entomol.*, Vol. 42 (1949), pp. 387-91.

p. 47: Satterlee, Henry S., 'The Problem of Arsenic in American Cigarette Tobacco,' *New Eng. Jour. Med.*, Vol. 254 (June 21, 1956), pp. 1149-54.

pp. 47-48: Lichtenstein, E. P., 'Absorption of Some Chlorinated Hydrocarbon Insecticides from Soils into Various Crops," *Jour. Agric. and Food Chem.*, Vol. 7 (1959), No. 6, pp. 430-33.

pp. 47-48: 'Chemicals in Foods and Cosmetics,' *Hearings*, 81st Congress, H.R. 74 and 447, House Select Com. to Investigate Use of Chemicals in Food and Cosmetics, Pt. 3 (1952), pp. 1385-1416. Testimony of L. G. Cox.

pp. 47-48: Klostermeyer, E. C., and C. B. Skotland, *Pesticide Chemicals As a Factor in Hop Die-out*. Washington Agric. Exper. Stations Circular 362 (1959).

pp. 47-48: Stegeman, LeRoy C., 'The Ecology of the Soil.' Transcription of a seminar, New York State Univ. College of Forestry, 1960.

HOOFDSTUK 6: DE GROENE MANTEL DER AARDE

p. 50: Patterson, Robert L., *The Sage Grouse in Wyoming*. Denver: Sage Books, Inc., for Wyoming Fish and Game Commission, 1952.

pp. 49-51: Murie, Olaus J., 'The Scientist and Sagebrush,' *Pacific Discovery*, Vol. 13 (1960), No. 4, p. 1.

pp. 50-51: Pechance, Joseph, et al., *Controlling Sagebrush on Rangelands.* U.S. Dept. of Agric. Farmers' Bulletin No. 2072 (1960).
p. 52: Douglas, William O., *My Wilderness: East to Katahdin.* New York: Doubleday, 1961.
p. 53: Egler, Frank E., *Herbicides: 60 Questions and Answers Concerning Roadside and Rightofway Vegetation Management.* Litchfield, Conn.: Litchfield Hills Audubon Soc., 1961.
p. 53: Fisher, C. E., et al., *Control of Mesquite on Grazing Lands.* Texas Agric. Exper. Station Bulletin 935 (Aug. 1959).
pp. 53-54: Goodrum, Phil D., and V. H. Reid, 'Wildlife Implications of Hardwood and Brush Controls,' *Transaction,* 21ste North Am. Wildlife Conf. (1956).
p. 54: *A Survey of Extent and Cost of Weed Control and Specific Weed Problems.* U.S. Dept. of Agric. ARS 34-23 (March 1962).
pp. 54-55: Barnes, Irston R., 'Sprays Mar Beauty of Nature,' *Washington Post,* Sept. 25, 1960.
p. 55: Goodwin, Richard H., and William A. Niering, *A Roadside Crisis: The Use and Abuse of Herbicides.* Connecticut Arboretum Bulletin No. 11 (March 1959), pp. 1-13.
p. 55: Boardman, William, 'The Dangers of Weed Spraying,' *Veterinarian,* Vol. 6 (Jan. 1961), pp. 9-19.
p. 56: Willard, C. J., 'Indirect Effects of Herbicides,' *Proc.,* 7th Annual Meeting North Central Weed Control Conf. (1950), pp. 110-12.
p. 56: Douglas, William O., *My Wilderness: The Pacific West.* New York: Doubleday, 1960.
pp. 56-57: Egler, Frank E., *Vegetation Management for Rights-of-Way and Roadsides.* Smithsonian Report for 1953 (Smithsonian Inst., Washington, D.C.), pp. 299-322.
p. 57: Bohart, George E., 'Pollination by Native Insects,' *Yearbook of Agric.,* U.S. Dept. of Agric., 1952, pp. 107-21.
p. 58: Egler, *Vegetation Management.*
p. 58: Niering, William A., and Frank E. Egler, 'A Shrub Community of *Viburnum lentago,* Stable for Twenty-five Years,' *Ecology,* Vol. 36 (April 1955), pp. 356-60.
pp. 58-59: Pound, Charles, E., and Frank E. Egler, 'Brush Control in Southeastern New York: Fifteen Years of Stable Tree-Less Communities,' *Ecology,* Vol. 34 (Jan. 1953), pp. 63-73.
p. 59: Egler, Frank E., 'Science, Industry, and the Abuse of Rights of Way,' *Science,* Vol. 127 (1958), No. 3298, pp. 573-80.
p. 59: Niering, William A., 'Principles of Sound Right-of-Way Vegetation Management,' *Econ. Botany,* Vol. 12 (April-June 1958), pp. 140-44.
p. 59: Hall, William C., and William A. Niering, 'The Theory and Practice of Successful Selective Control of 'Brush' by Chemicals,' *Proc.,* 13th Annual Meeting Northeastern Weed Control Conf. (Jan. 8, 1959).
p. 59: Egler, Frank E., 'Fifty Million More Acres for Hunting?' *Sports Afield,* Dec. 1954.
p. 59: McQuilkin, W. E., and L. R. Strickenberg, *Roadside Brush Control with 2,4,5-T on Eastern National Forests.* Northeastern Forest Exper. Station Paper No. 148. Upper Darby, Penna., 1961.

p. 59: Goldstein, N. P., et al., 'Peripheral Neuropathy after Exposure to an Ester of Dichlorophenoxyacetic Acid,' *Jour. Am. Med. Assn.*, Vol. 171 (1959), pp. 1306-9.

p. 59: Brody, T. M., 'Effect of Certain Plant Growth Substances on Oxidative Phosphorylation in Rat Liver Mitochondria,' *Proc. Soc. Exper. Biol. and Med.*, Vol. 80 (1952), pp. 533-36.

p. 59: Croker, Barbara H., 'Effects of 2,4-D and 2,4,5-T on Mitosis in *Allium cepa,*' *Bot. Gazette,* Vol. 114 (1953), pp. 274-83.

p. 59: Willard, 'Indirect Effects of Herbicides.'

p. 60: Stahler, L. M., and E. J. Whitehead, 'The Effect of 2,4-D on Potassium Nitrate Levels in Leaves of Sugar Beets,' *Science,* Vol. 112 (1950), No. 2921, pp. 749-51.

p. 60: Olson, O., and E. Whitehead, 'Nitrate Content of Some South Dakota Plants,' *Proc.,* South Dakota Acad. of Sci., Vol. 20 (1940), p. 95.

p. 61: *What's New in Farm Science.* Univ. of Wisc. Agric. Exper. Station Annual Report, Pt. II, Bulletin 527 (July 1957), p. 18.

p. 61: Stahler and Whitehead, 'The Effect of 2,4-D on Potassium Nitrate Levels.'

p. 61: Grayson, R. R., 'Silage Gas Poisoning: Nitrogen Dioxide Pneumonia, a New Disease in Agricultural Workers,' *Annals Internal Med.,* Vol. 45 (1956), pp. 393-408.

p. 61: Crawford, R. F., and W. K. Kennedy, *Nitrates in Forage Crops and Silage: Benefits, Hazards, Precautions.* New York State College of Agric., Cornell Misc. Bulletin 37 (June 1960).

p. 62: Briejèr, C. J., Aan de schrijfster.

p. 63: Knake, Ellery L., and F. W. Slife, 'Competition of *Setaria faterii* with Corn and Soybeans,' *Weeds,* Vol. 10 (1962), No. 1, pp. 26-29.

p. 64: Goodwin and Niering, *A Roadside Crisis.*

p. 64: Egler, Frank E., Aan de schrijfster.

pp. 64-65: DeWitt, James B., Aan de schrijfster.

p. 65: Holloway, James K., 'Weed Control by Insect,' *Sci. American,* Vol. 197 (1957), No. 1, pp. 56-62.

p. 65: Holloway, James K., and C. B. Huffaker, 'Insects to Control a Weed,' *Yearbook of Agric.,* U.S. Dept. of Agric., 1952, pp. 135-40.

p. 65: Huffaker, C. B., and C. E. Kennett, 'A Ten-Year Study of Vegetational Changes Associated with Biological Control of Klamath Weed,' *Jour. Range Management,* Vol. 12 (1959), No. 2, pp. 69-82.

p. 66: Bishopp, F. C., 'Insect Friends of Man,' *Yearbook of Agric.,* U.S. Dept. of Agric., 1952, pp. 79-87.

HOOFDSTUK 7: NODELOZE VERNIELING

p. 68: Nickell, Walter, Aan de schrijfster.

p. 69: *Here Is Your 1959 Japanese Beetle Control Program.* Release, Michigan State Dept. of Agric., Oct. 19, 1959.

p. 69: Hadley, Charles H., and Walter E. Fleming, 'The Japanese Beetle,' *Yearbook of Agric.,* U.S. Dept. of Agric., 1952, pp. 567-73.

pp. 69-70: *Here Is Your 1959 Japanese Beetle Control Program.*

p. 70: 'No Bugs in Plane Dusting,' *Detroit News,* Nov. 10, 1959.

pp. 70-71: *Michigan Audubon Newsletter,* Vol. 9 (Jan. 1960).
p. 71: 'No Bugs in Plane Dusting.'
p. 71: Hickey, Joseph J., 'Some Effects of Insecticides on Terrestrial Birdllife,' *Report* of Subcom. on Relation of Chemicals to Forestry and Wildlife, Madison, Wisc., Jan. 1961. Special Report No. 6.
p. 72: Scott, Thomas G., Aan de schrijfster, 14 dec. 1961.
p. 72: 'Coordination of Pesticides Programs,' *Hearings,* 86th Congress, H.R. 11502, Com. on Merchant Marine and Fisheries, May 1960, p. 66.
pp. 73-74: Scott, Thomas G., et al., 'Some Effects of a Field Application of Dieldrin on Wildlife,' *Jour. Wildlife Management,* Vol. 23 (1959), No. 4, pp. 409-27.
p. 97: Hayes, Wayland J., Jr., 'The Toxicity of Dieldrin to Man,' *Bull. World Health Organ.,* Vol. 20 (1959), pp. 891-912.
p. 76: Scott, Thomas G., To author, Dec. 14, 1961, Jan. 8, Feb. 15, 1962.
p. 77: Hawley, Ira M., 'Milky Diseases of Beetles,' *Yearbook of Agric.,* U.S. Dept. of Agric., 1952, pp. 394-401.
pp. 77-78: Fleming, Walter E., 'Biological Control of the Japanese Beetle Especially with Entomogenous Diseases,' *Proc.,* 10th Internatl. Congress of Entomologists (1956), Vol. 3 (1958), pp. 115-25.
p. 78: Chittick, Howard A. (Fairfax Biological Lab.), Aan de schrijfster, 30 Nov. 1960.
p. 79: Scott et al., 'Some Effects of a Field Application of Dieldrin on Wildlife.'

HOOFDSTUK 8: EN DE VOGELS ZINGEN NIET MEER

pp. 80-81: *Audubon Field Notes.* 'Fall Migration – Aug. 16 to Nov. 30, 1958.' Vol. 13 (1959), No. 1, pp. 1-68.
p. 82: Swingle, R. U., et al., 'Dutch Elm Disease,' *Yearbook of Agric.,* U.S. Dept. of Agric., 1949, pp. 451-52.
pp. 82-83: Mehner, John F., and George J. Wallace, 'Robin Populations and Insecticides,' *Atlantic Naturalist,* Vol. 14 (1959), No. 1, pp. 4-10.
p. 84: Wallace, George J., 'Insecticides and Birds,' *Audubon Mag.,* Jan.-Feb. 1959.
p. 84: Barker, Roy J., 'Notes on Some Ecological Effects of DDT Sprayed on Elms,' *Jour. Wildlife Management,* Vol. 22 (1958), No. 3, pp. 269-74.
p. 84: Hickey, Joseph J., and L. Barrie Hunt, 'Songbird Mortality Following Annual Programs to Control Dutch Elm Disease,' *Atlantic Naturalist,* Vol. 15 (1960), No. 2, pp. 87-92.
p. 85: Wallace, 'Insecticides and Birds.'
p. 85: Wallace, George J., 'Another Year of Robin Losses on a University Campus,' *Audubon Mag.,* March-April 1960.
p. 85: 'Coordination of Pesticides Programs,' *Hearings,* H.R. 11502, 86th Congress, Com. on Merchant Marine and Fisheries, May 1960, pp. 10, 12.
p. 86: Hickey, Joseph J., and L. Barrie Hunt, 'Initial Songbird Mortality Following a Dutch Elm Disease Control Program,' *Jour. Wildlife Management,* Vol. 24 (1960), No. 3, pp. 259-65.
p. 86: Wallace, George J., et al., *Bird Mortality in the Dutch Elm Disease Program in Michigan.* Cranbrook Inst. of Science Bulletin 41 (1961).
p. 86: Hickey, Joseph J., 'Some Effects of Insecticides on Terrestrial

Birdlife,' *Report* of Subcom. on Relation of Chemicals to Forestry and Wildlife, State of Wisconsin, Jan. 1961, pp. 2-43.
p. 87: Walton, W. R., *Earthworms As Pests and Otherwise*. U.S. Dept. of Agric. Farmers' Bulletin No. 1569 (1928).
p. 87: Wright, Bruce S., 'Woodcock Reproduction in DDT-Sprayed Areas of New Brunswick,' *Jour. Wildlife Management,* Vol. 24 (1960), No. 4, pp. 419-20.
p. 87: Dexter, R. W., 'Earthworms in the Winter Diet of the Opossum and the Raccoon,' *Jour. Mammal.*, Vol. 32 (1951), p. 464.
p. 87: Wallace et al., *Bird Mortality in the Dutch Elm Disease Program.*
pp. 87-88: 'Coordination of Pesticides Programs,' Testimony of George J. Wallace, p. 10.
p. 89: Wallace, 'Insecticides and Birds.'
p. 87: Bent, Arthur C., *Life Histories of North American Jays, Crows, and Titmice,* Smithsonian Inst., U.S. Natl. Museum Bulletin 191 (1946).
p. 87: MacLellan, C. R., 'Woodpecker Control of the Codling Moth in Nova Scotia Orchards,' *Atlantic Naturalist,* Vol. 16 (1961), No. 1, pp. 17-25.
p. 88: Knight, F. B., 'The Effects of Woodpeckers on Populations of the Engelmann Spruce Beetle,' *Jour. Econ. Entomol.,* Vol. 51 (1958), pp. 603-7.
p. 89: Carter, J. C., Aan de schrijfster, 16 juni 1960.
p. 90: Sweeny, Joseph A., Aan de schrijfster, 7 maart 1960.
p. 90: Welch, D. S., and J. G. Matthysse, *Control of the Dutch Elm Disease in New York State*. New York State College of Agric., Cornell Ext. Bulletin No. 932 (June 1960), pp. 3-16.
p. 91: Matthysse, J. G., *An Evaluation of Mist Blowing and Sanitation in Dutch Elm Disease Control Programs*. New York State College of Agric., Cornell Ext. Bulletin No. 30 (July 1959), pp. 2-16.
p. 91: Miller, Howard, Aan de schrijfster, 17 jan. 1962.
pp. 91-92: Matthysse, *An Evaluation of Mist Blowing and Sanitation.*
p. 92: Elton, Charles S., *The Ecology of Invasions by Animals and Plants.* New York: Wiley, 1958.
pp. 92-93: Broley, Charles E., 'The Bald Eagle in Florida,' *Atlantic Naturalist,* July 1957, pp. 230-31.
p. 93: —, 'The Plight of the American Bald Eagle,' *Audubon Mag.*, July-Aug. 1958, pp. 162-63.
p. 93: Cunningham, Richard L., 'The Status of the Bald Eagle in Florida,' *Audubon Mag.,* Jan.-Feb. 1960, pp. 24-43.
p. 93: 'Vanishing Bald Eagle Gets Champion,' *Florida Naturalist,* April 1959, p. 64.
p. 93: McLaughlin, Frank, 'Bald Eagle Survey in New Jersey,' *New Jersey Nature News,* Vol. 16 (1959), No. 2, p. 25. Interim Report, Vol. 16 (1959), No. 3, p. 51.
p. 92: Broun, Maurice, Aan de schijfster, 20 en 30 mei 1960.
p. 94: Beck, Herbert, Aan de schrijfster, 30 juli 1959.
p. 94: Rudd, Robert L., and Richard E. Genelly, *Pesticides: Their Use and Toxicity in Relation to Wildlife*. Calif. Dept. of Fish and Game, Game Bulletin No. 7 (1956), p. 57.

pp. 94-95: DeWitt, James B., 'Effects of Chlorinated Hydrocarbon Insecticides upon Quail and Pheasants,' *Jour. Agric. and Food Chem.*, Vol. 3 (1955), No. 8, p. 672.

pp. 94-95: —, 'Chronic Toxicity to Quail and Pheasants of Some Chlorinated Insecticides. *Jour. Agric. and Food Chem.*, Vol. 4 (1956), No. 10, p. 863.

p. 96: Imler, Ralph H., and E. R. Kalmbach, *The Bald Eagle and Its Economic Status.* U.S. Fish and Wildlife Service Circular 30 (1955).

p. 96: Mills, Herbert R., 'Death in the Florida Marshes,' *Audubon Mag.*, Sept.-Oct. 1952.

pag. 96: *Bulletin,* Internatl. Union for the Conservation of Nature, May and Oct. 1957.

p. 97: *The Deaths of Birds and Mammals Connected with Toxic Chemicals in the First Half of 1960.* Report No. 1 of the British Trust for Ornithology and Royal Soc. for the Protection of Birds. Com. on Toxic Chemicals, Royal Soc. Protect. Birds.

p. 98: *Sixth Report* from the Estimates Com., Ministry of Agric., Fisheries and Food, Sess. 1960-61, House of Commons.

p. 98: Christian, Garth, 'Do Seed Dressings Kill Foxes?' *Country Life,* Jan. 12, 1961.

p. 99: Rudd, Robert L., and Richard E. Genelly, 'Avian Mortality from DDT in Californian Rice Fields,' *Condor,* Vol. 57 (March-April 1955), pp. 117-18.

pp. 99-100: Rudd and Genelly, *Pesticides*

pp. 99-100: Dykstra, Walter W., 'Nuisance Bird Control,' *Audubon Mag.*, May-June 1960, pp. 118-19.

pp. 99-100: Buchheister, Carl W., 'What About Problem Birds?' *Audubon Mag.*, May-June 1960, pp. 116-18.

p. 100: Quinby, Griffith E., and A. B. Lemmon, 'Parathion Residues As a Cause of Poisoning in Crop Workers,' *Jour. Am. Med. Assn.*, Vol. 166 (Feb. 15, 1958), pp. 740-46.

HOOFDSTUK 9: RIVIEREN DES DOODS

pp. 101-105: Kerswill, C. J., 'Effects of DDT Spraying in New Brunswick on Future Runs of Adult Salmon,' *Atlantic Advocate,* Vol. 48 (1958), pp. 65-68.

pp. 101-105: Keenleyside, M. H. A., 'Insecticides and Wildlife,' *Canadian Audubon,* Vol. 21 (1959), No. 1, pp. 1-7.

pp. 101-105: —, 'Effects of Spruce Budworm Control on Salmon and Other Fishes in New Brunswick,' *Canadian Fish Culturist,* Issue 24 (1959), pp. 17-22.

pp. 101-105: Kerswill, C. J., *Investigation and Management of Atlantic Salmon in 1956* (also for 1957, 1958, 1959-60; in 4 parts). Federal-Provincial Co-ordinating Com. on Altantic Salmon (Canada).

p. 102: Ide, F. P., 'Effect of Forest Spraying with DDT on Aquatic Insects of Salmon Streams,' *Transactions,* Am. Fisheries Soc., Vol. 86 (1957), pp. 208-19.

p. 103: Kerswill, C. J., Aan de schrijfster, 9 mei 1961.

pp. 103-104: —, Aan de schrijfster, 1 juni 1961.

p. 105: Warner, Kendall, and O. C. Fenderson, 'Effects of Forest Insect Spraying on Northern Maine Trout Streams.' Maine Dept. of Inland Fisheries and Game. Mimeo., n.d.
p. 105: Alderdice, D. F., and M. E. Worthington, 'Toxicity of a DDT Forest Spray to Young Salmon,' *Canadian Fish Culturist,* Issue 24 (1959), pp. 41-48.
p. 105: Hourston, W. R., Aan de schrijfster, 23 mei 1961.
p. 106: Graham, R. J., and D. O. Scott, *Effects of Forest Insect Spraying on Trout and Aquatic Insects in Some Montana Streams.* Final Report, Mont. State Fish and Game Dept., 1958.
pp. 106-107: Graham, R. J., 'Effects of Forest Insect Spraying on Trout and Aquatic Insects in Some Montana Streams,' in *Biological Problems in Water Pollution.* Transactions, 1959 seminar. U.S. Public Health Service Technical Report W60-3 (1960).
p. 107: Crouter, R. A., and E. H. Vernon, 'Effects of Black-headed Budworm Control on Salmon and Trout in British Colmubia,' *Canadian Fish Culturist,* Issue 24 (1959), pp. 23-40.
pp. 107-108: Whiteside, J. M., 'Spruce Budworm Control in Oregon and Washington, 1949-1956,' *Proc.,* 10th Internatl. Congress of Entomologists (1956), Vol. 4 (1958), pp. 291-302.
p. 108: *Pollution-Caused Fish Kills in 1960.* U.S. Public Health Service Publ. No. 847 (1961), pp. 1-20.
p. 108: 'U.S. Anglers – Three Billion Dollars,' *Sport Fishing Inst. Bull.,* No. 119 (Oct. 1961).
p. 109: Powers, Edward (Bur. of Commercial Fisheries), Aan de schrijfster.
p. 109: Rudd, Robert L., and Richard E. Genelly, *Pesticides: Their Use and Toxicity in Relation to Wildlife.* Calif. Dept. of Fish and Game, Game Bulletin No. 7 (1956), p. 88.
p. 109: Biglane, K. E., Aan de schrijfster, 8 mei 1961.
p. 109: Release No. 58-38. Penna. Fish Commission, Dec. 8, 1958.
p. 109: Rudd and Genelly, *Pesticides,* p. 60.
pp. 109-110: Henderson, C., et al., 'The Relative Toxicity of Ten Chlorinated Hydrocarbon Insecticides to Four Species of Fish,' paper presented at 88th Annual Meeting Am. Fisheries Soc. (1958).
pp. 110-111: 'The Fire ant Eradication Program and How It Affects Wildlife,' subject of *Proc. Symposium,* 12th Annual Conf. Southeastern Assn. Game and Fish Commissioners, Louisville, Ky. (1958). Pub. by the Assn., Columbia, S.C., 1958.
pp. 110-111: 'Effects of the Fire Ant Eradication Program on Wildlife,' report, U.S. Fish and Wildlife Service, May 25, 1958. Mimeo.
p. 111: *Pesticide-Wildlife Review, 1959.* Bur. Sport Fisheries and Wildlife Circular 84 (1960), U.S. Fish and Wildlife Service, pp. 1-36.
p. 111: Baker, Maurice F., 'Observations of Effects of an Application of Heptachlor of Dieldrin on Wildlife,' in *Proc. Symposium,* pp. 18-20.
pp. 111-112: Glasgow, L. L., 'Studies on the Effects of the Imported Fire Ant Control Program on Wildlife in Louisiana,' in *Proc. Symposium,* pp. 24-29.
p. 112: *Pesticide-Wildlife Review, 1959.*
p. 111: *Progress in Sport Fishery Research, 1960.* Bur. Sport Fisheries

and Wildlife Circular 101 (1960), U.S. Fish and Wildlife Service.
p. 111: 'Resolution Opposing Fire-Ant Program Passed by American Society of Ichthyologists and Herpetologists,' *Copeia* (1959), No. 1, p. 89.
pp. 111-113: Young, L. A., and H. P. Nicholson, 'Stream Pollution Resulting from the Use of Organic Insecticides,' *Progressive Fish Culturist,* Vol. 13 (1951), No. 4, pp. 193-98.
p. 113: Rudd and Genelly, *Pesticides.*
p. 113: Lawrence, J. M. 'Toxicity of Some New Insecticides to Several Species of Pondfish,' *Progressive Fish Culturist,* Vol. 12 (1950), No. 4, pp. 141-46.
p. 114: Pielow, D. P., 'Lethal Effects of DDT on Young Fish,' *Nature,* Vol. 158 (1946), No. 4011, p. 378.
p. 114: Herald, E. S., 'Notes on the Effect of Aircraft-Distributed DDT-Oil Spray upon Certain Philippine Fishes,' *Jour. Wildlife Management,* Vol. 13 (1949), No. 3, p. 316.
pp. 114-116: 'Report of Investigation of the Colorado River Fish Kill, January, 1961.' Texas Game and Fish Commission, 1961. Mimeo.
p. 116: Harrington, R. W., Jr., and W. L. Bidlingmayer, 'Effects of Dieldrin on Fishes and Invertebrates of a Salt Marsh,' *Jour. Wildlife Management,* Vol. 22 (1958), No. 1, pp. 76-82.
pp. 116-117: Mills, Herbert R., 'Death in the Florida Marshes,' *Audubon Mag.,* Sept.-Oct. 1952.
p. 118: Springer, Paul F., and John R. Webster, *Effects of DDT on Saltmarsh Wildlife: 1949.* U.S. Fish and Wildlife Service, Special Scientific Report, Wildlife No. 10 (1949).
p. 119: John C. Pearson, Aan de schrijfster.
p. 120: Butler, Philip A., 'Effects of Pesticides on Commercial Fisheries,' *Proc.,* 13th Annual Session (Nov. 1960), Gulf and Caribbean Fisheries Inst., pp. 168-71.

HOOFDSTUK 10: IN DEN BLINDE UIT DE HEMELEN

p. 121-122: Perry, C. C., *Gypsy Moth Appraisal Program and Proposed Plan to Prevent Spread of the Moths.* U.S. Dept. of Agric. Technical Bulletin No. 1124 (Oct. 1955).
p. 122: Corliss, John M., 'The Gypsy Moth,' *Yearbook of Agric.,* U.S. Dept. of Agric., 1952, pp. 694-98.
p. 122: Worrell, Albert C., 'Pests, Pesticides, and People,' offprint from *Am. Forests Mag.,* July 1960.
pp. 122-123: Clausen, C. P., 'Parasites and Predators,' *Yearbook of Agric.,* U.S. Dept. of Agric., 1952, pp. 380-88.
pp. 122-123: Perry, *Gypsy Moth Appraisal Program.*
p. 123: Worrell, 'Pests, Pesticides, and People.'
p. 123: 'USDA Launches Large-Scale Effort to Wipe Out Gypsy Moth,' press release, U.S. Dept. of Agric., March 20, 1957.
p. 123: Worrell, 'Pests, Pesticides, and People.'
pp. 123-124: *Robert Cushman Murphy et al* v. *Ezra Taft Benson et al.* U.S. District Court, Eastern District of New York, Oct. 1959, Civ. No. 17610.

pp. 123-124: *Murphy et al* v. *Benson et al.* Petition for a Writ of Certiorari to the U.S. Court of Appeals for the Second Circuit, Oct. 1959.
p. 124: Waller, W. K., 'Poison on the Land,' *Audubon Mag.*, March-April 1958, pp. 68-71.
p. 124: *Murphy et al* v. *Benson et al.* U.S. Supreme Court Reports, Memorandum Cases, No. 662, March 28, 1960.
p. 124: Waller, 'Poison on the Land.'
p. 125: *Am. Bee Jour.*, June 1958, p. 224.
pp. 125-126: *Murphy et al* v. *Benson et al.* U.S. Court of Appeals, Second Circuit. Brief for Defendant-Appellee Butler, No. 25,448, March 1959.
p. 126: Brown, William L., Jr., 'Mass Insect Control Programs: Four Case Histories,' *Psyche,* Vol. 68 (1961), Nos. 2-3, pp. 75-111.
pp. 126-127: Arant, F. S., et al., 'Facts about the Imported Fire Ant,' *Highlights of Agric. Research,* Vol. (1958), No. 4.
pp. 126-127: Brown, 'Mass Insect Control Programs."
pp. 126-127: 'Pesticides: Hedgehopping into Trouble?' *Chemical Week,* Feb. 8, 1958, p. 97.
p. 127: Arant et al., 'Facts about the Imported Fire ant.'
p. 127: Byrd, I. B., 'What Are the Side Effects of the Imported Fire Ant Control Program?' in *Biological Problems in Water Pollution.* Transactions, 1959 seminar. U.S. Public Health Service Technical Report W60-3 (1960), pp. 46-50.
p. 127: Hays, S. B., and K. L. Hays, 'Food Habits of *Solenopsis saevissima richteri* Forel,' *Jour. Econ. Entomol.,* Vol. 52 (1959), No. 3, pp. 455-57.
p. 128: Caro, M. R., et al., 'Skin Responses to the Sting of the Imported Fire Ant,' *A.M.A. Archives Dermat.,* Vol. 75 (1957), pp. 475-88.
p. 128: Byrd, 'Side Effects of Fire Ant Program.'
p. 128: Baker, Maurice F., in *Virginia Wildlife,* Nov. 1958.
p. 129: Brown, 'Mass Insect Control Programs.'
p. 130: *Pesticide-Wildlife Review, 1959.* Bur. Sport Fisheries and Wildlife Circular 84 (1960), U.S. Fish and Wildlife Service, pp. 1-36.
p. 130: 'The Fire Ant Eradication Program and How It Affects Wildlife,' subject of *Proc. Symposium,* 12th Annual Conf. Southeastern Assn. Game and Fish Commissioners, Louisville, Ky. (1958). Pub. by the Assn., Columbia, S.C. 1958.
pp. 130-131: Wright, Bruce S., 'Woodcock Reproduction in DDT-Sprayed Areas of New Brunswick,' *Jour. Wildlife Management,* Vol. 24 (1960), No. 4, pp. 419-20.
p. 131: Clawson, Sterling G., 'Fire Ant Eradication – and Quail,' *Alabama Conservation.,* Vol. 30. (1959), No. 4, p. 14.
p. 131: Rosene, Walter, 'Whistling-Cock Counts of Bobwhite Quail on Areas Treated with Insecticide and on Untreated Areas, Decatur County, Georgia,' in *Proc. Symposium,* pp. 14-18.
p. 131: *Pesticide-Wildlife Review, 1959.*
pp. 131-132: Cottam, Clarence, 'The Uncontrolled Use of Pesticides in the Southeast,' address to Southeastern Assn. Fish, Game and Conservation Commissioners, Oct. 1959.
p. 132: Poitevint, Otis L., Address to Georgia Sportsmen's Fed., Oct. 1959.
p. 132: Ely, R. E., et al., 'Excretion of Hephtachlor Epoxide in the Milk

of Dairy Cows Fed Heptachlor-Sprayed Forage and Technical Heptachlor,' *Jour. Dairy Sci.*, Vol. 38 (1955), No. 6, pp. 669-72.
p. 132: Gannon, N., et al., 'Storage of Dieldrin in Tissues and Its Excretion in Milk of Dairy Cows Fed Dieldrin in Their Diets,' *Jour. Agric. and Food Chem.*, Vol. 7 (1959), No. 12, pp. 824-32
p. 132: *Insecticide Recommendations of the Entomology Research Division for the Control of Insects Attacking Crops and Livestock for 1961*. U.S. Dept. of Agric. Handbook No. 120 (1961).
p. 133: Peckinpaugh, H. S. (Ala. Dept. of Agric. and Indus.), Aan de schrijfster, 24 maart 1959.
p. 133: Hartman, H. L. (La. State Board of Health), Aan de schrijfster, 23 maart 1959.
p. 133: Lakey, J. F. (Texas Dept. of Health), Aan de schrijfster, 23 maart 1959.
p. 133: Davidow, B., and J. L. Radomski, 'Metabolite of Heptachlor, Its Analysis, Storage, and Toxicity,' *Federation Proc.*, Vol. 11 (1952), No. 1, p. 336.
p. 133: Food and Drug Administration, U.S. Dept. of Health, Education, and Welfare, in *Federal Register*, 27 Oct. 1959.
p. 134: Burgess, E. D. (U.S. Dept. of Agric.), Aan de schrijfster, 23 juni 1961.
p. 134: 'Fire Ant Control is Parley Topic,' *Beaumont (Texas) Journal*, 24 Sept. 1959.
p. 134: 'Coordination of Pesticides Programs,' *Hearings*, 86th Congress, H.R. 11502, Com. on Merchant Marine and Fisheries, May 1960, p. 45.
p. 135: Newsom, L. D. (Head Entomol. Research, L. State Univ.), Aan de schrijfster, 23 maart 1962.
p. 135: Green, H. B., and R. E. Hutchins, *Economical Method for Control of Imported Fire Ant in Pastures and Meadows*. Miss. State Univ. Agric. Exper. Station Information Sheet 586 (May 1958).

HOOFDSTUK 11: ZELFS DE BORGIA'S TE ERG

p. 138: 'Chemicals in Food Products,' *Hearings*, 81ste Congress, H.R. 323, Com. to Investigate Use of Chemicals in Food Products, Pt. I, (1950), pp. 388-90.
p. 138: *Clothes Moths and Carpet Beetles*. U.S. Dept. of Agric., Home and Garden Bulletin No. 24 (1961).
p. 139: Mulrennan, J. A., Aan de schrijfster, 15 maart 1960.
p. 139: *New York Times*, May 22, 1960.
pp. 139-140: Petty, Charles S., 'Organic Phosphate Insecticide Poisoning. Residual Effects in Two Cases,' *Am. Jour. Med.*, Vol. 24 (1958), pp. 467-70.
p. 140: Miller, A. C., et al., 'Do People Read Labels on Household Insecticides?' *Soap and Chem. Specialties*, Vol. 34 (1958), No. 7, pp. 61-63.
p. 141: Hayes, Wayland J., Jr., et al., 'Storage of DDT and DDE in People with Different Degrees of Exposure to DDT,' *A.M.A. Archives Indus. Health*, Vol. 18 (Nov. 1958), pp. 398-406.
p. 141: Walker, Kenneth C., et al., 'Pesticide Residues in Foods. Dichlo-

rodiphenyltrichloroethane and Dichlorodiphenyldichloroethylene Content of Prepared Meals,' *Jour. Agric. and Food Chem.*, Vol. (1954), No. 20, pp. 1034-37.

p. 142: Hayes, Wayland J,., Jr., et al., 'The Effect of Known Repeated Oral Doses of Chlorophenothane (DDT) in Man,' *Jour. Am. Med. Assn.*, Vol. 162 (1956), No. 9, pp. 890-97.

p. 142: Milstead, K. L., 'Highlights in Various Areas of Enforcement,' address to 64th Annual Conf. Assn. of Food and Drug Officials of U.S. Dallas (June 1960).

p. 142: Durham, William, et al., 'Insecticide Content of Diet and Body Fat of Alaskan Natives,' *Science*, Vol. 134 (1961), No. 3493, pp. 1880-81.

p. 143: 'Pesticides – 1959,' *Jour. Agric. and Food Chem.*, Vol. 7 (1959), No. 10, pp. 674-88.

p. 143: *Annual Reports*, Food and Drug Administration, U.S. Dept. of Health, Education, and Welfare. For 1957, pp. 196, 197; 1956, p. 203.

pp. 144-145: Markarian, Haig, et al., 'Insecticide Residues in Foods Subjected to Fogging under Simulated Warehouse Conditions,' *Abstracts*, 135th Meeting Am. Chem. Soc. (April 1959)

HOOFDSTUK 12: DE TOL DIE DE MENS BETAALT

p. 147: Price, David E., 'Is Man Becoming Obsolete?' *Public Health Reports*, Vol. 74 (1959), No. 8, pp. 693-99.

p. 147: 'Report on Environmental Health Problems,' *Hearings*, 86th Congress, Subcom. of Com. on Appropriations, March 1960, p. 34.

p. 148: Dubos, René, *Mirage of Health*. New York: Harper, 1959. World Perspectives Series. P. 171.

p. 148: *Medical Research: A Midcentury Survey. Vol. 2, Unsolved Clinical Problems in Biological Perspective*. Boston: Little, Brown, 1955. P. 4.

p. 149: 'Chemicals in Food Products,' *Hearings*, 81ste Congress, H.R. 323, Com. to Investigate Use of Chemicals in Food Products, 1950, p. 5. Testimony of A. J. Carlson.

p. 149: Paul, A. H., 'Dieldrin Poisoning – a Case Report,' *New Zealand Med. Jour.*, Vol. 58 (1959), p. 393.

p. 149: 'Insecticide Storage in Adipose Tissue,' editorial, *Jour. Am. Med. Assn., Vol. 145* (March 10, 1951), pp. 735-36.

p. 150: Mitchell, Philip H., *A Textbook of General Physiology*. New York: McGraw-Hill, 1956. 5th ed.

p. 150: Miller, B. F., and R. Goode, *Man and His Body: The Wonders of the Human Mechanism*. New York: Simon and Schuster, 1960.

pp. 150-151: Dubois, Kenneth P., 'Potentiation of the Toxicity of Insecticidal Organic Phosphates,' *A.M.A. Archives Indus. Health*, Vol. 18 (Dec. 1958), pp. 488-96.

p. 151: Gleason, Marion, et al., *Clinical Toxicology of Commercial Products*. Baltimore: Williams and Wilkins, 1957.

p. 151: Case, R. A. M., 'Toxic Effects of DDT in Man,' *Brit. Med. Jour.*, Vol. 2 (Dec. 15, 1945), pp. 842-45.

p. 151: Wigglesworth, V. D., 'A Case of DDT Poisoning in Man,' *Brit. Med. Jour.*, Vol. 1 (April 14, 1945), p. 517.

p. 151: Hayes, Wayland J., Jr., et al., 'The Effect of Known Repeated

Oral Doses of Chlorophenothane (DDT) in Man,' *Jour. Am. Med. Assn.,* Vol. 162 (Oct. 27, 1956), pp. 89-97.

p. 152: Hargraves, Malcolm M., 'Chemical Pesticides and Conservation Problems,' address to 23rd Annual Conv. Natl. Wildlife Fed. (Feb. 27, 1950). Mimeo.

p. 152: —, and D. G. Hanlon, 'Leukemia and Lymphoma – Environmental Disease?' paper presented at Internatl. Congress of Hematology, Japan, Sept. 1960. Mimeo.

p. 152: 'Chemicals in Food Products,' *Hearings,* 81st Congress, H.R. 323, Com. to Investigate Use of Chemicals in Food Products, 1950. Testimony of Dr. Morton S. Biskind.

p. 153: Thompson, R. H. S. 'Cholinesterases and Anticholinesterases,' *Lectures on the Scientific Basis of Medicine,* Vol. II (1952-53), Univ. of London. London: Athlone Press, 1954.

pp. 153-154: Laug, E. P., and F. M. Keenz, 'Effect of Carbon Tetrachloride on Toxicity and Storage of Methoxychlor in Rats,' *Federation Proc.,* Vol. 10 (March 1951), p. 318.

p. 154: Hayes, Wayland J., Jr., 'The Toxicity of Dieldrin to Man,' *Bull. World Health Organ.,* Vol. 20 (1959), pp. 891-912.

p. 154: 'Abuse of Insecticide Fumigating Devices,' *Jour. Am. Med. Assn.,* Vol. 156 (Oct. 9, 1954), pp. 607-8.

pp. 154-155: 'Chemicals in Food Products,' Testimony of Dr. Paul B. Dunbar, pp. 28-29.

p. 155: Smith, M. I., and E. Elrove, 'Pharmacological and Chemical Studeis of the Cause of So-Called Ginger Paralysis,' *Public Health Reports,* Vol. 45 (1930), pp. 1703-16.

p. 155: Durham, W. F., et al., 'Paralytic and Related Effects of Certain Organic Phosphorus Compounds,' *A.M.A. Archives Indus. Health,* Vol. 13 (1956), pp. 326-30.

p. 155: Bidstrup, P. L, et al., 'Anticholinesterases (Paralysis in Man Following Poisoning by Cholinesterase Inhibitors),' *Chem. and Indus.,* Vol. 24 (1954), pp. 674-76.

p. 156: Gershon, S., and F. H. Shaw, 'Psychiatric Sequelae of Chronic Exposure to Organophosphorus Insecticides,' *Lancet,* Vol. 7191 (June 24, 1961), pp. 1371-74.

HOOFDSTUK 13: DOOR EEN NAUW VENSTER

p 157: Wald, George, 'Life and Light,' *Sci. American,* Oct. 1959, pp. 40-42.

p. 158: Rabinowitch, E. I., Quoted in *Medical Research: A Midcentury Survey*. Vol. 2, *Unsolved Clinical Problems in Biological Perspective.* Boston: Little, Brown, 1955. P. 25.

p. 159: Ernster, L., and O. Lindberg, 'Animal Mitochondria,' *Annual Rev. Physiol.,* Vol. 20 (1958), pp. 13-42.

pp. 159-160: Siekevitz, Philip, 'Powerhouse of the Cell,' *Sci. American,* Vol. 197 (1957), No. 1, pp. 131-40.

pp. 159-160: Green, David E., 'Biological Oxidation,' *Sci. American,* Vol. 199 (1958), No. 1, pp. 56-62.

pp. 159-160: Lehninger, Albert L., 'Energy Transformation in the Cell,'

Sci. American, Vol. 202 (1960), No. 5, pp. 102-14.

p. 160: —, *Oxidative Phosphorylation*. Harvey Lectures (1953-54), Ser. XLIX, Harvard University. Cambridge: Harvard Univ. Press, 1955. Pp. 176-215.

p. 160: Siekevitz, 'Powerhouse of the Cell.'

p. 160: Simon, E. W., 'Mechanisms of Dinitrophenol Toxicity,' *Biol. Rev.*, Vol. 28 (1953), pp. 453-79.

p. 161: Yost, Henry T., and H. H. Robson, 'Studies on the Effects of Irradiation of Cellular Particulates. III. The Effect of Combined Radiation Treatments on Phosphorylation,' *Biol. Bull.*, Vol. 116 (1959), No. 3, pp. 498-506.

p. 161: Loomis, W. F., and Lipmann, F., 'Reversible Inhibition of the Coupling between Phosphorylation and Oxidation,' *Jour Biol. Chem.*, Vol. 173 (1948), pp. 807-8.

p. 162: Brody, T. M., 'Effect of Certain Plant Growth Substances on Oxidative Phosphorylation in Rat Liver Mitochondria,' *Proc. Soc. Exper. Biol. and Med.*, Vol. 80 (1952), pp. 533-36.

p. 162: Sacklin, J. A., et al., 'Effect of DDT on Enzymatic Oxidation and Phosphorylation,' *Science*, Vol. 122 (1955), 377-78.

p. 162: Danziger, L., Anoxia and Compounds Causing Mental Disorders in Man,' *Diseases Nervous System*, Vol. 6 (1945), No. 12, pp. 365.70.

p. 162: Goldblatt, Harry and G. Cameron, 'Induced Malignancy in Cells from Rat Myocardium Subjected to Intermittent Anaerobiosis During Long Propagation in Vitro,' *Jour. Exper. Med.*, Vol. 97 (1953), No. 4, pp. 525-52.

p. 162: Warburg, Otto, 'On the Origin of Cancer Cells,' *Science*, Vol. 123 (1956), No. 3191, pp. 309-14.

p. 162: 'Congenital Malformations Subject of Study,' *Registrar*, U.S. Public Health Service, Vol. 24, No. 12 (Dec. 1959), p. 1.

p. 162: Brachet, J., *Boichemical Cytology*. New York: Academic Press, 1957. P. 516.

p. 162: Genelly, Richard E., and Robert L. Rudd, 'Effects of DDT, Toxaphene, and Dieldrin on Pheasant Reproduction,' *Auk*, Vol. 73 (Oct. 1956), pp. 529-39.

p. 162: Wallace, George J., Aan de schrijfster, 2 juni 1960.

p. 162: Cottam, Clarence, 'Some Effects of Sprays on Crops and Livestock,' address to Soil Conservation Soc. of Am., Aug. 1961. Mimeo.

p. 162: Bryson, M. J., et al., 'DDT in Eggs and Tissues of Chickens Fed Varying Levels of DDT,' *Advances in Chem.*, Ser. No. 1, 1950.

p. 163: Genelly, Richard E., and Robert L. Rudd, 'Chronic Toxicity of DDT, Toxaphene, and Dieldrin to Ring-necked Pheasants,' *Calif. Fish and Game*, Vol. 42 (1956), No. 1, pp. 5-14.

p. 163: Emmel, L., and M. Krupe, 'The Mode of Action of DDT in Warm-blooded Animals,' *Zeits. für Naturforschung*, Vol. 1 (1946), pp. 691-95.

p. 163: Wallace, George J., Aan de schrijfster.

p. 164: Pillmore, R. E., 'Insecticide Residues in Big Game Animals,' U.S. Fish and Wildlife Service, pp. 1-10. Denver, 1961. Mimeo.

p. 164: Hodge, C. H., et al., 'Short-Term Orol Toxicity Tests of Methoxychlor in Rate and Dogs,' *Jour. Pharmacol. and Exper. Therapeut.*, Vol. 99 (1950), p. 140.

p. 164: Burlington, H., and V. F. Lindeman, 'Effect of DDT on Testes and Secondary Sex Characters of White Leghorn Cockerels,' *Proc. Soc. Exper. Biol. and Med.*, Vol. 74, (1950), pp. 48-51.

p. 164: Lardy, H. A., and P. H. Philips, 'The Effect of Thyroxine and Dinitrophenol on Sperm Metabolism,' *Jour. Biol. Chem.*, Vol. 149 (1943), p. 177.

p. 164: 'Occupational Oligospermia,' letter to Editor, *Jour. Am. Med. Assn.*, Vol. 140, No. 1249 (Aug. 13, 1959).

pp. 164-165: Burnet, F. Macfarlane, 'Leukemia As a Problem in Preventive Medicine,' *New Eng. Jour. Med.*, Vol. 259 (1958), No. 9, pp. 423-31.

pp. 164-165: Alexander, Peter, 'Radiation-Imitating Chemicals,' *Sci. American*, Vol. 202 (1960), No. 1, pp. 99-108.

pp. 165-166: Simpson, George G., C. S. Pittendrigh, and L. H. Tiffany, *Life: An Introduction to Biology*. New York: Harcourt, Brace, 1957.

pp. 165-166: Burnet, 'Leukemia As a Problem in Preventive Medicine.'

pp. 165-166: Bearn, A. G. and J. L. German III, 'Chromosomes and Disease,' *Sci. American*, Vol. 205 (1961), No. 5, pp. 66-76.

pp. 165-166: 'The Nature of Radioactive Fall-out and Its Effects on Man,' *Hearings*, 85th Congress, Joint Com. on Atomic Energy, Pt. 2 (June 1957), p. 1062. Testimony of Dr. Hermann J. Muller.

p. 167: Alexander, 'Radiation-Imitating Chemicals.'

p. 167: Muller, Hermann J., 'Radiation and Human Mutation,' *Sci. American*, Vol. 193 (1955), No. 11, pp. 58-68.

p. 168: Conen, P. E., and G. S. Lansky, 'Chromosome Damage during Nitrogen Mustard Therapy,' *Brit. Med. Jour.*, Vol. 2 (Oct. 21, 1961), pp. 1055-57.

p. 168: Blasquez, J., and J. Maier, 'Ginandromorfismo en *Culex fatigans* sometidos por generaciones sucesivas a exposiciones de DDT,' *Revista de Sanidad y Assistencia Social (Caracas)*, Vol. 16 (1951), pp. 607-12.

p. 168: Levan, A., and J. H. Tjio, 'Induction of Chromosome Fragmentation by Phenols,' *Hereditas*, Vol. 34 (1948), pp. 453-84.

p. 168: Loveless, A., and S. Revell, 'New Evidence on the Mode of Action of "Mitotic Poisons",' *Nature*, Vol. 164 (1949), pp. 938-44.

p. 168: Hadorn, E., et al., Quoted by Charlotte Auerbach in 'Chemical Mutagenesis,' *Biol. Rev.*, Vol. 24 (1949), pp. 355-91.

p. 168: Wilson, S. M., et al., 'Cytological and Genetical Effects of the Defoliant Endothal,' *Jour. of Heredity*, Vol. 47 (1956), No. 4, pp. 151-55.

p. 168: Vogt, quoted by W. J. Burdette in 'The Significance of Mutation in Relation to the Origin of Tumors: A Review,' *Cancer Research*, Vol. 15 (1955), No. 4, pp. 201-26.

p. 169: Swanson, Carl, *Cytology and Cytogenetics*. Englewood Cliffs, N.J.: Prentice-Hall, 1957.

p. 169: Kostoff, D., 'Induction of Cytogenic Changes and Atypical Growth by Hexachlorcyclohexane,' *Science*, Vol. 109, pp. 467-68.

p. 169: Sass, John E., 'Response of Meristems of Seedling to Benzene Hexachloride Used As a Seed Protectant,' *Science*, Vol. 114 (Nov. 2, 1951), p. 466.

p. 169: Shenefelt, R. D., 'What's Behind Insect Control?' in *What's New in Farm Science*. Univ. of Wisc. Agric. Exper. Station Bulletin 512 (Jan. 1955).

p. 169: Croker, Barbara H., 'Effects of 2,4-D and 2,4,5-T on Mitosis in *Allium cepa,' Bot. Gazette,* Vol. 114 (1953), pp. 274-83.

p. 169: Mühling, G. N., et al., 'Cytological Effects of Herbicidal Substituted Phenols,' *Weeds,* Vol. 8 (1960), No. 2, pp. 173-81.

p. 169: Davis, David E., Aan de schrijfster, 23 nov. 1961.

p. 170: Jacobs, Patricia A., et al., 'The Somatic Chrosmosomes in Mongolism,' *Lancet,* No. 7075 (April 4, 1959), p. 710.

p. 170: Ford, C. E., and P. A. Jacobs, 'Human Somatic Chromosomes,' *Nature,* June 7, 1958, pp. 1565-68.

p. 170: Chromosome Abnormality in Chornic Myeloid Leukaemia,' editorial, *Brit. Med. Jour.,* Vol. 1 (Feb. 4, 1961), p. 347.

p. 17ó: Bearn and German, 'Chromosomes and Disease,'

p. 171: Patau, K., et al., 'Partial-Trisomy Syndromes. I. Sturge-Weber's Disease,' *Am. Jour. Human Genetics,* Vol. 13 (1961), No. 3, pp. 287-98.

p. 171: —, Paritial-Trisomy Syndromes. II an Insertion As Cause of the OFD Syndrome in Mother and Daugther,' *Chromosoma* (Berlin), Vol. 12 (1961), pp. 573-84.

p. 171: Therman, E., et al., 'The D Trismony Syndrome and XO Gonadal Dysgenesis in Two Sisters,' *Am. Jour. Human Genetics,* Vol. 13 (1961), No. 2, pp. 193-204.

HOOFDSTUK 14: EEN OP DE VIER

p. 172: Hueper, W. C., 'Newer Developments in Occupational and Environmental Cancer,' *A.M.A. Archives Inter. Med.,* Vol. 100 (Sept. 1957), pp. 487-503.

p. 173: —, *Occupational Tumors and Allied Diseases.* Springfield, III: Thomas, 1942.

pp. 173-174: —, Environmental Cancer Hazards: A Problem of Community Health,' *Southern Med. Jour.,* Vol. 50 (1957), No. 7, pp. 923-33.

p. 174: 'Estimated Numbers of Deaths and Death Rates for Selected Causes: United States,' Annual Summary for 1959, Pt. 2, *Monthly Vital Statistics Report, Vol. 7, No. 13 (July 22, 1959),* p. 14. Natl. Office of Vital Statistics, Public Health Service.

p. 174: *1962 Cancer Facts and Figures,* American Cancer Society.

p. 174: *Vital Statistics of the United States, 1959.* Natl. Office of Vital Statistics, Public Health Service. Vol. I, Sec. 6, Mortality Statistics. Table 6-K.

p. 175: Hueper, W. C., *Environmental and Occupational Cancer.* Public Health Reports, Supplement 209 (1948).

p 175: 'Food Additives,' *Hearings,* 85th Congress, Subcom. of Com. on Interstate and Foreign Commerce, July 19, 1957. Testimony of Dr. Francis E. Ray, p. 200.

p. 176: Hueper, *Occupational Tumors and Allied Diseases.*

p. 176: —, Potential Role of Non-Nutritive Food Additives and Contaminants as Environmental Carcinogens,' *A.M.A. Archives Path.,* Vol. 62 (Sept. 1956), pp. 218-49.

pp. 176-177: 'Tolerances for Residues of Aramite,' *Federal Register,* Sept. 30, 1955. Food and Drug Administration, U.S. Dept. of Health, Education, and Welfare.

p. 177: 'Notice of Proposal to Establish Zero Tolerances for Aramite,' *Federal Register,* April 26, 1958. Food and Drug Administration.

p. 177: 'Aramite – Revocation of Tolerances; Establishment of Zero Tolerances,' *Federal Register,* Dec. 24, 1958. Food and Drug Adm.

p. 177: Van Oettingen, W. F., *The Halogenated Aliphatic, Olefinic, Cyclic, Aromatic, and Aliphatic-Aromatic Hydrocarbons: Including the Halogenated Insecticides, Their Toxicity and Potential Dangers.* U.S. Dept. of Health, Education, and Welfare. Public Health Service Publ. No. 414 (1955).

p. 177: Hueper, W. C., and W. W. Payne, 'Observations on the Occurrence of Hepatomas in Rainbow Trout,' *Jour. Natl. Cancer Inst.,* Vol. 27 (1961), pp. 1123-43.

p. 177: VanEsch, G. J., et al., 'The Production of Skin Tumours in Mice by Oral Treatment with Urethane-Isopropyl-N-Phenyl Carbamate or Isopropyl-N-Chlorophenyl Carbamate in Combination with Skin Painting with Croton Oil and Tween 60,' *Brit. Jour. Cancer,* Vol. 12 (1958), pp. 355-62.

p. 178: 'Scientific Background for Food and Drug Administration Action against Aminotriazole in Cranberries,' Food and Drug Administration, U.S. Dept. of Health, Education, and Welfare, Nov. 17, 1959. Mimeo.

p. 178: Rutstein, David, Letter to *New York Times,* Nov. 16, 1959.

p. 178: Hueper, W. C. 'Causal and Preventive Aspects of Environmental Cancer,' *Minnesota Med.,* Vol. 39 (Jan. 1956), pp. 5-11, 22.

p. 178: 'Estimated Numbers of Deaths and Death Rates for Selected Causes: United States,' Annual Summary for 1960, Pt. 2, *Monthly Vital Statitics Report,* Vol. 9, No. 13 (July 28, 1961), Table 3.

p. 178: *Robert Cushman Murphy et al.,* v. *Ezra Benson et al.* U.S. District Court, Eastern District of New York, Oct. 1959, Civ. No. 17610. Testimony of Dr. Malcolm M. Hargraves.

p. 179: Hargraves, Malcolm M., 'Chemical Pesticides and Conservation Problems,' address to 23rd Annual Conv. Natl. Wildlife Fed. (Feb. 27, 1959). Mimeo.

pp. 179-180: —, and D. G. Hanlon, 'Leukemia and Lymphoma – Environmental Diseases?' paper presented at Internatl. Congress of Hematology, Japan, Sept. 1960. Mimeo.

p. 180: Wright, C., et al., 'Agranulocytosis Occurring after Exposure to a DDT Pyrethrum Aerosol Bobmb,' *Am. Jour. Med.,* Vol. 1 (1946), pp. 562-67.

p. 180: Jedlicka, V., 'Paramyelblastic Leukemia Appearing Simultaneously in Two Blood Cousins after Simultaneous Contact with Gammexane (Hexachlorcyclohexane),' *Acta Med. Scand.,* Vol. 161 (1958), pp. 447-51.

p. 181: Friberg, L., and J. Martensson, 'Case of Panmyelopthisis after Exposure to Chlorophenothane and Benzene Hexachloride,' (A.M.A.) *Archives Indus. Hygiene and Occupat. Med.,* Vol. 8 (1953), No. 2, pp. 166-69.

p. 182: Warburg, Otto, 'On the Origin of Cancer Cells,' *Science,* Vol. 123, No. 3191 (Feb. 24, 1956), pp. 309-14.

pp. 183-184: Sloan-Kettering Inst. for Cancer Research, *Biennial Report,* July 1, 1957-June 30, 1959, p. 72.

pp. 185-185: Levan, Albert and John J. Biesele, 'Role of Chromosomes in Cancerogenesis, As Studied in Serial Tissue Culture of Mammalian Cells,' *Annals New York Acad, Sci.,* Vol. 71 (1958), No. 6, pp. 1022-53.

p. 185: Hunter, F. T., 'Chronic Exposure to Benzene (Benzol). II. The Clinical Effects,' *Jour. Indus. Hygiene and Toxicol.,* Vol. 21 (1939), pp. 331-54.

p. 185: Mallory, T. B., et al., 'Chronic Exposure to Benzene (Benzol). III. The Pathologic Results,' *Jour. Indus. Hygiene and Toxicol.,* Vol. 21 (1939), pp. 355-93.

p. 185: Hueper, *Environmental and Occupational Cancer,* pp. 1-69.

p. 185: —, 'Recent Developments in Environmental Cancer, *A.M.A. Archives Path.,* Vol. 58 (1954), pp. 475-523.

p. 185: Burnet, F. Macfarlane, 'Leukemia As a Problem in Preventive Medicine,' *New Eng. Jour. Med.,* Vol. 259 (1958), No. 9, pp. 423-31.

p. 186: Klein, Michael, 'The Transplacental Effect of Urethan on Lung Tumorigenesis in Mice,' *Jour. Natl. Cancer Inst.,* Vol. 12 (1952), pp. 1003-10.

pp. 185-187: Biskind, M. S., and G. R. Biskind, 'Diminution in Ability of the Liver to Inactivate Estrone in Vitamin B Complex Deficiency,' *Science,* Vol. 94, No. 2446 (Nov. 1941), p. 462.

pp. 185-187: Biskind, M. S., and G. R. Biskind, 'Diminution in Ability of Certain Endocrine Disturbances,' *Am. Jour. Clin. Path.,* Vol. 16 (1946), No. 12, pp. 737-45.

pp. 186-187: Biskind, M. S., and M. C. Shelesnyak, 'Effect of Vitamin B Complex Deficiency on Inactivation of Estrone in the Liver,' *Endocrinology,* Vol. 31 (1942), No. 1, pp. 109-14.

pp. 186-187: Biskind, M. S., and M. C. Shelesnyak,' 'Effects of Vitamin B Complex Deficiency on Inactivation of Ovarian Estrogen in the Liver,' *Endocrinology,* Vol. 30 (1942), No. 5, pp. 819-20.

pp. 186-187: Biskind, M. S. and G. R. Biskind, 'Inactivation of Testosterone Propionate in the Liver During Vitamin B Complex Deficiency. Alteration of the Estrogen-Androgen Equilibrium,' *Endocrinology,* Vol. 32 (1943), No. 1, pp. 97-102.

p. 187: Greene, H. S. N., 'Uterine Adenomata in the Rabbit. III. Susceptibility As a Function of Constitutional Factors,' *Jour. Exper. Med.,* Vol. 73 (1941), No. 2, pp. 273-92.

p. 187: Horning E. S., and J. W. Whittick, 'The Histogenesis of Stilboestrol-Induced Renal Tumours in the Male Golden Hamster,' *Brit. Jour. Cancer,* Vol. 8 (1954), pp. 451-57.

p. 187: Kirkman, Hadley, *Estrogen-Induced Tumors of the Kidney in the Syrian Hamster. U.S. Public Health Service,* Natl. Cancer Inst. Monograph No. 1 (Dec. 1959).

p. 187: Ayre, J. E., and W. A. G. Bauld, 'Thiamine Deficiency and High Estrogen Findings in Uterine Cancer and in Menorrhagia,' *Science,* Vol. 103, No. 2676 (April 12, 1946), pp. 441-45.

p. 187: Rhoads, C. P., 'Physiological Aspects of Vitamin Deficiency,' *Proc. Inst. Med. Chicago,* Vol. 13 (1940), p. 198.

p. 187: Sugiura, K., and C. P. Rhoads, 'Experimental Liver Cancer in Rats and Its Inhibition by Rice-Bran Extract, Yeast, and Yeast Extract,' *Cancer Research,* Vol. 1 (1941), pp. 3-16.

p. 187: Martin, H., 'The Precancerous Mouth Lesions of Avitaminosis B. Their Etiology, Response to Therapy and Relationship to Intraoral Cancer,' *Am. Jour. Surgery,* Vol. 57 (1942), pp. 195-225.

p. 187: Tannenbaum, A., 'Nutrition and Cancer,' in Freddy Homburger, ed., *Physiopathology of Cancer.* New York: Harper, 1959, 2nd ed. A Paul B. Hoeber Book. P. 552.

p. 188: Symeonidis, 'Post-starvation Gynecomastia and Its Relationship to Breast Cancer in Man,' *Jour. Natl. Cancer Inst.,* Vol. 11 (1950), p. 656.

p. 188: Davies, J. N. P., 'Sex Hormone Upset in Africans,' *Brit. Med. Jour.,* Vol. 2 (1940), pp. 676-79.

p. 189: Hueper, 'Potential Rode of Non-Nutritive Food Additives.'

p. 190: VanEsch et al., 'Production of Skin Tumours in Mice by Carbamates.'

p. 190: Berenblum, I., and N. Trainin, 'Possible Two-Stage Mechanism in Experimental Leukemogenesis,' *Science,* Vol. 132 (July 1, 1960), pp. 40-41

p. 190: Hueper, W. C., 'Cancer Hazards from Natural and Artificial Water Pollutants,' *Proc.,* Conf. on Physiol. Aspects of Water Quality, Washington, D.C., Sept. 8-9, 1960, pp. 181-93. US. Public Health Service.

p. 191: Hueper and Payne, 'Observations on Occurrence of Hepatomas in Rainbow Trout.'

p. 192: Sloan-Kettering Inst. for Cancer Research, *Biennial Report,* 1957-59.

pp. 190-193: Hueper, W. C., Aan de schrijfster.

HOOFDSTUK 15: DE NATUUR SLAAT TERUG

p. 194: Briejèr, C. J., 'The Growing Resistance of Insects to Insecticides,' *Atlantic Naturalist,* Vol. 13 (1958), No. 3, pp. 149-55.

p. 195: Metcalf, Robert, L., 'The Impact of the Development of Organophosphorus Insecticides upon Basic and Applied Science,' *Bull. Entomol. Soc. Am.,* Vol. 5 (March 1959), pp. 3-15.

p. 196: Ripper, W. E., 'Effect of Pesticides on Balance of Arthropod Populations,' *Annual Rev. Entomol.,* Vol. 1 (1956), pp. 403-38.

p. 196: Allen, Durward L., *Our Wildlife Legacy.* New York: Funk & Wagnalls, 1954. Pp. 234-36.

p. 196: Sabrosky, Curtis W., 'How Many Insects Are There?' *Yearbook of Agric.,* U.S. Dept. of Agric., 1952, pp. 1-7.

p. 197: Bishopp, F. C. 'Insect Friends of Man,' *Yearbook of Agric.,* U.S. Dept. of Agric., 1952, pp. 79-87.

p. 197: Klots, Alexander B., and Elsie B. Klots, 'Beneficial Bees, Wasps, and Ants.' *Handbook on Biological Control of Plant Pests,* pp. 44-46. Brooklyn Botanic Garden. Reprinted from *Plants and Gardens,* Vol. 16 (1960), No. 3.

p. 198: Hagen, Kenneth S., 'Biological Control with Lady Beetles,' *Handbook on Biological Control of Plants Pests,* pp. 28-35.
p. 198: Schlinger, Evert I., 'Natural Enemies of Aphids,' *Handbook on Biological Control of Plant Pests,* pp. 36-42.
p. 199: Bishopp, 'Insect Friends of Man.'
p. 200: Ripper, 'Effect of Pesticides on Arthropod Populations.'
p. 200: Davies, D. M., 'A Study of the Black-fly Population of a Stream in Algonquin Park, Ontario,' *Transactions, Royal Canadian Inst.,* Vol. 59 (1950), pp. 121-59.
p. 200: Ripper, 'Effect of Pesticides on Arthropod Populations.'
pp. 200-201: Johnson, Philip C., *Spruce Spider Mite Infestations in Northern Rockey Mountain Douglas-Fir Forests.* Research Paper 55, Intermountain Forest and Range Exper. Station, U.S. Forest Service, Ogden, Utah, 1958.
p. 201: Davis, Donald W., 'Some Effects of DDT on Spider Mites,' *Jour. Econ. Entomol.,* Vol. 45 (1952), No. 6, pp. 1011-19.
p. 201: Gould, E., and E. O. Hamstead, 'Control of the Red-banded Leaf Roller,' *Jour. Econ. Entomol.,* Vol. 41 (1948), pp. 887-90.
p. 201: Pickett, A. D., A Critique on Insect Chemical Control Methods,' *Canadian Entomologist,* Vol. 81 (1949), No. 3, pp. 1-10.
pp. 201-202: Joyce, R. J. V., 'Large-Scale Spraying of Cotton in the Gash Delta in Eastern Sudan,' *Bull. Entomol. Research,* Vol. 47 (1956), pp. 390-413.
p. 202: Long, W. H., et al., 'Fire Ant Eradication Program Increases Damage by the Sugarcane Borer,' *Sugar Bull.,* Vol. 37 (1958), No. 5, pp. 62-63.
p. 202: Luckmann, William, H., 'Increase of European Corn Borers Following Soil Application of Large Amounts of Dieldrin,' *Jour. Econ. Entomol.,* Vol. 53 (1960), No. 4, pp. 582-84.
p. 203: Haeussler, G. J., 'Losses Caused by Insects,' *Yearbook of Agric.,* U.S. Dept. of Agric., 1952, pp. 141-46.
p. 203: Clausen, C. P., 'Parasites and Predators,' *Yearbook of Agric.,* U.S. Dept. of Agric., 1952, pp. 380-88.
p. 203: —, *Biological Control of Insect Pests in the Continental United States.* U.S. Dept. of Agric. Technical Bulletin No. 1139 (June 1956), pp. 1-151.
p. 204: DeBach, Paul, 'Application of Ecological Information to Control of Citrus Pests in California,' *Proc.,* 10th Internatl. Congress of Entomologists (1956), Vol. 3 (1958), pp. 187-94.
p. 204: Laird, Marshall, 'Biological Solutions to Problems Arising from the Use of Modern Insecticides in the Field of Public Health,' *Acta Tropica,* Vol. 16 (1959), p. 4, pp. 331-55.
p. 204: Harrington, R. W., and W. L. Bidlingmayer, 'Effects of Dieldrin on Fishes and Invertebrates of a Salt Marsh,' *Jour. Wildlife Management,* Vol. 22 (1958), No. 1, pp. 76-82.
p. 205: *Liver Flukes in Cattle.* U.S. Dept. of Agric. Leaflet No. 493 (1961).
p. 205: Fisher, Theodore W., 'What Is Biological Control?' *Handbook on Biological Control of Plant Pests,* pp. 6-18. Brooklyn Botanic Garden. Reprinted from *Plants and Gardens,* Vol. 16 (1960), No. 3.

p. 205: Jacob, F. H., 'Some Modern Problems in Pest Control,' *Science Progress,* No. 181 (1958), pp. 30-45.
p. 205: Pickett, A. D., and N.A. Patterson, 'The Influence of Spray Programs on the Fauna of Apple Orchards in Nova Scotia. IV. A. Review,' *Canadian Entomologist,* Vol. 85 (1953), No. 12, pp. 472-78.
p. 206: Pickett, A. D., 'Controlling Orchard Insects,' *Agric Inst. Rev.,* March-April 1953.
p. 206: —, 'The Philosophy of Orchard Insect Control,' 79th *Annual Report,* Entomol. Soc. of Ontario (1948), pp. 1-5.
p. 207: —, 'The Control of Apple Insects in Nova Scotia,' Mimeo.
p. 208: Ullyett, G. C., 'Insects, Man and the Environment,' *Jour. Econ. Entomol.,* Vol. 44 (1951), No. 4, pp. 459-64.

HOOFDSTUK 16: HET GEROMMEL VAN EEN LAWINE

pp. 209-210: Babers, Frank H., *Development of Insect Resistance to Insecticides.* U.S. Dept. of Agric., E 776 (May 1949).
pp. 209-210: —, and J. J. Pratt, *Development of Insect Resistance to Insecticides. II. A Critical Review of the Literature up to 1951.* U.S. Dept. of Agric., E 818 (May 1951).
p. 210: Brown, A. W. A., 'The Challenge of Insecticide Resistance,' *Bull. Entomol. Soc. Am., Vol.* 7 (1961), No. 1, pp. 6-19.
p. 210: —, Development and Mechanism of Insect Resistance to Available Toxicants,' *Soap and Chem. Specialties,* Jan. 1960.
p. 210: *Insect Resistance and Vector Control.* World Health Organ. Technical Report Ser. No. 153 (Geneva, 1958), p. 5.
p. 210: Elton, Charles S., *The Ecology of Invasions by Animals and Plants.* New York: Wiley, 1958. P. 181.
p. 211: Babers and Pratt, *Development of Insect Resistance to Insecticides,* II.
pp. 211-212: Brown, A. W. A., *Insecticide Resistance in Arthropods.* World Health Organ. Monograph Ser. No. 38 (1958), pp. 13, 11.
p. 212: Quaterman, K. D., and H. F. Schoof, 'The Status of Insecticide Resistance in Arthropods of Public Health Importance in 1956,' *Am. Jour. Trop. Med. and Hygiene,* Vol. 7 (1958), No. 1, pp. 74-83.
p. 212: Brown, *Insecticide Resistance in Arthropods.*
p. 212: Hess, Archic D., 'The Significance of Insecticide Resistance in Vector Control Programs,' *Am. Jour. Trop. Med. and Hygiene,* Vol. 1 (1952), No. 3, pp. 371-88.
p. 213: Lindsay, Dale R., and H. I. Scudder, 'Nonbiting Flies and Disease,' *Annual Rev. Entomol.,* Vol. 1 (1956), pp. 323-46.
p. 213: Schoof, H. F., and J. W. Kilpatrick, 'House Fly Resistance to Organo-phosphorus Compounds in Arizona and Georgia,' *Jour. Econ. Entomol.,* Vol. 51 (1958), No. 4, p. 546.
p. 213: Brown, 'Development and Mechanism of Insect Resistance.'
p. 213: —, *Insecticide Resistance in Arthropods.*
p. 214: —, 'Challenge of Insecticide Resistance.'
p. 214: —, *Insecticides Resistance in Arthropods.*
p. 215: —, 'Development and Mechanism of Insect Resistance.'
p. 215: —, *Insecticide Resistance in Arthropods.*

p. 215: —, 'Challenge of Insecticide Resistance.'
p. 216: Anon., 'Brown Dog Tick Develops Resistance to Chlordane,' *New Jersey Agric.*, Vol. 37 (1955), No. 6, pp. 15-16.
p. 216: *New York Herald Tribune,* June 22, 1959; also J. C. Pallister, Aan de schrijfster, 6 nov. 1959.
p. 216: Brown, 'Challenge of Insecticide Resistance.'
p. 217: Hofmann, C. H., 'Insect Resistance,' *Soap,* Vol. 32 (1956), No. 8, pp. 129-32.
pp. 217-218: Brown, A. W. A., *Insect Control by Chemicals.* New York: Wiley, 1951.
pp. 217-218: Briejèr, C. J., 'The Growing Resistance of Insects to Insecticides,' *Atlantic Naturalist,* Vol. 13 (1958), No. 3, pp. 149-55.
p. 218: Laird, Marshall, 'Biological Solutions to Problems Arising from the Use of Modern Insecticides in the Field of Public Health,' *Acta Tropica,* Vol. 16 (1959), No. 4, pp. 331-55.
p. 218: Brown, *Insecticide Resistance in Arthropods.*
p. 219: —, 'Development and Mechanism of Insect Resistance.'
p. 219: Briejèr, 'Growing Resistance of Insects to Insecticides.'
p. 219: 'Pesticides - 1959,' *Jour. Agric. and Food Chem.*, Vol. 7 (1959), No. 10, p. 680.

HOOFDSTUK 17: DE ANDERE WEG

pp. 220-221: Swanson, Carl P., *Cytology and Cytogenetics.* Englewood Cliffs, N.J.: Prentice-Hall, 1957.
p. 221: Knipling, E. F., 'Control of Screw-Worm Fly by Atomic Radiation,' *Sci. Monthly,* Vol. 85 (1957), No. 4, pp. 195-202.
p. 221: —, *Screwworm Eradication: Concepts and Research Leading to the Sterile-Male Method.* Smithsonian Inst. Annual Report, Publ. 4365 (1959).
p. 221: Bushland, R. C., et al., 'Eradication of the Screw-Worm Fly by Releasing Gamma-Ray-Sterilized Males among the Natural Population,' *Proc.*, Internatl. Conf. on Peaceful Uses of Atomic Energy, Geneva, Aug. 1955, Vol. 12, pp. 216-20.
p. 222: Lindquist, Arthur W., 'The Use of Gamma Radiation for Control or Eradication of the Screwworm,' *Jour. Econ. Entomol.*, Vol. 48 (1955), No. 4, pp. 467-69.
p. 223: —, Research on the Use of Sexually Sterile Males for Eradication of Screw-Worms,' *Proc.*, Inter-Am. Symposium on Peaceful Application of Nuclear Energy, Buenos Aires, June 1959, pp. 229-39.
p. 223: 'Screwworm vs. Screwworm,' *Agric. Research,* July 1958, p. 8. U.S. Dept. of Agric.
pp. 223-224: 'Traps Indicate Screwworm May Still Exist in Southeast.' U.S. Dept. of Agric. Release No. 1502-59 (June 3, 1959). Mimeo.
p. 225: Potts, W. H., 'Irradiation and the Control of Insects Pests,' *Times* (London) Sci. Rev., Summer 1958, pp. 13-14.
p. 225: Knipling, *Screwworm Eradication: Sterile-Male Method.*
p. 225: Lindquist, Arthur W., 'Entomoligical Uses of Radioisotopes,' in *Radiation Biology and Medicine.* U.S. Atomic Energy Commission, 1958. Chap. 27, Pt. 8, pp. 688-710.

p. 225: —, 'Research on the Use of Sexually Sterile Males.'

p. 226: 'USDA May Have New Way to Control Insect Pests with Chemical Sterilants.' U.S. Dept. of Agric. Release No. 3587-61 (Nov. 1, 1961). Mimeo.

p. 226: Lindquist, Arthur W., 'Chemicals to Sterilize Insects,' *Jour. Washington Acad. Sci.,* Nov. 1961, pp. 109-14.

p. 226: —, 'New Ways to Control Insects,' *Pest Control Mag.,* June 1961.

p. 226: LaBrecque, G. C., 'Studies with Three Alkylating Agents As House Fly Sterilants,' *Jour. Econ. Entomol.,* Vol. 54 (1961), No. 4, pp. 684-89.

p. 227: Knipling, E. F., 'Potentialities and Progress in the Development of Chemosterilants for Insect Control,' paper presented at Annual Meeting Entomol. Soc. of Am., Miami, 1961.

p. 227: —, 'Use of Insects for Their Own Destruction,' *Jour. Econ. Entomol.,* Vol. 53 (1960), No. 3, pp. 415-20.

p. 227: Mitlin, Norman, 'Chemical Sterility and the Nucleic Acids,' paper presented Nov. 27, 1961, Symposium on Chemical Sterility, Entomol. Soc. of Am., Miami.

p. 227: Alexander, Peter, Aan de schrijfster, 19 feb. 1962.

p. 227: Eisner, T., 'The Effectiveness of Arthropod Defensive Secretions,' in Symposium 4 on 'Chemical Defensive Mechanisms,' 11th Internatl. Congress of Entomologists, Vienna (1960), pp. 264-67. Offprint.

p. 227: —, 'The Protective Role of the Spray Mechanism of the Bombardier Beetle, *Brachynus ballistarius* Lec.,' *Jour. Insect Physiol.,* Vol. 2 (1958), No. 3, pp. 215-20.

p. 226: —, 'Spray Mechanism of the Cockroach *Diploptera punctata,*' *Science,* Vol. 128, No. 3316 (July 18, 1958), pp. 148-49.

p. 226: Williams, Carroll M., 'The Juvenile Hormone,' *Sci. American,* Vol. 198, No. 2 (Feb. 1958), p. 67.

p. 226: '1957 Gypsy-Moth Eradication Program,' U.S. Dept. of Agric. Release 858-57-3. Mimeo.

p. 227: Brown, William L., Jr., 'Mass Insect Control Programs: Four Case Histories,' *Psyche,* Vol. 68 (1961), Nos. 2-3, pp. 75-111.

p. 227: Jacobson, Martin, et al., 'Isolation, Identification, and Synthesis of the Sex Attractant of Gypsy Moth,' *Science,* Vol. 132, No. 3433 (Oct. 14, 1960), p. 1011.

p. 228: Christenson, L. D., 'Recent Progress in the Development of Procedures for Eradicating or Controlling Tropical Fruit Flies,' *Proc.,* 10th Internatl. Congress of Entomologists (1956), Vol. 3 (1958), pp. 11-16.

p. 228: Hoffmann, C. H., 'New Concepts in Controlling Farm Insects,' address to Internatl. Assn. Ice Cream Manuf. Conv., Oct. 27, 1961. Mimeo.

p. 228: Frings, Hubert, and Mable Frings, 'Uses of Sounds by Insects,' *Annual Rev. Entomol.,* Vol. 3 (1958), pp. 87-106.

p. 228: *Research Report, 1956-1959.* Entomol. Research Inst. for Biol. Control, Belleville, Ontario. Pp. 9-45.

p. 229: Kahn, M. C., and W. Offenhauser, Jr., 'The First Field Tests of Recorded Mosquito Sounds Used for Mosquito Destruction,' *Am.*

Jour. Trop. Med., Vol. 29 (1949), pp. 800-27.
p. 229: Wishart, George, Aan de schrijfster, 10 aug. 1961.
p. 229: Beirne, Bryan, Aan de schrijfster, 7 feb. 1962.
p. 229: Frings, Hubert, Aan de schrijfster, 12 feb. 1962.
p. 229: Wishart, George, Aan de schrijfster, 10 aug. 1961.
p. 229: Frings, Hubert, et al., 'The Physical Effects of High Intensity Air-Borne Ultrasonic Waves on Animals,' *Jour. Cellular and Compar. Physiol.,* Vol. 31 (1948), No. 3, pp. 339-58.
p. 230: Steinhaus, Edward A., 'Microbial Control – The Emergence of an Idea,' *Hilgardia,* Vol. 26, No. 2 (Oct. 1956), pp. 107-60.
p. 230: —, 'Concerning the Harmlessness of Insect Pathogens and the Standardization of Microbial Control Products,' *Jour. Econ. Entomol.,* Vol. 50, No. 6 (Dec. 1957), pp.715-20.
p. 230: —, 'Living Insecticides,' *Sci. American,* Vol. 195, No. 2 (Aug. 1956), pp. 96-104.
p. 230: Angus, T. A., and A. E. Heimpel, 'Microbial Insecticides,' *Research for Farmers,* Spring 1959, pp. 12-13. Canada Dept. of Agric.
p. 230: Heimpel, A. M., and T. A. Angus, 'Bacterial Insecticides,' *Bacteriol. Rev.,* Vol. 24 (1960), No. 3, pp. 266-88.
p. 231: Briggs, John D., 'Pathogens for the Control of Pests,' *Biol. and Chem. Control of Plant and Animal Pests.* Washington, D.C. Am. Assn. Advancement Sci., 1960. Pp. 137-48.
p. 231: 'Tests of a Microbial Insecticide against Forest Defoliators,' *Bi-Monthly Progress Report,* Canada Dept. of Forestry, Vol. 17, No. 3 (May-June 1961).
p. 232: Steinhaus, 'Living Insecticides.'
p. 232: Tanada, Y., 'Microbial Control of Insects Pests,' *Annual Rev. Entomol.,* Vol. (1959), pp. 277-302.
p. 232: Steinhaus, 'Concerning the Harmlessness of Insect Pathogens.'
p. 232: Clausen, C. P., *Biological Control of Insect Pests in the Continental United States.* U.S. Dept. of Agric. Technical Bulletin No. 1139 (June 1956), pp. 1-151.
p. 232: Hoffmann, C. H., 'Biological Control of Noxious Insects, Weeds,' *Agric. Chemicals,* March-April 1959.
p. 233: DeBach, Paul, 'Biological Control of Insect Pests and Weeds,' *Jour. Applied Nutrition,* Vol. 12 (1959), No. 3, pp. 120-34.
p. 234: Ruppertshofen, Heinz, 'Forest-Hygiene,' address to 5th World Forestry Congress, Seattle, Wash. (Aug. 29-Sept. 10, 1960).
p. 234: —, Aan de schrijfster, 25 feb. 1962.
p. 234: Göswald, Karl, *Die Rote Waldameise im Dienste der Waldhygiene,* Lüneburg: Metta Kinau Verlag, n.d.
p. 234: —, Aan de schrijfster, 27 feb. 1962.
p. 236: Balch, R. E., 'Control of Forest Insects,' *Annual Rev. Entomol.,* Vol. 3 (1958), pp. 449-68.
p. 236: Buckner, C. H., 'Mammalian Predators of the Larch Sawfly in Eastern Manitoba,' *Proc.,* 10th Internatl. Congress of Entomologists (1956), Vol. 4 (1958), pp. 353-61.
p. 236: Morris, R. F., 'Differentiation by Small Mammal Predators between Sound and Empty Cocoons of the European Spruce Sawfly,'

Canadian Entomologists, Vol. 81 (1949), No. 5.
p. 237: MacLeod, C. F., 'The Introduction of the Masked Shrew into Newfoundland,' *Bi-Monthly Progress Report,* Canada Dept. of Agric., Vol. 16, No. 2 (March-April 1960).
p. 237: —, Aan de schrijfster, 12 feb. 1962.
p. 237: Carroll, W. J., Aan de schrijfster, 8 maart 1962.

Register